Ю. Іванова

Англійський репетитор. Простий самовчитель для дорослих

З нуля **Рівень А1 - А2**

(Beginner - Pre-Intermediate)

Завантажуйте аудіо за посиланням:
https://ntbooks.pro/1070210.html

Видавництво Нью Тайм Букс
Харків

ЗМІСТ

ВСТУПНИЙ КУРС

ОСНОВНИЙ КУРС

ВСТУПНИЙ КУРС

УРОК 1

У цьому уроці ви дізнаєтеся

Читання	1. Як читаються букви *m, n, l, f, v, b, p, k, d, t, e,* буквосполучення *ee*. Як вимовляються звуки: приголосні [m], [n], [l], [f], [v], [b], [p], [k], [d], [t]; голосний [i:]. 2. Що таке транскрипція і навіщо вона потрібна. 3. Що таке відкритий і закритий склад і чому потрібно їх розрізняти.
Граматика	4. Як дати команду (наказовий спосіб).

ПРАВИЛА ЧИТАННЯ

1. На відміну від української мови багато англійських букв читаються у різний спосіб у залежності від їхнього положення в слові. Крім того, багато буквосполучень утворюють власні звуки. У вступному курсі ми познайомимося з усіма правилами читання англійської мови. Проте не забувайте, що в англійській мові безліч винятків з цих правил, які поступово потрібно запам'ятовувати.

2. Деякі англійські букви читаються однаково, незалежно від їхнього положення в слові. До таких букв відносяться приголосні *m, n, l, f, v, b, p, k*.

Букви *m, n, l, f, v* передають звуки, що майже не відрізняються від своїх українських відповідників. Невелика відмінність полягає в тому, що англійські звуки вимовляються з великим напруженням.

Буква	Англійський звук	Схожий український звук
Mm	[m]	[м]
Nn	[n]	[н]
Ll	[l]	[л] (англійський [l], на відміну від українського, завжди твердий)
Ff	[f]	[ф]
Vv	[v]	[в]

3. Букви *b, p, k* також схожі на відповідні українські звуки — [б], [п], [к], але в англійській мові вони вимовляються з придихом (аспірацією).

Аспірація посилюється в наголошених складах, особливо перед довгими звуками, і послаблюється в ненаголошених складах. Наприкінці слова ці звуки також вимовляються з аспірацією.

4. Букви *d, t* відповідають звукам [d], [t], що дещо схожі на українські [д] і [т]. Однак англійські [d] і [t] значно м'якіші. Вимовити їх дуже легко. Намацайте язиком зверху в роті маленькі горбки (альвеоли). Потім розмістіть кінчик язика між верхніми зубами і цими горбками. У такому положенні скажіть по черзі [д] і [т]. Але не притискайте сильно язик, щоб не одержати «ч» замість [t] і «дж» замість [d].

Звуки [d] і [t] також вимовляються з придихом.

Завдання

1. Щоб навчитися правильно вимовляти звуки з аспірацією, візьміть аркуш паперу і розташуйте його на відстані 10 см від рота.

Вимовте кожен звук по черзі, щоб аркуш паперу відхилився від вас під тиском струменя повітря, що виходить з рота.

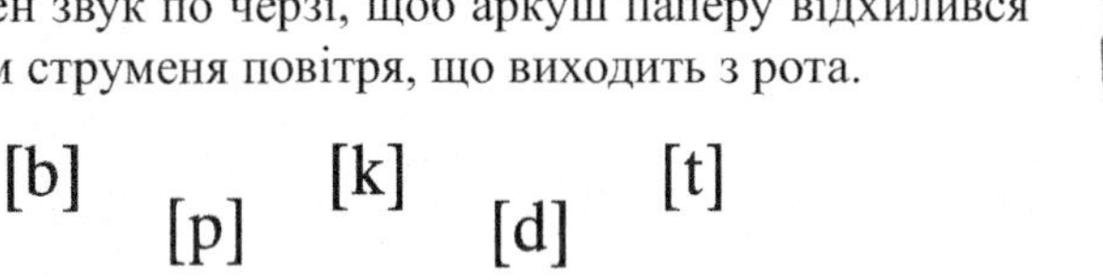

1.1 **2.** Послухайте і повторіть ці слова, звертаючи увагу на аспірацію:

Bob	big	bake	papa	pike	Pope

5. Транскрипція.

Ви вже, мабуть, помітили, що звуки позначаються символами в квадратних дужках, що називаються транскрипцією. Іноді ці символи практично не відрізняються від відповідних букв, а іноді відрізняються дуже сильно, наприклад, звуки [æ], [θ], [ʌ]. (Пізніше ви довідаєтеся, як правильно їх вимовляти).

> **!** Оскільки в англійській мові існує маса винятків з правил читання, транскрипція — це найпростіший спосіб дізнатися, як правильно читається незнайоме слово. На жаль, навіть прослуховування слова не завжди може допомогти. Адже мало у кого з нас абсолютний слух, до того ж при програванні звук може сильно спотворюватися, а ваш знайомий носій мови навряд чи буде кожне слово вимовляти настільки чітко і повільно, щоб ви могли добре його почути.

6. Читання голосних. Відкритий і закритий склад.

Голосні в англійській мові (їх усього 6 — a, o, e, i, u, y) читаються по-різному залежно від типу складу і від того, стоять вони під наголосом чи ні. Склади поділяють на відкриті та закриті.

Відкритий склад закінчується на голосну, а закритий — на приголосну. Поділ слів на склади в англійській мові відбувається відповідно до голосних звуків, а не букв!

	Відкриті склади	Закриті склади
В українській мові	до-ро-га, шко-ла	май-стер, порт
В англійській мові	he, re-cite, bike (один склад)	pen-cil, cat

Буква **e**

Буква *e* — найпоширеніша буква англійської мови — під наголосом у закритому складі читається як [e], у відкритому — як [i:].

Звук [e] дуже схожий на український **[е]**.

Звук [i:] нагадує український **[і]** в слові «кіт», але англійський [i:] довший, ніж подібний український звук. Знак двокрапки в транскрипції означає, що звук довгий.

Буква *e* часто зустрічається наприкінці слова. Як правило, в цьому випадку вона не читається. Її так і називають «німа *e*». Її роль перетворювати попередній склад із закритого на відкритий. Проте, якщо буква *e* — єдина голосна у слові, то вона читається навіть наприкінці слова як [i:]: be [bi:] — «бути»

Завдання

1.2 **1.** Розподіліть слова по групах, потім увімкніть аудіозапис і перевірте себе.

Виділена буква *e* в закритому складі	**Виділена буква *e* у відкритому складі**	**Виділена буква *e* не читається**
bed		

~~bed~~ Steve Ken he kite pen pet
Crete ten take Pete legal me delete

1.3 **2.** Послухайте і повторіть, звертаючи особливу увагу на придих.

[e]	[i:]
pen — ручка Ted — Тед (чоловіче ім'я) ten — десять pet — домашній улюбленець tell*— говорити, розповідати bed — ліжко let — дозволяти	me — мене, мені Pete — Піт (чоловіче ім'я) be — бути delete — стерти, видалити

* *Подвоєні приголосні завжди читаються як один звук.*

Буквосполучення ***ee***

1.4

Буквосполучення *ee* завжди читається як [i:].

Послухайте і повторіть:

bee — бджола
meet — зустрічати(ся), знайомитися
feet — ноги (ступні)
feed — годувати
beet — буряк
need — потребувати

Зверніть увагу на те, що дзвінкі приголосні наприкінці слова ніколи не стають глухими. Тобто *feed* звучить як [fi:d], а ні в якому разі не як [fi:t], інакше замість «годувати» (*feed*) отримаємо «ноги» (*feet*).

ТЕКСТ

Спробуйте здогадатися, що означають ці речення. Прочитайте їх, потім увімкніть аудіозапис і знову прочитайте речення за диктором.

1.5

Ted, meet Ben.
Тед, зустрінь Бена.

Tell me.
Скажи мені.

Tell Pete.
Скажи Піту.

Ken, meet Ted.
Кен, зустрінь Теда.

Feed Steve.
Нагодуйте Стіва.

Meet me.
Зустрінь мене.

ГРАМАТИЧНІ ПОЯСНЕННЯ ДО ТЕКСТУ

1. Наказовий спосіб

В англійській мові стверджувальна форма наказового способу (напр., Роби!) утворюється надзвичайно просто: нам досить взяти неозначену форму дієслова, тобто ту, яку ми бачимо в словнику.

У словнику	Стверджувальна форма наказового способу (Роби!)
tell — казати, розповідати	Tell me! — Скажи / Скажіть мені!
feed — годувати	Feed! — Годуй(те)!

Зверніть увагу, що в англійській мові відсутнє звернення на «ти». Не існує навіть такого займенника «ти». Тому форми типу «Скажи!» і «Скажіть!» в англійській мові збігаються.

2. Відмінювання іменників

В англійській мові іменники не змінюються за особами (не відмінюються). Тому речення «Скажіть Теду» звучить як *Tell Ted.*

ЛЕКСИКО-ГРАМАТИЧНІ ЗАВДАННЯ

1. Перекладіть речення англійською мовою.

1) Скажи мені! ______________________________
2) Тед, познайомся з Кеном. ______________________________
3) Скажіть Піту. ______________________________
4) Нагодуй мене! ______________________________
5) Зустріньте мене! ______________________________
6) Нагодуйте Теда. ______________________________
7) Скажіть Стіву. ______________________________

1.6 **2.** Прочитайте ці слова (не забувайте про аспірацію!). Потім увімкніть аудіозапис і перевірте себе.

bed	ten	Pete	pen	feed	Ted
meet	need	me	tell	feet	bee
Ken	pet	beet	be	delete	let

3. Прочитайте англійські слова та з'єднайте їх з українським перекладом.

bed	ten	pen	feed	be	meet	need
me	tell	feet	bee	pet	delete	let

УРОК 2

У цьому уроці ви дізнаєтеся

Читання	1. Як читаються букви *i, y, s, z;* буквосполучення *ind, ss.* Як вимовляються звуки: приголосні [s], [z], голосний [ɪ]. 2. Що таке дифтонги; дифтонг [aɪ].
Граматика	3. Займенник *I.* 4. Як сказати «Дозвольте мені…» 5. Який порядок слів в англійському реченні. 6. Як поставити іменник у множину.

ПРАВИЛА ЧИТАННЯ

Букви **i** *та* **y**

Букви *i* та *y* в середині слова читаються однаково. Буква *y* — це та сама *i*, але прийшла вона в англійську мову з грецької. У багатьох мовах вона так і називається — «ігрек», тобто «і грецька». Але в англійській мові ця буква називається [waɪ].

Положення букв *i* та *y*	Звук	Як вимовляється
У відкритому складі	[aɪ]*	Звук [aɪ] схожий на український «ай», але вимовляється більш напружено, язик дещо віддалений від зубів.
У закритому складі	[ɪ]	Звук [ɪ] — це дещо середнє між українськими «і» та «и». Цей звук дуже короткий, його не можна тягнути.

*[aɪ] — *це один із численних дифтонгів англійської мови. Дифтонг — це поєднання двох голосних звуків. У таких поєднаннях наголос ЗАВЖДИ падає на перший голосний звук.*

Буква **y** *на початку слова або складу*

На початку слова або складу буква *y* читається як [j], що відповідає українському «й»:

2.1 Послухайте і повторіть:

yes — так you (схоже на «ю») — ти, ви / тобі, вам / тебе, вас

Буква **y** *наприкінці слова*

Букву *y* часто можна зустріти наприкінці англійських слів. Якщо слово складається більш ніж з одного складу і на букву *y* не падає наголос, то вона читається як [i] — дещо середнє між [ɪ] та [iː].

2.2 Послухайте і повторіть:

[aɪ]	[ɪ]	[i]
pike — щука bike — велосипед I — я style — стиль life — життя five — п'ять type — тип nine — дев'ять my — мій* Bye! — Бувай!	sit — сидіти miss — пропускати, скучати in — в / у (прийменник) still — нерухомий; все ще lip — губа it — займенник середнього роду, що заміняє все неживе, а також тварин і слово *baby* (немовля). Українською може перекладатися як «він», «вона», «воно»	icy — льодяний fizzy — газований grizly — грізлі skinny — дуже худий tiny — крихітний

* *Прикметники і присвійні займенники в англійській мові не змінюються ні за родами, ні за числами, ні за відмінками. Тому слово ту в різних ситуаціях може означати «моя», «мої», «мого» і таке ін.*

Запам'ятайте найпоширеніші винятки:

city [ˈsɪti] — місто live [lɪv] — жити

2.3 **Reading exercise 1**

I	pie	die	lie	my
fine	dine	mine	line	pine
pile	Kyle	Nile	file	mile
hide	ride	side	slide	tide
like	style	pike	Mike	bike
you	yes	yell	yep	yet
fizzy	tiny	petty	ivy	skinny

2.4 **Reading exercise 2 [ɪ] — [aɪ]**

fill — file	pill — pile	hid — hide	still — style
kit — kite	sit — site	pin — pine	fin — fine
rid — ride	slid — slide	bid — bide	tin — tiny

Буквосполучення **ind**

Буквосполучення *ind* у середині слова під наголосом читається як [aɪnd], що нагадує українське «аінд».

2.5 Послухайте і повторіть:

find — знаходити kind — добрий; тип blind — сліпий

2.6 Reading exercise 3

bind	blind	find	kind	mind	grind
bike	pike	fine	line	pine	mine
bin	pin	fin	sin	tin	fill

Буква **z**

Буква *z* читається як [z]. Цей звук — брат-близнюк українського звука «**з**».

2.7 Послухайте і повторіть:

zip — застібати на блискавку Liz — Ліз (жіноче ім'я)

Буква **s**

Читання букви *s* залежить від її положення в слові.

Положення букви	Як читається
Наприкінці слова після голосних і дзвінких приголосних*:	[z]
Перед приголосними, на початку слова, наприкінці слова після глухого приголосного	[s] (схоже на українське «**с**»)

* *Наступні букви дають наприкінці слова дзвінкі приголосні звуки: b, d, g, j, l, m, n, r, v.*

2.8 Послухайте і повторіть:

bees [bi:z] — бджоли
pens [penz] — ручки
test [test] — тест
sell [sel] — продавати
seven [sevn]* — сім

beds [bedz] — ліжка
bells [belz] — дзвіночки
pets [pets] — домашні улюбленці
send [send] — відправляти, посилати
see [si:] — бачити

* *Зверніть увагу, що в ненаголошених складах буква е може читатися як* [ɪ], [ə] *(дещо середнє між «е» та «а») або не читатися взагалі.*

У середині слова між голосними *s* може читатися і як [s], і як [z]. Правила щодо цього немає. Поступово, знайомлячись з читанням голосних букв і буквосполучень, ви побачите безліч прикладів читання букви *s* між голосними.

Іноді від читання букви *s* залежить значення слова:
close [kləʊz] (схоже на «клоуз») — зачиняти
close [kləʊs] (схоже на «клоус») — близький

Буквосполучення **ss**

Буквосполучення *ss,* як правило, читається як [s]:
kiss — цілувати
lesson — урок
miss — скучати, сумувати, пропускати

2.9 Reading exercise 4

miss	kiss	less	Tess	bless	stress
beds	pens	bells	bees	sells	smells
pets	tests	seven	zips	lips	peeps
lets	bribes	types	smiles	styles	pikes
sit	sits	site	sites	smell	smells

ТЕКСТ

2.10 Прослухайте речення і повторіть їх за диктором, намагаючись наслідувати інтонації.

I miss Liz. I miss you. You miss me. Ted, send me five pens. Let me find Ben. Let me find bikes.	Я сумую за Ліз. Я сумую за тобою. Ти сумуєш за мною. Тед, пришли мені п'ять ручок. Дозвольте мені знайти Бена. Дозвольте мені знайти велосипеди.
Find it. Find me. Send me kind bees. Sit still. Let me see.	Знайдіть це. Знайдіть мене. Надішліть мені добрих бджіл. Сидіть спокійно. Дайте мені подумати.
I see seven beds. I see bees, bells, pets and pens. You see five pens. I sell pets and bells. You sell bees and bikes.	Я бачу сім ліжок. Я бачу бджіл, дзвіночки, домашніх улюбленців і ручки. Ти бачиш п'ять ручок. Я продаю домашніх улюбленців і дзвіночки. Ти продаєш бджіл і велосипеди.
Steve, send me seven bikes and five pikes. Pete, send me my tests.	Стів, пришли мені сім велосипедів і п'ять щук. Піт, пришли мені мої тести.

ГРАМАТИЧНІ ПОЯСНЕННЯ ДО ТЕКСТУ

1. Вираз **Let me**

Let me перекладається як «Дозвольте мені», «Дайте мені» (у значенні «Дозвольте»).

2. Порядок слів в англійській мові

Ви вже знаєте, що іменники в англійській мові не змінюються за особами, тобто не відмінюються. Щоб не було плутанини, в англійських реченнях існує чіткий порядок слів, що допомагає визначити значення висловлювання.

Щоб розібратися в правильному порядку слів, ми будемо використовувати загальноприйняті для англійської граматики поняття:

- ***прямий додаток***: додаток, що відповідає на запитання Кого? Що? (відповідає українському знахідному відмінку);
- ***непрямий додаток:*** додаток, що відповідає на запитання Кому? Чому? (відповідає українському давальному відмінку).

  I see Ted. — Я бачу Теда (Кого?).
  Тут *Ted* — це прямий додаток.

  Send Ted five pens. — Відправ Теду (Кому?) п'ять ручок (Що?).
  У цьому реченні *Ted* уже непрямий додаток, а *five pens* — прямий.

Якщо в одному реченні нам потрібно вжити обидва додатки, спочатку ми ставимо непрямий додаток, а потім прямий.

3. Множина іменників

Напевно, ви помітили у вищенаведених прикладах, що англійські іменники у множині мають закінчення *–s*. Саме так у більшості випадків утворюється множина в англійській мові. Це закінчення читається згідно з правилами читання букви **s**:

bees [bi:z] — бджоли
pets [pets] — домашні улюбленці
beds [bedz] — ліжка
tests [tests] — тести

Про інші способи утворення множини ви дізнаєтеся в наступних уроках.

ЛЕКСИКО-ГРАМАТИЧНІ ЗАВДАННЯ

1. Скажіть і напишіть англійською:

1) Я живу ________________________
2) Ви живете ________________________
3) Я посилаю ________________________
4) Ви посилаєте ________________________

5) Мені потрібно (=Я потребую) ___
6) Вам потрібно ___
7) Я продаю ___
8) Ви продаєте ___
9) Я сумую ___
10) Ви сумуєте ___
11) Я бачу ___
12) Ви бачите ___
13) Я цілую ___
14) Ти цілуєш ___
15) Я годую ___
16) Ти годуєш ___
17) Я зустрічаю ___
18) Ти зустрічаєш ___
19) Я сиджу ___
20) Ви сидите ___

2. Скажіть і напишіть англійською:

1) моя ручка ___
2) мій велосипед ___
3) моє життя ___
4) мій стиль ___
5) моє ліжко ___
6) мій домашній улюбленець ___
7) моє місто ___
8) моя губа ___
9) мій тип ___

3. Скажіть і напишіть англійською:

1. мої бджоли ___
2. мої домашні улюбленці ___
3. дев'ять велосипедів ___
4. Пришліть мені п'ять щук. ___
5. Я бачу дев'ять дзвіночків. ___
6. Я бачу сім бджіл. ___
7. Я продаю домашніх улюбленців. ___
8. Продайте мені п'ять ручок. ___

РОЗВИТОК МОВЛЕННЯ

1. Скажіть і напишіть англійською.

1) Дозвольте мені надіслати … ___
2) Дозвольте мені надіслати Теду мій тест. ___
3) Дозвольте мені надіслати Лізі мій велосипед. ___
4) Дайте мені подумати. (дослівно: Дозвольте мені подивитись.) ___
5) Дозвольте мені знайти … ___
6) Дозвольте мені знайти Біла. ___
7) Дайте мені знайти мій тест. ___
8) Дозвольте мені сісти …. ___
9) Дозвольте мені зустріти Теда. ___

10) Дозвольте мені продати … ______________________________

11) Дозвольте мені продати моїх домашніх улюбленців. ______________

____

12) Дозвольте мені продати це. ______________________________

2. Скажіть і напишіть англійською.

1) Відправ сім тестів Бену. ______________________________
2) Відправ Лізі моїх бджіл. ______________________________
3) Знайди п'ять ручок. ______________________________
4) Пришли мені десять велосипедів. ______________________________
5) Я бачу це. ______________________________
6) Я бачу дев'ять щук. ______________________________
7) Я бачу п'ять велосипедів. ______________________________
8) Я бачу тебе. ______________________________
9) Знайди мені п'ять дзвіночків. ______________________________
10) Знайди мій велосипед. ______________________________
11) Знайди моїх бджіл. ______________________________
12) Продай Стіву десять щук. ______________________________
13) Я продаю велосипеди. ______________________________
14) Скажи мені. ______________________________
15) Я живу в ... ______________________________
16) Я сумую за тобою. ______________________________
17) Ти сумуєш за мною. ______________________________
18) Я сумую за Тедом. ______________________________

УРОК 3

У цьому уроці ви дізнаєтеся

Читання	1. Як читаються букви *a, c, h* та буквосполучення *sh, ch, tch, ph, ck.* Як вимовляються звуки: приголосні [h], [ʃ], [ʧ] і голосні [æ], [ə].
Граматика	2. Займенники *he, she, it.* 3. Як відмінюється дієслово *to be* в 1-й та 3-й особі однини. 4. Як визначити рід іменника. 5. Що таке артикль. Неозначений артикль.

ПРАВИЛА ЧИТАННЯ

Читання букви **a**

У відкритому наголош. складі	**У закритому ненаголош. складі**	**У ненаголош. складі**
[eɪ]	[æ]	[ə], іноді може зовсім не вимовлятися
Схоже на українське «ей» з тією різницею, що звук «й» вимовляється як дуже коротке «і», язик не притискається до верхнього піднебіння.	Дещо середнє між українськими наголошеними «а» і «е». Щоб вимовити цей звук правильно, широко розкрийте рот так, ніби хочете сказати «а», і скажіть «е». Звук [æ] дуже короткий, його в жодному разі не можна тягнути.	Звук [ə] – це дещо середнє між українськими ненаголошеними «а» та «е». Приблизно так ми вимовляємо ненаголошене «а» у слові «кімната».

3.1

Послухайте і повторіть за диктором:

[eɪ]	[æ]	[ə]
f**a**te — доля K**a**te — Кейт n**a**me — ім'я l**a**te — пізній	b**a**t — кажан f**a**t — товстий, гладкий m**a**n — чоловік m**a**t — килимок m**a**p — мапа	Batm**a**n — Бетмен com**a** — кома leg**a**l — законний **a** — неозначений артикль **a**n — неозначений артикль

Запам'ятайте! Слово ***table*** (стіл) читається як [teɪbl].

3.2

Reading exercise 1. [æ]

a)

fat	sat	rat	pat	mat
dad	sad	mad	pad	had
bag	rag	tag	lag	fag
map	lap	nap	tap	rap
fan	man	ran	pan	Dan
am	Sam	dam	ham	ram

b)

Sam	sap	sad	Sally
lad	lap	fat	fan
ran	rap	ram	rag
man	map	mat	mad
ham	hag	had	hat

3.3

Reading exercise 2. **a — i**

Sid	Sam	sip	sap	sin
ham	him	had	hid	his
pat	pit	pan	pin	pig
mad	mid	lad	lid	lip
rag	rig	ram	rim	ran

3.4

Reading exercise 3. [eɪ]

ate	fate	Kate	rate	late
made	fade	lane	pane	mane
rake	lake	make	fake	sake
tape	blade	spade	tale	male

3.5

Reading exercise 4. [æ] — [eɪ]

mad — made	pan — pane	man — mane	fad — fade
tap — tape	hat — hate	rat — rate	at — ate
bad — bade	fat — fate	bat — bate	fan — fane
plan — plane	tap — table	LAN — lane	sat — sate

3.6

Reading exercise 5. [e] — [æ]

beg — bag	bet — bat	led — lad	Den — Dan	pen — pan
bed — bad	ten — tan	men — man	met — mat	pet — pat

Буква **c**

Положення букви	Як читається
Перед *e, i, y*	[s] (як українське «**с**»)
У решті випадків	[k] (як українське «**к**», але з придихом)

3.7 Послухайте і повторіть за диктором.

[s]	[k]
icy — крижаний	cake — торт, тістечко
city — місто	cane — очерет
face — обличчя	can — могти
nice — милий	cat — кіт

3.8 Reading exercise 6. **ce, ci, cy**

ice	nice	mice	rice	face	place
fence	hence	since	mince	dance	glance
cite	city	icy	spice	lace	cent
cycle*	fleecy	fancy	pace	race	lace

* *У слові cycle буква y читається як* [aɪ].

3.9 Reading exercise 7

cat	can	cap	clap	clip	incline
act	ace	ice	icicle	cycle	Clive

3.10 Reading exercise 8. **c** [k] — [s]

cage	cake	face	fleece	pace
pack	since	cat	city	hence
mice	Mick	nice	Nick	place
face	fact	rice	Rick	rich
mince	cap	lace	cane	can

Буква **h**

Буква *h*, як правило, читається як [h]. Звук [h] дещо нагадує український «х», але, на відміну від українського «х», для утворення англійського [h] нам зовсім не потрібен язик, ми просто видихаємо повітря. Цей звук зустрічається тільки перед голосними. В деяких словах буква *h* не читається зовсім. Надалі ви познайомитеся з такими словами.

3.11 Послухайте і повторіть:

he — він
his — його (чий?)
hat — шапка
happen — траплятися
help — допомога, допомагати
him — його (знахідн. відм.), йому
happy — щасливий
hen — курка
hate — ненавидіти
Hi! — Привіт!

Буквосполучення **sh, ch, tch, ph, ck**

Буквосполучення *sh, ch, tch, ph, ck* читаються незалежно від їхнього положення в слові:

sh	[ʃ] — схоже на українське «**ш**»
ch	[tʃ] — схоже на українське «**ч**»
tch	
ph	[f] — як українське «**ф**»
ck	[k]

3.12 Reading exercise 9. **ch — tch**

chat	chit	chap	chip	chin
cheek	check	chick	chill	cheep
rich	beech	leech	China	chase
ditch	pitch	itch	stitch	Mitch
hatch	patch	match	latch	snatch
catch	chill	Chinese	beech	cheep
chit	cheese	latch	itch	match

3.13 Reading exercise 10. **t — ch**

tap — chap	tick — chick	tat — chat	tip — chip
tin — chin	mat — match	not — notch	pat — patch
hat — hatch	it — itch	beet — beech	

3.14 Reading exercise 11. **sh**

ship	sheep	sheet	she	fish
cash	mash	dash	dish	splash
shelf	shell	shine	shake	shame

3.15

Reading exercise 12. **ck**

back	black	rack	pack	tacky	lack
sick	stick	tick	pick	lick	Rick
sick	sack	snack	lick	lack	nick

3.16

Reading exercise 13. **ck — ce**

pack — pace	rack — race	lack — lace	lick — lice
Nick — nice	Mick — mice	fact — face	

3.17

Reading exercise 14

she	chick	chess	sick	black	help
shake	check	sheet	match	elephant	cash

ТЕКСТ

3.18

Прочитайте речення. Потім увімкніть аудіозапис і прочитайте ще раз за диктором, намагаючись наслідувати інтонації.

It is a man. He is fat. It is an actress. She is sick. I am late. I see an elephant. It is very big. It is sad.	Це чоловік. Він гладкий. Це акторка. Вона хвора. Я спізнююся. Я бачу слона. Він дуже великий. Він сумний.
It is a little chick. It is an apple. It is on my desk.	Це маленьке курча. Це яблуко. Воно знаходиться на моєму письмовому столі.
My dad is happy. He is in his flat.	Мій тато щасливий. Він (перебуває) у своїй квартирі.
Let him send me his tests. I need his help.	Нехай він надішле мені свої тести. Мені потрібна його допомога.
Let me help you.	Дозвольте, я вам допоможу. (Досл. Дозвольте мені допомогти вам.)
I am late. She is late every day.	Я запізнився / запізнилася. Вона спізнюється кожного дня.

ГРАМАТИЧНІ ПОЯСНЕННЯ ДО ТЕКСТУ

1. Рід іменників

- В англійській мові неживі іменники не мають роду і замінюються займенником ***it***.

Take my pen. **It** is on my desk. — Візьми мою ручку. Вона на моєму письмовому столі.

I see his pencil. It is on his table. — Я бачу його олівець. Він на його столі.

- Тварини також, як правило, замінюються займенником *it.* Виняток складають домашні улюбленці, говорячи про яких люблячі господарі зазвичай вживають займенники *he* або *she*:

  It is my cat Mick. **He** is black. — Це мій кіт Мік. Він чорний.

  У казках тварини зазвичай замінюються займенником *he*.
- Рід іменників, що позначають людей, визначається за змістом:

  I see a man. **He** is fat. — Я бачу чоловіка. Він гладкий.

  I see an actress. **She** is nice. — Я бачу актрису. Вона мила.

2. *Займенник* **it**. *Вказівні речення*

Крім того, що займенник *it* замінює всі неживі предмети і тварин, він також використовується у значенні «це» (тільки в однині):

It is a desk. — Це письмовий стіл. *It is a man*. — Це чоловік.

3. *Дієслово* **to be** *в однині. Поняття інфінітива*

Ви, ймовірно, звернули увагу, що в англійських реченнях типу «Це стіл», «Вона мила» тощо присутнє слово, яке не перекладається українською. Це дієслово *to be* — «бути». Воно ніби зв'язує підмет* та інші члени речення.

Дієслово *to be* — це особливе дієслово, оскільки це єдине дієслово в англійській мові, яке дієвідмінюється, тобто змінюється за особами (я йду, ти йдеш і таке ін.). Частка *to* означає, що дієслово стоїть у неозначеній формі, тобто в інфінітиві. Саме ця форма дієслова (без *to*) дається в словниках.

У теперішньому простому часі (*Present Simple*) в однині дієслово *to be* має такі форми:

I am — Я є
He is — Він є
She is — Вона є
It is — Воно (це) є

Незважаючи на відсутність дієслова *be* в перекладі, в англійській мові пропускати цю зв'язку в жодному разі не можна. Порівняйте з українським: «Я буду пілотом». А тепер приберемо з цього речення дієслово: «Я пілотом». Речення стало незрозумілим.

В англійській мові навіть у теперішньому часі речення без дієслова *be* стає незрозумілим, оскільки це дієслово, як і будь-яке інше, передає певне значення.

Порівняйте:

I **live** in London. — Я живу в Лондоні.
I **am** in Paris. — Я (перебуваю) в Парижі.

---

* *Підмет – це частина речення, що відповідає на запитання Хто? або Що?*

4. Неозначений артикль

У деяких прикладах вище вам зустрічалися речення, в яких перед іменником стоїть *a* (наприклад, *It is a cat.*). Це неозначений артикль.

Артикль *a* походить від слова *one* («один»). Тому цей артикль вживається тільки з тими предметами і живими істотами, що стоять в однині та які в принципі можна порахувати:

*I see **a** big bike.* — Я бачу великий велосипед. (Великих велосипедів у світі багато, і я бачу якийсь один з них).

I like apples. — Мені подобаються яблука. (Оскільки слово *apples* стоїть у множині, неозначений артикль перед ним не ставиться, незважаючи на те що мова йде про якісь невизначені яблука.)

Перед голосними звуками *a* перетворюється на *an*:

an apple – (якесь одне) яблуко

an elephant — (якийсь один) слон

an actress – (якась одна) акторка

Якщо перед іменником стоїть прикметник, то артикль ставиться перед прикметником:

a nice dress – мила сукня

a big elephant – великий слон

a green apple – зелене яблуко

a bad actress – погана акторка

ЛЕКСИКО-ГРАМАТИЧНІ ЗАВДАННЯ

1. Напишіть правильний займенник — *he*, *she* або *it*.

1) an actress — ____________________
2) a boy (хлопчик) — _____________
3) a cat — ________________________
4) a table — ____________________
5) Liz — _________________________
6) a chick — ____________________
7) a tree (дерево) — _____________
8) Nick — _______________________
9) a man — ______________________
10) a lady (леді) — ______________

2. Вставте неозначений артикль — *a* або *an*. Прочитайте словосполучення, що ви отримали, і перекладіть їх українською мовою.

1) _____ elephant
2) _____ little elephant
3) _____ dress
4) _____ apple
5) _____ man
6) _____ year ([jɪə], як «йіа» — рік)
7) _____ actress
8) _____ nice actress
9) _____ green pencil
10) _____ little table
11) _____ black cat
12) _____ city

3. *Say and write in English.* (Скажіть і напишіть англійською. Не забудьте про неозначений артикль, де це необхідно!)

1) Це стіл. ______________________
2) Це кіт. _______________________
3) Це чоловік. ___________________
4) Це місто. _____________________

5) Це слон. ____________________
6) Це акторка. ________________
7) Це маленьке слоненя. _________
____
8) Це погане яблуко. __________
____
9) Це чорний письмовий стіл. ____
____
10) Це зелений олівець. _________
____
11) Це мій кіт. ________________
12) Це мій велосипед. ___________

4. Вставте правильну форму дієслова *to be*. Перекладіть речення українською мовою.

1) I _______ happy.
2) He _______ nice.
3) She _______ fat.
4) My pencil _______ on my table.
5) I _______ in Paris.
6) It _______ a cat.

РОЗВИТОК МОВЛЕННЯ

Say and write in English. *(Скажіть і напишіть англійською.)*

1. ***I need ... / You need ...***

1) Мені потрібно сім яблук. ______________________
2) Мені потрібен олівець. ______________________
3) Мені потрібна чорна ручка. ______________________
4) Мені потрібне зелене яблуко. ______________________
5) Мені потрібна велика сумка. ______________________
6) Мені потрібна його допомога. ______________________
7) Тобі потрібна моя допомога. ______________________
8) Тобі потрібен великий стіл. ______________________
9) Тобі потрібен зелений олівець. ______________________
10) Мені потрібен мій письмовий стіл. ______________________
11) Мені потрібен мій тест. ______________________

2. ***I see ... / You see ...***

1) Я бачу щасливого чоловіка. ______________________
2) Я бачу чорного кота. ______________________
3) Я бачу великий стіл. ______________________
4) Я бачу маленьку сумку. ______________________
5) Я бачу великого слона. ______________________
6) Я бачу десять велосипедів. ______________________
7) Ти бачиш бджіл. ______________________
8) Ти бачиш мене. ______________________
9) Ти бачиш зелену сумку. ______________________
10) Ти бачиш гладкого чоловіка. ______________________
11) Ти бачиш гладкого кота. ______________________
12) Ти бачиш маленьке яблуко. ______________________

3. *... is in* (в) / *on* (на) ...

1) Моя ручка (знаходиться) на його столі. ______________________
2) Мій олівець (знаходиться) в моїй сумці. ______________________
3) Мій кіт (знаходиться) на його письмовому столі. ______________________
4) Це (знаходиться) на моєму велосипеді. ______________________
5) Це (знаходиться) на його обличчі. ______________________
6) Він (знаходиться) в моєму місті. ______________________

4. *She / He / It is ...*

1) Вона мила. ______________________
2) Він гладкий. ______________________
3) Вона спізнилася. ______________________
4) Він спізнюється щодня. ______________________
5) Його кіт гладкий. ______________________
6) Мій кіт хворий. ______________________
7) Мій велосипед чорний. ______________________
8) Його місто велике. ______________________
9) Його обличчя щасливе. ______________________
10) Він у Лондоні. ______________________
11) Вона в Лондоні. ______________________

5. *I am ...*

1) Я хворий. ______________________
2) Я спізнився. ______________________
3) Я щасливий. ______________________
4) Я в Лондоні. ______________________

6. *Let (somebody) do (something)* — Дозвольте (комусь) зробити (щось)

1) Дозвольте мені сказати вам. ______________________
2) Дозвольте йому надіслати вам п'ять сумок. ______________________
3) Дайте мені подумати. ______________________
4) Дайте йому подумати. ______________________
5) Дозвольте йому допомогти мені. ______________________
6) Дозвольте мені продати це. ______________________
7) Дозвольте йому продати свій (=його) велосипед. ______________________
8) Дозвольте мені зустріти його. ______________________
9) Дозвольте Бену нагодувати мого кота. ______________________
10) Дозвольте мені вам допомогти. ______________________

7. *Оглядовий переклад*.

1) Я бачу це щодня. ______________________
2) Нехай він пошле мені свої олівці. ______________________
3) Ви бачите велике зелене місто. ______________________
4) Я годую його кота щодня. ______________________

УРОК 4

У цьому уроці ви дізнаєтеся

Читання	1. Як читаються букви *o, j, g,* буквосполучення dge, *oa, oi, oy, ea.* Як вимовляються звуки: приголосні [ʤ], [g]; голосні [ɒ], [ʊ], [u:], [ʌ]. Дифтонг [əʊ].
Граматика	2. Як утворюється множина іменників, що закінчуються в однині на *-y; -o.* 3. Як утворюється заперечення з дієсловом *to be.* 4. Вирази *I like, I can.*

ПРАВИЛА ЧИТАННЯ

Буква **o**

1. ***Буква о в ненаголошеному складі*** читається як [ə]. Нагадуємо, що цей звук — дещо середнє між українськими «а» і «е». Він схожий на вимову букви «а» в слові «сила».

t**o**day [təˈdeɪ] — сьогодні
mel**o**n [ˈmelən] — диня
parr**o**t [ˈpærət] — папуга
lem**o**n [ˈlemən] — лимон

2. ***Буква о в закритому наголошеному складі*** читається як [ɒ]. Звук [ɒ] — дуже короткий, його не можна тягнути. Щоб його вимовити, широко відкрийте рот, ніби показуєте лікарю горло і кажете «а», і в такому положенні дуже коротко скажіть «о». Якщо ви зробите все правильно, ви отримаєте справжній англійський звук [ɒ].

4.1 Послухайте і повторіть:

p**o**t — горщик
st**o**p — зупиняти(ся)
f**o**g — туман
m**o**p — швабра
t**o**p — вершина
c**o**p — коп, поліцейський у США

3. ***Буква о у відкритому наголошеному складі*** читається як [əʊ]. Звук [əʊ] складається з двох звуків — [ə] та [ʊ]. Він віддалено нагадує українське «оу». Щоб вимовити його правильно, трохи відкрийте рот, ніби хочете сказати «а», і скажіть «е». Потім трохи зведіть губи, але не витягуйте їх уперед, і скажіть «у» — ви отримаєте спрощений звук «у», який передається в англійській транскрипції як [ʊ].

В американському варіанті англійської дифтонг [əʊ] більш схожий на українське «оу».

4.2 Послухайте і повторіть:

Слідкуйте, щоб звук [əʊ] не перетворювався на українське «еу».

m**o**de — спосіб
b**o**ne — кістка
cl**o**se — закрити
n**o**se — ніс
al**o**ne – один, сам
n**o** – ні

4. Буква *o* в деяких випадках може читатися як [ʌ] (схоже на дуже коротке українське «а», язик відсунутий від зубів). Ці слова потрібно поступово запам'ятовувати.

4.3 Послухайте і повторіть:

glove — рукавичка
some — декілька, трохи
money — гроші
come — приходити
done — зроблено
love — любов
honey — мед
none — ніякий
ton — тонна
monkey — мавпа

5. У відносно невеликій кількості слів буква *o* в деяких випадках може читатися як [u:] (схоже на довге українське «у»)

4.4 Послухайте і повторіть:

do — робити
move — рухати(ся)
shoe — черевик
lose — загубити

4.5 Reading exercise 1. [ɒ] — [əʊ]

stock	lock	pot	lot	smog
spoke	lone	cone	stone	clone
spot	block	bloke	not	note
clock	bone	nose	mode	nod

4.6 Reading exercise 2. **o** [ʌ] — [u:]

do	move	lose	shoe	come
love	glove	some	honey	money

Буква **j**

Буква *j* завжди читається як [ʤ]. Цей звук нагадує українське буквосполучення «дж», але в англійській мові цей звук трохи м'якіший і вимовляється як один звук.

4.7 Послухайте і повторіть:

joke — жарт
job — робота
jam — джем
jelly — желе
jail — в'язниця
joy — радість

Буква **g**

Буква *g* читається як [ʤ] або як [g]. Звук [g] дуже схожий на український «ґ». Але на відміну від українського звука [g] ніколи не оглушується.

4.8

[ʤ]	[g]
перед голосними *e, i, y:*	в інших випадках:
pa**g**e — сторінка	**g**ame — гра
gym — спортзал	**g**lad — радий
giant — гігант	fo**g** — туман

З цього правила досить багато винятків. Тому всі незнайомі слова з літерою *g* перед голосними *e, i, y* радимо перевіряти у словнику:

gift [gɪft] — подарунок
give [gɪv] — давати
giggle [gɪgl] — хихикати

Часто, щоб перед *e, i, y* отримати звук [g] без порушення правила читання, після *g* додають букву *u,* яка не читається:

guess [ges] — здогадуватися
guide [gaɪd] — екскурсовод
guest [gest] — гість
guilt [gɪlt] — провина

Буквосполучення **dge** [ʤ]

Буквосполучення *dge* читається як [ʤ].

ВПРАВИ НА ЧИТАННЯ

4.9

Reading exercise 3. [g]

! Слідкуйте за тим, щоб [g] наприкінці слова не перетворювався на [k].

pig	dig	fig	lag	leg
rags	flag	tag	stag	snug
give	gave	giggle	glad	game
guest	guess	guide	gift	guilt
bag	go	fog	dog	big

4.10

Reading exercise 4. [ʤ]

age	page	sage	cage	stage
rage	gym	gin	gem	jet
fridge	bridge	edge	sledge	badge
job	jog	joke	Jimmy	Jap
Jake	jot	stingy	jam	Jack

4.11 Reading exercise 5. [g] — [ʤ]

a) rag — rage | stag — stage | peg — page
fig — fridge | bag — badge | egg — edge
leg — ledge

b)

badge	dodge	ridge	edge	fidget
cage	rage	page	sage	stage
sledge	fag	gate	gentle	give
gave	glance	stingy	jog	gate
guess	guest	egg	Jane	gym

Буквосполучення **oa**

Буквосполучення *oa* читається як [əʊ].

4.12 Послухайте і повторіть:

load — вантажити | foam — піна | toad — жаба
boat — човен | soap — мило | road — дорога

4.13 Reading exercise 6. **oa**

a)

oat	boat	coat	goat	moat
oak	soak	croak	cloak	coach
coal	goal	toad	load	road
toast	coast	boast	roast	loan

b)

coat	coal	coach	coast
road	roam	roast	foam
loan	float	loaf	load
boat	boast	goal	goat
oak	boat	soak	broach

Буквосполучення **oy, oi**

Буквосполучення *oy, oi* читаються як [ɔɪ]. Це сполучення звуків сильно нагадує українське «ой», але вимовляється коротко, без розтягування.

4.14 Послухайте і повторіть:

boy — хлопчик | noise — шум | toy — іграшка
noisy — шумний | annoy — дратувати | poison — отрута

4.15 Reading exercise 7

boy	toy	Roy	annoy	annoys
noise	noisy	poison	toys	boys

Буквосполучення **ea**

Буквосполучення *ea* може читатися як [i:], [e] або [eɪ]. Чіткого правила щодо цього немає, тому слова з цим буквосполученням слід запам'ятовувати.

4.16 Послухайте, як вимовляються ці слова, і повторіть їх за диктором.

[i:]	[e]	[eɪ]
tea — чай	bread — хліб	great — великий; Відмінно!
sea — море	head — голова	steak — біфштекс
ice cream — морозиво	breakfast — сніданок	break — шумний; перерва
eat — їсти	heavy — важкий	
speak — розмовляти	dead — мертвий	
please — будь ласка	ready — готовий	
meal — їжа	read — читав	
meat — м'ясо	steady — стійкий	
teach — викладати	heaven — небеса	
read — читати		
beach — пляж		

4.17 Reading exercise 8. **ea** [e]

head	dead	dread	tread	bread	stead
spread	ahead	instead	steady	ready	readily
deadly	deaf	heavy	breast	heaven	instead

4.18 Reading exercise 9. **ea** [i:]

tea	pea	sea	deal	seal	meal
meat	neat	seat	eat	heat	cheat
cream	steam	dream	bead	bean	team
please	tease	cease	lease	increase	ease
easy	peace	leak	sneak	peak	feast
reach	teach	peach	beach	each	veal
read	speak	cheap	lead	please	leaf

4.19 Reading exercise 10. **ea** [eɪ]

great steak break

Завдання

1. Напишіть англійський переклад цих слів:

1) голова ______________________
2) викладати ______________________
3) розмовляти ______________________
4) біфштекс ______________________

5) сніданок ____________________
6) важкий ____________________
7) готовий ____________________
8) будь ласка ____________________
9) хліб ____________________
10) читати ____________________
11) їсти ____________________
12) чай ____________________
13) море ____________________
14) бачити ____________________
15) іти ____________________
16) приходити ____________________
17) мавпа ____________________
18) морозиво ____________________
19) Відмінно! ____________________
20) ламати ____________________
21) робити (2 слова) ____________________
____
22) черевик ____________________
23) іграшка ____________________
24) шумний ____________________
25) рукавичка ____________________
26) декілька, трохи ____________________
27) м'ясо ____________________

2. Прочитайте і розподіліть слова по стовпчиках.

[eɪ]	[iː]	[e]
make		

bread	~~make~~	great	steak	head
dead	break	please	ready	breakfast
lake	take	speak	heavy	teach
need	see	sea	read (читати)	

ТЕКСТ

4.20

Прочитайте речення. Потім увімкніть аудіозапис і перевірте себе.

I see some boys. I eat meat.	Я бачу декількох хлопчиків. Я їм м'ясо.
I like my shoes.	Мені подобаються мої черевики.
It is not a glove. It is not a steak.	Це не рукавичка. Це не біфштекс.
Send me some copies, please.	Пришли мені декілька копій, будь ласка.
He is not noisy. I am not noisy. My toy is not noisy. It is not his breakfast. My breakfast is great.	Він не шумний. Я не шумний / шумна. Моя іграшка не шумна. Це не його сніданок. Мій сніданок відмінний.
I like ice cream. I eat it every day.	Я люблю (=Мені подобається) морозиво. Я їм його щодня.
I can speak English.	Я вмію / можу розмовляти англійською.

I make shoes. I read every day. You teach English. You can speak English. You can read English.	Я роблю черевики. Я читаю щодня. Ти викладаєш англійську. Ти можеш / вмієш розмовляти англійською. Ти можеш / вмієш читати англійською.
I can feed his cat. I feed my cat every day. Please feed my cat today.	Я можу нагодувати його кота. Я годую свого кота щодня. Будь ласка, нагодуй мого кота сьогодні.
Give me some meat, please.	Дай мені, будь ласка, трохи м'яса.

ГРАМАТИЧНІ ПОЯСНЕННЯ ДО ТЕКСТУ

1. Множина слів, що закінчуються на **-y** *та* **-o**

На що закінчується слово в однині	Що відбувається у множині	Приклади
приголосний + *y*	*y* змінюється на *ie*, а потім додається *-s*, яке читається як [z]	(копія) cop**y** — cop**ies** (льодяник) cand**y** — cand**ies**
голосний + *y*	додається *-s*, яке читається як [z]	(хлопчик) boy — boy**s** (іграшка) toy — toy**s**
приголосний + *o*	додається *-es*, яке читається як [z]	(картоплина) a potato — potato**es** ***Винятки:*** (світлина) a photo — photo**s** (піаніно) piano — piano**s**
голосний + *o*	додається *-s*, яке читається як [z]	(кенгуру) a kangaroo — kangaroo**s** (радіо) a radio — radio**s**

2. Заперечення з дієсловом **to be**

Щоб утворити заперечення в реченнях з дієсловом *to be*, достатньо поставити частку *not* («не») після форми дієслова *to be*.

*He is **not** sad.* — Він не сумний.
*I am **not** happy.* — Я не щасливий.
*It is **not** a joke.* — Це не жарт.
*She is **not** sad.* — Вона не сумна.

3. Дієслово **can**

Дієслово *can* означає і «вміти», і «могти». Таким чином, речення *You can speak English* у залежності від ситуації може означати «Ти можеш говорити англійською», тобто тобі «дозволено», або «Ти вмієш розмовляти англійською».

4. Some

Слово *some* може означати «декілька», якщо воно вживається перед обчислювальними іменниками (тобто тими, які можна порахувати), або «трохи, деяка кількість», якщо воно вживається перед необчислювальними іменниками (тобто тими, які не можна порахувати):

some girls — декілька дівчат
some pens — декілька ручок
some meat — трохи м'яса
some ice cream — трохи морозива

ЛЕКСИКО-ГРАМАТИЧНІ ЗАВДАННЯ

1. Поставте іменники у множину і перекладіть їх українською мовою.

1) potato ______
2) tomato ______
3) radio ______
4) baby ______
5) day ______
6) candy ______
7) photo ______
8) boy ______
9) toy ______
10) copy ______
11) shoe ______
12) glove ______
13) piano ______
14) lady ______

РОЗВИТОК МОВЛЕННЯ

1. *Say and write in English.*

1) Це слон. — Це не слон. ______
2) Я сумний. — Я не сумний. ______
3) Він щасливий. — Він не щасливий. ______
4) Це іграшка. — Це не іграшка. ______
5) Вона (іграшка) шумна. — Вона не шумна. ______
6) Це мій сніданок. — Це не мій сніданок. ______
7) Це його сніданок. — Це не його сніданок. ______
8) Вона готова. — Вона не готова. ______
9) Це жарт. — Це не жарт. ______
10) Це не мій біфштекс. ______
11) Його біфштекс не відмінний. ______
12) Вона хвора. — Вона не хвора. ______
13) Вона акторка. — Вона не акторка. ______
14) Це хлопчик. — Це не хлопчик. ______

2. *Say and write in English.*

1) Мені подобаються іграшки. ______
2) Тобі подобаються яблука. ______

3) Мені подобається картопля. ___

4) Мені подобається м'ясо. ___

5) Тобі подобається його місто. ___

6) Мені подобаються його рукавички.___

7) Мені подобається його велосипед. ___

8) Мені подобається його малюк. ___

9) Тобі подобаються льодяники. ___

10) Мені подобаються мавпи. ___

11) Тобі подобається мед. ___

12) Мені подобається морозиво. ___

13) Мені подобається мій сніданок. ___

3. *Say and write in English.*

1) Я вмію розмовляти англійською. Я розмовляю англійською щодня. Будь ласка, говоріть англійською! ___

___

2) Ти вмієш читати англійською. Ти читаєш англійською щодня. Будь ласка, прочитай це сьогодні!___

___

3) Я вмію викладати англійську. Я викладаю англійську щодня. Будь ласка, навчи мене! ___

___

4) Я можу надіслати тобі трохи яблук. Я посилаю тобі яблука щодня. Будь ласка, пришли мені декілька яблук сьогодні.___

___

5) Я можу зробити черевики. Я роблю черевики щодня. Будь ласка, зроби мені декілька черевиків!___

___

6) Я вмію робити іграшки. Я роблю іграшки щодня. Будь ласка, зроби мені іграшку сьогодні! ___

___

7) Я можу нагодувати його собаку. Я годую свого собаку щодня. Нагодуй, будь ласка, мого собаку сьогодні. ___

___

___

4. *Say and write in English.*

1) Дай мені декілька олівців, будь ласка. ___

2) Дай мені декілька сумок, будь ласка. ___

3) Дай мені трохи морозива, будь ласка. ___

4) Дай мені декілька льодяників, будь ласка. ___

5) Дай мені трохи меду, будь ласка. ___

УРОК 5

У цьому уроці ви дізнаєтеся

Читання	1. Як читаються букви *r, u;* буквосполучення *oo; ai, ay, ey; ou.* Як вимовляються звуки: приголосний [r], голосні [ʊ], [juː] та дифтонг [eɪ].
Грама-тика	2. Як утворюється коротка форма з дієсловом *to be.* 3. Як поставити запитання з дієсловом *to be* і дати на нього коротку відповідь. 4. Як утворюються безособові речення типу «Зараз сонячно».

ПРАВИЛА ЧИТАННЯ

Буква **r**

Буква *r* на початку слова, після приголосних і між деякими голосними утворює звук [r]. Цей звук не розкотистий, як український «р». Ви отримаєте правильний звук [r], якщо загнете кінчик язика трохи назад.

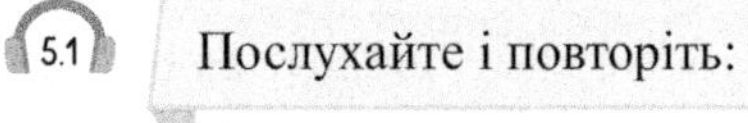

5.1 Послухайте і повторіть:

rock — скеля
crack — розколюватися
dress — сукня
red — червоний
risk — ризик
story — розповідь

5.2 Reading exercise 1

red	crop	crack	rock	risk	actress
rave	rape	ripe	rope	rude	crispy

Буква **u**

Буква *u* в закритому складі читається як [ʌ]. Цей звук дуже короткий, схожий на український звук «а» під наголосом. Проте при його вимові не можна широко розкривати рот, губи мають бути лише трохи розімкнуті.

5.3 Послухайте і повторіть:

nut — горіх
mud — бруд
rug — килимок
tub — ванночка
sun — сонце
but — але

У відкритому складі буква *u* може читатися як [uː] або [juː]. Звук [uː] схожий на український довгий звук «у», а [juː] — на український довгий звук «ю».

[uː]	[juː]
▪ після двох приголосних (крім буквосполучення *st*); ▪ після букв *j* та *r*	▪ після одного приголосного (крім *j* та *r*); ▪ після буквосполучення *st*
blue — блакитний June — червень rule — правило	mule — мул tube — труба student — учень, студент

Деякі винятки:

busy [ˈbɪzi] — зайнятий
businessman [ˈbɪznɪsmæn] — бізнесмен
put [pʊt] — класти
study [ˈstʌdi] — вивчати

5.4 Reading exercise 2

a) hug rug mug dug bug
sum hum gum rum mud
run fun sun bun nun
rub tub sub hub up

b) hug hub hum hut
rub rug run rum
sum sun mud mug
bun bug bus but

c) put busy businessman study

5.5 Reading exercise 3. [ʌ] — [æ]

rug — rag
hum — ham
fun — fan
pun — pan
run — ran
but — bat
dug — dag
tummy — tan
cut — cat
bun — ban
hut — hat
tuck — tacky

Буквосполучення **oo**

Буквосполучення *oo* у більшості випадків читається як [uː], але іноді читається як [ʊ] — як правило, але не обов'язково, перед *k*. Чіткого правила щодо цього немає. Тому всі незнайомі слова з *oo* бажано перевіряти у словнику. Нагадуємо, що звук [ʊ] — це той самий «у», що вимовляється без витягування губ («ледачий у»).

5.6 Послухайте і повторіть:

[uː]	[ʊ] (перед *k* — як правило, але необов'язково)
boot — чобіт	foot — ступня
roof — дах	book — книга
soon — незабаром	look — вид, дивитися
mood — настрій	cook — кухар; готувати їжу
spoon — ложка	good — хороший, добрий

5.7 Reading exercise 4. **oo** [uː]

a)

boot	root	shoot	roof	hoof
moon	soon	noon	loop	hoop
cool	fool	pool	tool	drool
room	boom	loom	doom	broom

b)

root	room	roof	roost
boot	boom	boon	boost
hoop	hoof	moon	mood

5.8 Reading exercise 5. **oo** [ʊ]

book	look	cook	took
foot	soot	hood	good

5.9 Reading exercise 6. **oo — oa**

! У цьому і наступних вправах виділено жирним буквосполучення *oo*, що читається як [ʊ]

boot — boat	fool — foal	moot — moat
boost — boast	rood — road	tool — toad
moon — moan	cool — coal	t**oo**k — toast

5.10 Reading exercise 7. **oo — o** [ɒ]

shoot — shot	l**oo**k — lock	root — rot
b**oo**k — boss	c**oo**k — cock	roof — rock
hoop — hop	mood — mock	sh**oo**k — shock

5.11 Reading exercise 8. **oo — ee / ea**

shoot — sheet	boot — beet	moon — mean
doom — deem	boon — bean	hoot — heat
hoop — heap	pool — peel	roof — reef
soon — seen	food — feed	f**oo**t — feet
cook — Keele	rood — read	b**oo**k — bean

5.12 Reading exercise 9

mud — mood	but — boot	busy — buzz
rug — rule	tub — tube	cub — cube
study — student	bus — busy	rub — ruby
put — puzzle	sum — assume	cut — cute
hum — humorist	businessman — bus	

Завдання

5.13 **1.** Послухайте і запишіть слова, що ви почули. Усно перекладіть їх українською мовою.

1) ________________	5) ________________	9) ________________
2) ________________	6) ________________	10) ________________
3) ________________	7) ________________	11) ________________
4) ________________	8) ________________	12) ________________

Буквосполучення **ai, ay, ey**

Буквосполучення *ai, ay, ey* читаються як [eɪ] (як українське «ей»).

5.14 Reading exercise 10

pay	say	play	stay	grey
train	pain	rain	gain	laid

Буквосполучення **ou**

Буквосполучення ***ou*** у більшості випадків читається як [aʊ].

5.15 Послухайте і повторіть:

out — назовні	house — будинок	about — про
loud — гучний	cloud — хмара	round — круглий

! **Запам'ятайте виняток:** *soup* [su:p] — суп

5.16 Reading exercise 11

out	bout	shout	rout	stout
pouch	couch	vouch	ouch	scout
bound	sound	round	found	hound

5.17 Reading exercise 12

a) about — boot	round — root	cloud — cook	house — hole
b) ou — oa	out — oat	round — road	about — boat
loud — load	couch — coach	pouch — poach	tout — toad
gout — goat	sound — soap		

ТЕКСТ

5.18 *Read then turn on the recording and check yourself.* (Прочитайте текст, Потім увімкніть аудіозапис і перевірте себе.)

— Hello, my name's Jack. — Hi, nice to meet you, Jack. I'm Kate. — Nice to meet you, Kate.	— Вітаю! Мене звати Джек. — Привіт! Приємно познайомитися, Джек. Я — Кейт. — Приємно познайомитися, Кейт.
Pay him! Give him some money! I pay in cash.	Заплати йому! Дай йому гроші (деяку кількість грошей)! Я плачу готівкою.
Say 'Hi!'	Скажи «Привіт!»
It's a duck. It's funny.	Це качка. Вона кумедна.
She's a good actress. She's from France.	Вона гарна акторка. Вона з Франції.
He's a great pilot. He's from Britain. I'm from Ukraine. I'm a student. I study English and French. It's fun.	Він класний льотчик. Він з Британії. Я з України. Я студент / студентка. Я вивчаю англійську і французьку. Це весело.
Is it sunny? — Yes, it is. Is it hot? — No, it isn't. Is he happy? — No, he isn't. He isn't happy.	(Зараз) сонячно? — Так. (Зараз) жарко? — Ні. Він щасливий? — Ні. Він не щасливий.
Is Anna a good actress? — Yes, she is. But Jane isn't a very good actress. I can say she's a bad actress.	Анна добра акторка? Так. А Джейн не дуже добра акторка. Можу сказати, що вона погана акторка.
Is he at home? — No he isn't. He isn't at home. He's at school.	Він удома? — Ні. Він не вдома. Він у школі.
Is she late? — No, she isn't. She's in time.	Вона спізнюється? — Ні. Вона (прийшла) вчасно.

ГРАМАТИЧНІ ПОЯСНЕННЯ ДО ТЕКСТУ

1. Коротка форма дієслова **to be**

Англійська мова дуже швидка, набагато швидша, ніж українська. Справа у тому, що англійські слова набагато коротші від українських, що сприяє швидкому темпу мовлення. Більш того, в англійській мові існує маса скорочень, які не є обов'язковими, але дуже часто використовуються в мовленні.

Найпоширенішим скороченням є коротка форма дієслова *to be* («бути»):

I am = I'm [aɪm] He is = He's [hɪz]
She is = She's [ʃɪz] It is = It's [ɪts]

У заперечних реченнях коротка форма дієслова *to be* має такий вигляд:

He is not. = He isn't. She is not. = She isn't.
It is not. = It isn't.

Увага! *am not* не зливається! Але ми можемо сказати ***I'm not** at home.* — Я не вдома.

2. Запитання з дієсловом **to be**

Щоб побудувати питальне речення з дієсловом *to be*, потрібно поставити дієслово *to be* перед підметом:

I am late. — Я спізнююся. **Am I** late? — Я спізнююся? або Я спізнився?
He is at home. — Він удома. **Is he** at home?— Він удома?
It is late. — (Зараз) Пізно. **Is it** late? — Зараз пізно?

3. Безособові речення

Безособовими називають речення, в яких немає підмета, тобто особи, що виконує дію, та і самої дії часто теж немає. Наприклад, до безособових відносяться речення: Зараз сонячно. На вулиці мете. Зараз південь. і таке інше.

В англійській мові в реченні (за рідкісним винятком) мають бути присутніми і підмет, і присудок. У подібних безособових реченнях роль підмета виконує займенник *it*. І, звичайно, не забувайте, що якщо в реченні відсутня дія, в якості присудка виступає дієслово *to be*:

It is sunny. — (Зараз) сонячно.
It's 5 o'clock. — Зараз 5-та година.

Зверніть увагу, що в англійській мові в цьому випадку слово «зараз» можна опустити.

ЛЕКСИКО-ГРАМАТИЧНІ ЗАВДАННЯ

5.19

1. Послухайте речення і заповніть пропуски займенником + короткою або повною формою дієслова *to be*.

1) __________ sad.
2) __________ late.
3) __________ at home.
4) __________ fat.
5) __________ an actress.
6) __________ happy.
7) __________ nice.
8) __________ lazy.
9) __________ an apple.
10) __________ an elephant.

2. Перетворіть ці речення на запитання.

Example (приклад): My dress is red. — *Is my dress red?*

1) Jack is lazy. __________
2) His dog is kind. __________
3) His house is big. __________
4) My food is good. __________
5) His book is nice. __________
6) It's a table. __________
7) It's an elephant. __________
8) It's a big apple. __________
9) His apple is green. __________
10) I am happy. __________

3. Закінчіть коротку відповідь, ніби ви ставите запитання і самі ж на них відповідаєте.

Example (приклад): Is she late? — No, *she isn't.*

1) Is he lazy? — No, __________
2) Is it an elephant? — Yes, __________
3) Is it a table? — No, __________
4) Am I late? — No , __________
5) Is she nice? — Yes, __________
6) Is he kind? — No, __________
7) Is she sad? — No, __________
8) Is he sad? — Yes, __________
9) Am I nice? — Yes, __________

4. Заповніть пропуски короткою заперечною формою дієслова *to be*, де це можливо. Перекладіть речення українською мовою.

1) It __________ sunny.
2) I __________ lazy.
3) She __________ late.
4) He __________ a pilot.
5) It __________ a dog.
6) It __________ an apple.

1. *Say and write in English.*

1) Вона вдома? — Так. ______
2) Зараз пізно? — Так. ______
3) Вона спізнюється? — Ні. ______
4) Вона в школі? — Ні, вона вдома. ______
5) Він удома? — Ні, він у школі. ______
6) Це кіт? — Ні, це собака. ______
7) Це слон? — Ні. ______
8) Я спізнилася? ______

2. *Say and write in English using the short negative form of the verb to be.* (Скажіть і напишіть англійською, використовуючи коротку заперечну форму дієслова *to be.)*

1) Зараз не дуже жарко. ______
2) Зараз не дуже пізно. ______
3) Він не дуже добрий пілот. ______
4) Вона не дуже добра акторка. ______
5) Він не дуже гладкий. ______
6) Вона не дуже щаслива. ______
7) Я не дуже сумна. ______
8) Я не дуже спізнився. ______
9) Вона не дуже ледача. ______
10) Вона не вдома. ______
11) Він не в школі. ______
12) Зараз не сонячно. ______

3. *Say and write in English using the words and expressions from the text. (*Скажіть і напишіть англійською, використовуючи слова і вирази з тексту.)

1) Заплати готівкою. ______
2) Скажи «Привіт!» ______
3) Я не вдома. ______
4) Приємно познайомитися. ______
5) Дай Джеку трохи грошей. ______
6) Я вивчаю англійську і французьку. ______
7) Це весело. ______
8) Я можу сказати, що він поганий льотчик. ______
9) Я вчасно. ______
10) Він удома? ______
11) Можу сказати, що вона класна акторка. ______

______

УРОК 6

У цьому уроці ви дізнаєтеся

Читання	1. Як читаються: буквосполучення *wr,* голосна +*r* у наголошених і ненаголошених складах; буквосполучення *ure, ore.* Як вимовляються звуки: голосні [ə], [ɔ:], [ɑ:], [з:].
Грама-тика	2. Яку форму має дієслово *to be* (бути) у множині (повна і коротка форми). 3. Займенник *you* (ти, ви). 4. Як сказати, з якої ти країни, якої ти національності та якою мовою розмовляєш.

ПРАВИЛА ЧИТАННЯ

Буквосполучення **wr**

Буквосполучення *wr* зустрічається на початку англійських слів. Воно читається як [r].

6.1 Послухайте і повторіть:

write — писати
writer — письменник
wrist — зап'ясток
wrap — обгортати

6.2 Reading exercise 1. **wr**

wrench	write	wrote	written	writer	writ
wriggle	wriggler	wrap	wrapt	wrestle	wrestler
wrist	wretch	wrick	wreck	wrot	wren

Ненаголошені закінчення **or, er, ar**

Ненаголошені закінчення *or, er, ar* читаються як [ə] (дещо середнє між «а» і «е»). Закінчення *or, er* часто зустрічаються в назвах професій, а також у багатьох інших словах.

6.3 Послухайте і повторіть:

doctor — лікар
sister — сестра
driver — водій
butter — масло
better — краще
liar — брехун

6.4

Reading exercise 2

butter	better	blocker	rocker	smoker	sooner
seller	bestseller	user	diver	hyper	ladder
driver	tuner	offer	sniffer	diner	dinner
doctor	major	minor	mayor	tutor	matter
error	actor	laser	razor	vector	potter
terror	mirror	sector	factor	tailor	locker
liar	cellar	collar	pillar	dollar	pepper

Буквосполучення **er, ir, ur** *під наголосом перед приголосними або наприкінці слова*

Буквосполучення *er, ir, ur* під наголосом перед приголосними або наприкінці слова читаються як [ɜ:]. Цей звук схожий на український звук, що передається буквами «ьо», як, наприклад, у слові «льон». Але англійський звук [ɜ:] вимовляється більш напружено і протяжно:

6.5

Послухайте і повторіть:

her	term	girl	first	fur	nurse

6.6

Reading exercise 3. **er — ir — ur** під наголосом

a)

her	herd	herb	verb	per	pert	German	Germany
fern	stern	perch	term	her	Berber	alert	
fir	sir	stir	bird	girl	flirt		
dirt	shirt	birch	firm	first	dirty		
fur	burn	turn	lurk	Turk	Turkish	Turkey	
cur	curd	curb	curl	hurl	hurt		
burst	churn	church	burp	nurse	curse		

b)

her	fir	girl	bird	stern	
fir	turn	bird	hurt	her	shirt
church	herd	curl	bird	sir	nurse
burst	stir	verb	hurl	burn	herb
bird	curl	girl	fir	fern	stern
firm	birch	sir	stir	fur	curse

6.7

Reading exercise 4. **er** під наголосом та без наголосу

never	her	cleaner	fern	herb	blacker
stern	barter	harder	per	term	carter
Berber	alert	dinner	supper	better	perch

Буквосполучення **ure** *під наголосом*

Буквосполучення *ure* під наголосом читається як [jʊə] або [ʊə] (зазвичай після звуків [s] і [ʃ]). Звук, що позначається в транскрипції як [j], дуже схожий на український звук «й». Тобто [jʊə] нагадує українське «юе», а [ʊə] — українське «уе».

6.8 Послухайте і повторіть:

pure	cure	sure	lure

6.9 Reading exercise 4. [jʊə], [ʊə]

lure	cure	pure	mure	dure	endure
cures	cured	sure	assure	impure	mature
allure	secure	tenure	endure	ensure	inure

Буквосполучення **or; ore** *під наголосом (крім сполучення* **wor** *+ приголосний)*

Буквосполучення *or; ore* під наголосом читаються як [ɔ:]. Цей звук віддалено нагадує українське «о». Щоб вимовити його правильно, потрібно відвести язик у глиб рота і сказати «о». Ви маєте отримати дуже закритий довгий звук.

6.10 Послухайте і повторіть:

or	bored	sore	lord	more	shore	for

6.11 Reading exercise 5. **or**

a)

born	corn	horn	torn	worn	morn
fort	port	sort	sport	short	corpse
fork	pork	cork	cord	lord	ford

b)

fort	form	fork	ford
cork	cord	corn	corpse
pork	port	gorge	Gordon

c)

or	fork	sort	born	corn	pork
fort	orb	orbit	cork	horn	port
cord	torn	sort	fort	nor	cork
short	ford	morn	for	pork	fort
born	pork	sort	corn	port	fork

6.12

Reading exercise 6. **ore**

more	sore	before	shore	store	lore
core	bore	bored	seashore	stores	pore
afore	adore	chore	cored	ashore	drugstore
fore	forecast	forefoot	foreman	foremilk	foreplay

6.13

Reading exercise 7. [ɜ:] - [ɔ:]

burn — born (горіти — народжений)
bird — bored (птах — нудьгуючий)
sir — sore (сер — запалений)
stir — store (розмішувати — запас)
shirt — short (сорочка — короткий)
turn — torn (повертати — розірваний)
fur — for (хутро — для)
perk — pork (привілей — свинина)
curd — cord (сир — шнур)
her — horn (її — ріг)
term — storm (термін — шторм)

6.14

Reading exercise 8. [ɔ:] - [ɒ]

port — pot
cork — cock
cord — cod
lord — lot
corn — con
short — shot

Буквосполучення **ar** *(крім сполучення* **war***)*

Буквосполучення *ar* (крім сполучення *war*) читається як [ɑ:]. Цей звук віддалено нагадує українське «а». Щоб вимовити його правильно, потрібно відсунути язик якомога глибше. При цьому він не повинен торкатися зубів. Ви маєте отримати глибокий гортанний протяжний звук.

6.15

Послухайте і повторіть:

car far star scar farm dark park

6.16

Reading exercise 9. [ɑ:] — [ʌ]

cart — cut (віз — різати)
dark — duck (темний — качка)
bark — buck (гавкати — (розм.) долар)
star — stuck (зірка — застряглий)
far — fun (далекий— веселощі)
bard — but (бард — але)
harm — hum (шкода — наспівувати)
bar — bucks (решітка — долари)

6.17

Reading exercise 10

a) bar	far	car	tar	jar	mar	star	scar
cart	dart	hart	mart	part	start	Bart	

card	yard	bard	hard	lard
ark	lark	park	dark	shark
arm	farm	harm	charm	
yarn	barn	darn	harp	sharp
b) arch	ark	arm	art	arson
hard	hark	harm	harp	hart
bar	bard	bark	barn	bars
car	card	Carl	cart	carcass
dark	darkness	dart	darn	darb
mar	march	marsh	mart	mark
harder	smarter	barter	charter	under

ТЕКСТ

6.18 *Read then turn on the recording and check yourself.*
(Прочитайте текст, потім увімкніть аудіозапис і перевірте себе.)

Are you a doctor? — No, I'm not. I'm a nurse.	Ви лікар? — Ні. Я медсестра.
Are you from Turkey? — No, I'm not. I'm from Germany. I'm German. I speak German.	Ви з Туреччини? — Ні. Я з Німеччини. Я німець. Я говорю німецькою.
Are you German, too? — Yes, I am, but I live in Turkey, so I study Turkish. - Is it fun? — Yes, it's a lot of fun.	Ви теж німець? — Так, але я живу в Туреччині, тому я вивчаю турецьку. — Це весело? — Так, це дуже весело.
Is his son lazy? — Yes, he is. His son's very lazy.	Його син ледачий? — Так, його син дуже ледачий.
You're funny. I'm bored. He's a doctor.	Ти кумедний. Мені нудно. Він лікар.
She's a nurse.	Вона медсестра.
You aren't a star.	Ти / Ви не зірка.
Is it dark? — Yes, it is.	(Зараз) темно? — Так.
Is she bored? — No, she isn't.	Їй нудно? — Ні.
Are you happy? — Yes, I am.	Ви щасливі? — Так.
Are you late? — No, I'm not. I'm in time.	Ви спізнилися? — Ні. Я вчасно.

ГРАМАТИЧНІ ПОЯСНЕННЯ ДО ТЕКСТУ

1. Множина дієслова **to be**

У тексті ви, напевно, звернули увагу на нову форму дієслова *to be – are* [ɑ:]. Це форма множини. Займенник *you* означає «ви». Зверніть увагу на те, що в англійській мові не існує звернення на «ти». Український займенник «ти» також передається займенником *you*. Наприклад, українське речення «Ти кмітливий» англійською буде мати вигляд *You are smart*, що дослівно означає «Ви кмітливі».

2. Коротка форма **you + are**

You are — you're [jɔː] (схоже на українське «йо»)
You are not — you aren't [juː ˈɑːnt] або *you're not* [jɔː nɒt]

3. Назва національностей і мов

Назви національностей і мов в англійській мові завжди пишуться з великої літери. Як правило, національність і відповідна мова звучать однаково:

French — француз / французька мова
German — німець / німецька мова
Але:
British — британець; *English* — англійська мова.

Національності, як правило, виражаються прикметниками. Тобто *I am French* (Я француз) дослівно перекладається як «Я французький», тому перед назвами національностей артикль не ставиться.

6.19 *Назви деяких країн і національностей.*

Britain — British	Британія — британець, британський
Spain — Spanish	Іспанія — іспанець, іспанський
Poland — Polish	Польща — поляк, польський
Turkey — Turkish	Туреччина — турок, турецький
France — French	Франція — француз, французький
Germany — German	Німеччина — німець, німецький
Canada — Canadian	Канада — канадець, канадський
Italy — Italian	Італія — італієць, італійський
Russia — Russian	Росія — росіянин, російський
Ukraine — Ukrainian	Україна — українець, український
China — Chinese	Китай — китаєць, китайський
Japan — Japanese	Японія — японець, японський

4. Неозначений артикль з професіями

У реченнях типу «Я — лікар», «Він — письменник» перед назвами професій обов'язково вживається неозначений артикль:

I'm a doctor. *He's a writer.*

ЛЕКСИКО-ГРАМАТИЧНІ ЗАВДАННЯ

6.20

1. Послухайте речення і заповніть пропуски займенником + короткою або повною формою дієслова *to be* у ствердженні або запереченні.

1) __________________ bored.
2) __________________ late.
3) __________________ at home.
4) __________________ smart.
5) __________________ a nurse.
6) __________________ happy.
7) __________________ nice.
8) __________________ lazy.
9) __________________ an apple.
10) __________________ German.

2. Заповніть пропуски короткою заперечною формою дієслова *to be*. Перекладіть речення українською мовою.

1) It __________________ dark.
2) You ________________ a writer.
3) She ________________ late.
4) He ________________ lazy.
5) Peter ______________ a driver.
6) It __________________ an apple.

3. Запитайте англійською.

1) Ви вдома? ____
2) Він письменник? ______________________________________
3) Вона спізнюється? _____________________________________
4) Ви лікар? ____
5) Вона медсестра? _______________________________________
6) Це кіт? ____
7) Я вчасно? ____
8) Я спізнився? ____
9) Він ледачий? ____
10) Вона мила? ____
11) Вам нудно?____
12) Їй нудно? ____
13) Ти в школі? ____
14) Ви вдома?____
15) Зараз не темно. ______________________________________
16) Я не ледачий.____
17) Ти не спізнюєшся._____________________________________
18) Мій син не вдома. _____________________________________
19) Я не сумна.____
20) Зараз темно? ____
21) Це весело? ____
22) Це дуже весело. _______________________________________

1. Скажіть і напишіть за зразком. Використовуйте, де можливо, коротку форму дієслова to be.

Example (приклад): (he / Ukraine) *He's from Ukraine.*

1) (she / Poland) ______
2) (I / France) ______
3) (you / Spain) ______
4) (Marco / Italy) ______
5) (Jack / Britain) ______
6) (you / Russia) ______
7) (Pedro / Spain) ______
8) (I / China) ______
9) (he / Japan) ______
10) (my friends / Ukraine) ______

2. Скажіть і напишіть за зразком.

Example: (Turkey / Iran) – *Are you from Turkey? – No, I'm not. I'm from Iran.*

1) (China / Japan) ______
2) (Poland / Russia) ______
3) (France / Britain) ______
4) (Germany /China) ______
5) (Russia / Ukraine) ______
6) (Turkey / Germany) ______
7) (Ukraine / Poland) ______

3. Скажіть і напишіть за зразком. Не забудьте вжити артикль!

Example: (he / doctor) *He's a doctor.*

1) (Tom / cleaner) ______
2) (she / driver) ______
3) (I / writer) ______
4) (Ted / teacher) ______
5) (Lucas / manager) ______
6) (you / nurse) ______

4. Скажіть і напишіть за зразком.

Example: (Lucy / British) *Lucy's British.*

1) (Mehmet / Turkish) ______
2) (Alan / French) ______
3) (Tom / American) ______
4) (Taras / Ukrainian) ______
5) (Kurt / German) ______
6) (Pedro / Spanish) ______
7) (Luca / Italian) ______
8) (Roman / Russian) ______
9) (Pawel / Polish) ______

5. Скажіть і напишіть за зразком.

Example: (you / doctor / nurse) *Are you a doctor? – No, I'm not. I'm a nurse.*

1) (he / driver / manager) ________________
2) (she / nurse / teacher) ________________
3) (Lily / writer / editor) ________________
4) (Marta / actress / nurse) ________________
5) (you / cleaner / doctor) ________________
6) (you / pilot / dentist) ________________
7) (she / dentist / writer) ________________

6. Розкажіть про цих людей у першій особі, використовуючи цю інформацію.

Example: (Karl / Germany / German / driver / Berlin) *Hi!* (Привіт!) *My name's Karl. I'm from Germany. I speak German. I'm a driver. I live in Berlin.*

1) (Marta / Spain / Spanish / nurse / Madrid) ________________
2) (Daria / Ukraine / Ukrainian / actress / Kharkiv) ________________
3) (Pawel / Poland / Polish / dentist / Poznan) ________________
4) (Marco / Italy / Italian / teacher | Rome) ________________
5) (Marie / France / French / secretary / Paris) ________________
6) (Ahmet / Turkey / Turkish / actor / Istanbul) ________________
7) (James / Britain / English / spy / London) ________________
8) (Mary / Canada / English and French / writer / Toronto) ________________
9) (Ivan / Russia / Russian / driver / Moscow) ________________
10) (Stefanie / Germany / German / nurse / Hamburg) ________________

7. Складіть речення за зразком.

Example: (French / Poland) *I'm French, but I live in Poland, so I study Polish.*

1) (Italian / Spain) ________________
2) (British / Ukraine) ________________
3) (German / Russia) ________________
4) (Polish / Turkey) ________________
5) (Japanese / France) ________________
6) (Chinese / Britain) ________________
7) (Spanish / Germany) ________________

УРОК 7

У цьому уроці ви дізнаєтеся

Читання	1. Як читається буква *w*, буквосполучення *wh, who, ow, wa, wha, war, wor, aw, ew.* Як вимовляються звуки: приголосний [w].
Граматика	2. Займенник *we* (ми). 3. Як змінюються дієслова в 3-й особі однини в теперішньому простому часі (*Present Simple*). 4. Як утворюється множина іменників, що закінчуються в однині на *–s, -ss, -sh, -ch, -tch, -f /-fe.* 5. Як поставити запитання з питальними словами *Що? Хто?* 6. Як ввічливо щось попросити.

ПРАВИЛА ЧИТАННЯ

Буква **w**

Буква *w* на початку слова читається як [w]. Такого звука в українській мові немає. Щоб вимовити його правильно, витягніть губи вперед, ніби хочете сказати «у», Потім енергійно розкрийте губи, як для звука «е». Потренуйтесь перед дзеркалом. Слідкуйте за тим, щоб не отримати звук «в».

7.1 Послухайте і повторіть за диктором спочатку звуки, а потім слова.

[wi:], [wɒ], [weɪ], [waɪ], [wu:], [we]

we — ми	**w**eak — слабкий	**w**ise — мудрий
winter — зима	**w**ine — вино	**w**in — вигравати
week — тиждень	**w**ish — бажати	**w**ell — добре

7.2 Reading exercise 1. **w** [w]

week	weak	wake	woke	wine
west	we	winter	wise	win
wish	wait	waist	weep	wife
wick	wicked	wicket	wicker	wide
wig	awake	awoke	will	Willie
wit	witty	wilt	Wilson	wimp
wind	windy	winch	windmill	wisp
wacky	weed	wobble	wobbler	wood

Буквосполучення **wh**

Буквосполучення *wh* зустрічається тільки на початку слова і читається як [w].

7.3 Послухайте і повторіть:

white — білий
when — коли
where — де
why — чому
wheel — колесо
which — котрий

7.4 Послухайте, повторіть і порівняйте звуки [w] та [v]

wine — **v**ine (вино — виноградна лоза)
wheel — **v**eal (колесо — телятина)
west — **v**est (захід — жилет)
wet — **v**et (мокрий — ветеринар)

7.5 Reading exercise 2. **wh** [w]

white	whine	while	when	which
why	wheel	whisk	whisker	whisky
whisper	whale	whistle	whistler	whit

7.6 Reading exercise 3. [w] — [v]

wine — vine
wet — vet
wheel — veal
west — vest
week — Vick
wit — Vit

Буквосполучення **who**

Якщо за буквосполученням *wh* іде буква *o*, то *wh* читається як [h].

7.7 Послухайте і повторіть:

! Зверніть увагу на те, що буква *o* в деяких словах читається не за правилами.

who — хто
whole — весь, цілий
whose — чий
whom — кого, кому

7.8 Reading exercise 4. **wh — who**

which	whip	white	whale	whole
when	who	whim	whom	while
wheat	whose	wheel	whip	whirlpool

Буквосполучення **ow**

Буквосполучення *ow* наприкінці двоскладових слів у ненаголошеному положенні читається як [əʊ].

7.9 Послухайте і повторіть:

wind**ow** — вікно
yell**ow** — жовтий
Mosc**ow** — Москва
borr**ow** — позичати (комусь)

Буквосполучення *ow* під наголосом може читатися як [əʊ] або як [aʊ]. Чіткого правила щодо цього немає. Тому всі незнайомі слова слід перевіряти в словнику. Послухайте і повторіть:

7.10

[əʊ]	[aʊ]
s**ow** — сіяти	c**ow** — корова
sn**ow** — сніг	n**ow** — зараз
low — низький	cl**ow**n — клоун
cr**ow** — ворона	d**ow**n — униз, унизу
m**ow** — жати	cr**ow**n — корона
bl**ow** — удар; дути	all**ow** — дозволяти

Запам'ятайте!

bow [bəʊ] — лук (зброя)
row [rəʊ] — ряд

bow [baʊ] — кланятися
row [raʊ] — свара

7.11

Reading exercise 4. **ow** в ненаголошеному складі

fellow	Moscow	arrow	yellow	pillow
borrow	elbow	narrow	tomorrow	bungalow
hollow	shallow	furrow	marrow	shadow
willow	widow	window	wallow	sparrow

7.12

Reading exercise 5. **ow** [əʊ] під наголосом

low	bow	row	crow	sow	mow
show	stow	tow	slow	snow	bellow
blow	glow	grow	flow	bowl	own

7.13

Reading exercise 6. **ow** [aʊ]

cow	now	how	vow	brow	crown
owl	fowl	howl	prowl	jowl	growl
town	down	gown	brown	downtown	drown

7.14

Reading exercise 7. **ow** [aʊ] — [əʊ]

own	grow	grown	drown	brown	down
owl	flow	glow	owl	fowl	bowl
bellow	pillow	cow	low	stow	now
town	own	gown	slow	snow	brown
crow	crown	down	grow	slow	cow

Буквосполучення **wa** *і* **wha**

Буквосполучення *wa* і *wha* в закритому складі читаються як [wɒ], а у відкритому складі — за загальними правилами, тобто як [weɪ].

7.15 Послухайте, повторіть і порівняйте.

want — хотіти
whale — кит
wake — будити, пробуджуватися
was — був
what — що
wave — хвиля

7.16 Reading exercise 8. **wa** і **wha**

want	whale	was	when	what	water
wander	wake	wad	wafer	waffle	waist
wait	Walter	walrus	wasp	wall	wand

Буквосполучення **war**

Буквосполучення *war* читається як [wɔ:]. Звук [ɔ:] описувався в уроці 6. Щоб вимовити його правильно, потрібно відвести язик в глиб рота, витягнути губи і сказати «о». Ви маєте отримати дуже закритий довгий звук.

7.17 Послухайте і повторіть:

war — війна
ward — палата в лікарні
wardrobe — гардероб, шафа
warn — попереджати
warm — теплий
d**war**f — карлик, гном

7.18 Reading exercise 9. **war**

war	ward	warn	warm	warmer	warp
wardrobe	warlike	wardship	wardroom	warship	wart

Буквосполучення **wor** *+ приголосний*

Буквосполучення *wor* перед приголосною читається як [wɜ:].

7.19 Послухайте, порівняйте і повторіть.

worm — **war**m (черв'як — теплий)
work — **war**n (робота — попереджати)
world — **war** (світ — війна)
word — **war**d (слово — палата в лікарні)
worse — **war**s (гірше — війни)

7.20 Reading exercise 10. **wor**

world	worst	worm	worship	worse	work
word	worker	workman	worm	workday	workforce
workload	workmate	workshop	workplace	worksheet	worst

7.21 Reading exercise 11. **war — wor**

ward — word	warship — worship	worm — warm
work — war	world — warp	worse — wasp

Буквосполучення ***aw***

Буквосполучення *aw* під наголосом читається як [ɔ:].

7.22 Послухайте і повторіть:

law — закон	raw — сирий, недоварений
paw — лапа	saw — бачив; пила
lawn — лужок, газон	dawn — світанок

7.23 Reading exercise 12. **aw**

raw	draw	drawn	straw	dawn	pawn
law	paw	pawn	yawn	prawn	spawn
claw	hawk	fawn	lawn	trawl	shawl
scrawl	law	prawn	yawn	straw	claw

7.24 Reading exercise 13. **ow — aw**

row — raw	down — dawn	low — law
stow — prawn	shown — shawl	drown — draw
how — hawk	gown — pawn	owe — awe
own — lawn	sow — saw	mow — maw

Буквосполучення **ew**

Буквосполучення *ew* у більшості випадків читається як:

7.25

[u:]	[ju:]
Після *r, j, l, ch*	**У решті випадків**
ch**ew** — жувати bl**ew** — дув (минул. час від «дути»)	n**ew**s — новина d**ew** — роса

Після *st* буквосполучення *ew* можна читати як [u:] або як [ju:], значення не зміниться: *stew* [stu:] або [stju:] (*рагу*).

7.26 Reading exercise 14. **ew**

new	Jew	blew	flew	slew	chew
brew	crew	drew	stew	steward	grew
dew	few	view	interview	nephew	review
pew	stew	curfew	dew	view	news

7.27 Reading exercise 15

new	low	down	crow	crown	Jew
stew	draw	town	nephew	own	show
dew	law	chew	window	yellow	view
saw	dawn	pillow	flow	now	how
crew	hawk	lawn	owl	paw	snow
slow	pawn	stow	few	cow	vow

ТЕКСТ

7.28 *Read then turn on the recording and check yourself.* (Прочитайте, потім увімкніть аудіозапис і перевірте себе.)

What is it? – It's my stew. Who is it? – It's his nephew. What is it? – It's her new boat. What is it? – It's a cow.	Що це? — Це моє рагу. Хто це? — Це його племінник. Що це? — Це її новий човен. Що це? — Це корова.
Who is at home? – My sister. She very seldom goes out on Sunday. She stays at home and tidies her room. I tidy my room every day.	Хто вдома? — Моя сестра. Вона дуже рідко виходить (з дому) у неділю. Вона залишається вдома і прибирає в своїй кімнаті. Я прибираю в своїй кімнаті щодня.
Who likes meat? – Her son likes meat. Who teaches Physics? – Her dad teaches Physics. Who travels a lot? – His mom travels a lot.	Хто любить м'ясо? — Її син любить (=Її сину подобається) м'ясо. Хто викладає фізику? — Її тато викладає фізику. Хто багато подорожує? — Його мама багато подорожує.
Will you give me a few matches and boxes, please? My friend gets up at 6 a.m. Jack is often late for work. We are rarely late for classes.	Дай мені декілька сірників і коробок, будь ласка. Мій друг встає о 6 ранку. Джек часто спізнюється на роботу. Ми рідко спізнюємося на уроки.

ГРАМАТИЧНІ ПОЯСНЕННЯ ДО ТЕКСТУ

1. Утворення множини іменників, що закінчуються в однині на ***–x, -s, -ss, -sh, -ch, -tch, -f /-fe***

- Іменники, що в однині закінчуються на *–x, -s, -ss, -sh, -ch, -tch,* утворюють множину за допомогою закінчення *-es* (вимовляється як [ɪz]):

a match (сірник) — match**es**
a bus (автобус) — bus**es**
a box (коробка) — box**es**
a dish (страва) — dish**es**

- Іменники, які в однині закінчуються на *-f /-fe*, у множині змінюють *-f /-fe* на *ves* (вимовляється [vz]):

a knife (ніж) — kni**ves**
a wolf (вовк) — wol**ves**
a shelf (полиця) — shel**ves**
a leaf (лист (на рослинах)) — lea**ves**

2. Теперішній простий час (The Present Simple Tense)

Present Simple — найпоширеніший час англійської мови. Він позначає дії, які ми виконуємо з певною регулярністю, або коли мова йде про те, що дійсно взагалі:

I like apples. — Мені подобаються яблука.
She gets up at 7 a.m. every day. — Щодня вона встає о 7-й ранку.
The Sun rises in the East. — Сонце встає на сході.

Для опису регулярних дій використовуються обставини частоти дії (слова, що відповідають на запитання «Як часто?»):

every day [ˊevrɪˊdeɪ]* — щодня
usually [ˊjuːʒ(ə)lɪ] — зазвичай
sometimes [ˊsʌmˏtaɪmz] — іноді
very seldom [ˊvery ˊseldəm] — дуже рідко
always [ˊɔːlweɪz] — завжди
often [ˊɔf(t)ən] — часто
rarely [ˊreəlɪ] — рідко

* *Наголос в англійській транскрипції (ˊ) ставиться перед наголошеним складом. В англійській мові в багатоскладових словах також часто зустрічається таке непритаманне українській мові явище, як подвійний наголос (як, наприклад, у слові sometimes). При цьому позначкою (ˊ) позначається основний наголос, а (") — другорядний.*

My friend plays football *every day*. — Мій друг грає у футбол *щодня.*
My sister *always* gets up early. — Моя сестра *завжди* встає рано.
I *usually* go to bed at 9 p.m. — Я *зазвичай* лягаю спати о 9-й вечора.
He *often* watches TV. — Він *часто* дивиться телевізор.
My dad *sometimes* plays tennis. — Мій тато *іноді* грає в теніс.
We *rarely* go to the park. — Ми *рідко* ходимо в парк.
I *very seldom* stay at home on Sunday. — Я *дуже рідко* залишаюся вдома в неділю.

Місце обставин частоти дії в реченнях:

- *always, often, very seldom* завжди ставляться між підметом і присудком.
- *usually* і *sometimes* можуть також вживатися на початку речення, особливо, коли на них падає логічний наголос:
  Usually I go to bed early, but *sometimes* I stay up late. — Зазвичай я лягаю спати рано, але іноді я лягаю пізно (*stay up* — не лягати спати, залишатися «на ногах»).
- У реченнях з дієсловом *to be* обставини частоти дії ставляться після цього дієслова:
  He is *often* late for school. — Він часто спізнюється до школи.
  До речі, зверніть увагу на прийменник *for* в цьому виразі:
  be late *for* something — спізнюватись кудись.
- *every day*, як правило, ставиться наприкінці речення.

На відміну від української мови в англійській мові дієслова (за винятком дієслова *to be* — «бути») не дієвідмінюються. Єдина зміна в теперішньому простому часі відбувається в 3-й особі однини, коли до дієслова додається закінчення *-s* або *-es* за тими ж самими правилами, що і додавання цього закінчення до іменників у множині.

***do* — робити**	***go* — іти**	***play* — грати**	***study* — вивчати**	***watch* — спостерігати**	***guess* — здогадуватися**
I do	go	play	study	watch	guess
He do**es** [dʌz]	go**es**	play**s**	stud**ies**	watch**es**	guess**es**
She do**es**	go**es**	play**s**	stud**ies**	watch**es**	guess**es**
It do**es**	go**es**	play**s**	stud**ies**	watch**es**	guess**es**
We do	go	play	study	watch	guess
You do	go	play	study	watch	guess
They do	go	play	study	watch	guess

3. Запитання Хто? Що?

Хто? — Who?
Що? — What?
Хто це? — Who is it?
Що це? — What is it?

Зверніть увагу, що у відношенні до тварин ставиться запитання *What is it?* («Що це?»)

Запитання до підмета, що починаються з «Хто?» — найпростіші в англійській мові. Щоб поставити такі запитання, потрібно просто замінити підмет питальним словом. При цьому дієслово в таких запитаннях, як і в українській мові, завжди стоїть у 3-й особі однини

Who is at home? — Хто вдома?
He is at home. — Він вдома.
Who likes music? — Хто любить музику?
My sons like music. — Мої сини люблять музику.

4. Передавання часу. Прийменник **at**. Скорочення **p.m.** та **a.m.**

Коли ми говоримо про час, український прийменник «о» передається в англійській мові прийменником «*at*»: *at 7* або *at 7 o'clock* — о 7-й годині. Слово *o'clock* можна безболісно опустити.

Якщо ми хочемо уточнити, о 7-й ранку або 7-й вечора, можна сказати *at 7 a.m.* — о 7-й ранку або *at 7 p.m.* — о 7-й вечора.

> *a.m.* — це скорочення від латинського *ante meridiem*, що дослівно означає «до полудня»
> *p.m.* — *post meridiem*, що означає «після полудня».

Час від півночі до півдня — це *a.m.*, а від півдня до півночі — *p.m.*
«Друга ночі» англійською це 2 *a.m.*, а «друга дня» — 2 *p.m.*

5. Ввічливе прохання

Ввічливе прохання до товариша, родича або дитини в англійській мові часто починається зі слова *will*, яке ніяк не перекладається українською мовою. Формально таке англійське речення є запитанням, тому воно має питальну інтонацію, а наприкінці такого речення ставиться питальний знак.

Will you tell me a story please? — Розкажи мені, будь ласка, (яку-небудь) історію.

Will you come up to me, please? — Підійди до мене, будь ласка.

ЛЕКСИКО-ГРАМАТИЧНІ ЗАВДАННЯ

1. Утворіть множину від цих іменників.

1) a boss (бос) ___________________
2) a dog (собака) ___________________
3) a play (п'єса) ___________________
4) a lorry (вантажівка) ___________
5) a rose (троянда) _______________
6) a potato (картопля) ____________
7) a photo (світлина) _____________
8) a piano (піаніно) _______________
9) a fox (лиса)____________________
10) a copy (копія) ________________
11) a tomato (помідор) ____________
12) a boy (хлопчик) _______________
13) a shelf (полиця) ______________
14) a wolf (вовк) _________________
15) a knife (ніж) _________________
16) a wife (жінка)_________________

2. Поставте ці дієслова в правильну форму у відповідності до займенників, що стоять перед ними.

Example (приклад): You watch — He _watches_

1) I fix — She ___________________
2) I do — It _____________________
3) I copy — She __________________
4) You go — He ___________________
5) I guess — She _________________
6) She hurries — You ____________
7) He catches — I _______________
8) I teach — My wife ____________
9) You study — Sam ______________
10) We tidy — He ________________

3. Поставте запитання «Хто це» або «Що це?» у відповідності до слів у дужках і дайте на них відповідь.

nurse bird ~~tiger~~ apple boy table fox man

Example: *What is it?* (тигр) — *It's a tiger.*

1) ________________ (медсестра) — ________________
2) ________________ (яблуко) — ________________
3) ________________ (лисиця) — ________________
4) ________________ (хлопчик) — ________________
5) ________________ (стіл) — ________________
6) ________________ (чоловік) — ________________
7) ________________ (птах) — ________________

4. Поставте запитання до підмета. Не забудьте, що в таких запитаннях дієслово стоїть у 3-й особі однини, тобто має закінчення *-s*.

Example: I teach sports. *Who teaches sports?*

1) You like bananas. ________________
2) I run every day. ________________
3) I get up at 6. ________________
4) I often eat fish. ________________
5) My friends fix cars. ________________
6) I always stay at home on Sundays. ________________
7) My teachers are sometimes late for the lessons. ________________
____
8) We are in time. ________________

7.29 **5.** Послухайте речення і заповніть пропуски.

1) My sister ________________.
2) Dina tidies ________________ every day.
3) I ________________ TV.
4) ________________ at 8 a.m.
5) ________________ likes ________________.

7.30 **6.** Послухайте речення і заповніть пропуски обставинами частоти дії. Перекладіть речення українською мовою.

1) You ________________ come late.
2) She ________________ stays with us.
3) We ________________ get up at 6 a.m.
4) I ________________ read newspapers.
5) ________________ I play tennis on Sunday.
6) He ________________ eats bananas.

1. *Say and write in English.*

! *go to work* – іти на роботу *come home* – приходити додому

1) Він часто грає в теніс. ______________________________
2) Вона завжди встає о шостій ранку. ______________________________
3) Моя сестра іноді приходить додому о сьомій вечора. ______________________________
____
4) Я завжди приходжу додому пізно. ______________________________
5) Він рідко приходить додому о дев'ятій вечора.______________________________
6) Він завжди йде на роботу о десятій ранку. ______________________________
7) Вона іноді приходить додому о п'ятій вечора. ______________________________
8) Він зазвичай приходить до школи вчасно. ______________________________
9) Я дуже рідко приходжу додому пізно.______________________________
10) Вона часто приходить на роботу із запізненням (пізно). ______________________________
____
11) Я іноді дивлюсь телевізор.______________________________
12) Він рідко дивиться телевізор. ______________________________
13) Хто часто приходить додому пізно? ______________________________

2. *Say and write in English.*

1) Хто викладає французьку? ______________________________
2) Хто часто дивиться телевізор? ______________________________
3) Хто часто приходить додому пізно? ______________________________
4) Хто іноді спізнюється на роботу? ______________________________
5) Хто любить футбол? ______________________________
6) Хто годує його кота? ______________________________
7) Кому потрібна ручка? ______________________________
8) Кому потрібен олівець?______________________________
9) Кому потрібна машина? ______________________________

3. *Say and write in English.*

! *want* _to_ *do* – хотіти зробити

1) Хто хоче прийти?______________________________
2) Я хочу з'їсти тістечко. ______________________________
3) Він хоче з'їсти яблуко. ______________________________
4) Я хочу пограти. ______________________________
5) Вона хоче подивитися телевізор. ______________________________

6) Ми хочемо почитати книгу. ______________________________

7) Він хоче почитати газету. ______________________________

8) Я хочу навести порядок у своїй кімнаті. ______________________________
____

9) Він хоче навести порядок у своїй кімнаті. ______________________________
____

10) Вона хоче приготувати їжу (*cook*). ______________________________

11) Я хочу приготувати їжу. ______________________________

12) Вона хоче дати тобі морозиво. ______________________________

13) Вона хоче допомогти мені. ______________________________

14) Моя сестра хоче встати о 6-й ранку. ______________________________

15) Ми хочемо зустрітися з вами сьогодні. ______________________________

16) Хто хоче пограти в теніс? ______________________________

4. *Say and write in English.*

! *be late _for_* – спізнюватися (кудись)

1) Я спізнююся на роботу.______________________________

2) Я часто спізнююся на уроки. ______________________________

3) Він дуже рідко спізнюється на роботу. ______________________________

4) Вона не спізнюється до школи. ______________________________

5) Вона часто спізнюється до школи.______________________________

6) Я рідко спізнююся на роботу.______________________________

7) Ти часто спізнюєшся на роботу? ______________________________

8) Вона завжди спізнюється на роботу? ______________________________

9) Хто сьогодні спізнюється до школи?______________________________

10) Мій друг завжди спізнюється до школи. ______________________________

11) Його друг часто спізнюється до школи? ______________________________

5. Утворіть ввічливе прохання. Усно перекладіть прохання українською мовою.
Example: (say it loudly) _*Will you say it loudly, please?*_

1) (sit down) ______________________________

2) (stand up)______________________________

3) (say it again) ______________________________

4) (come up to me)______________________________

5) (write ten words) ______________________________

6) (smile) ______________________________

7) (count to seven) ______________________________

8) (help me) ______________________________

9) (give me some water) ______________________________

10) (write your address) ______________________________

11) (read my note) (*записка*) ______________________________

УРОК 8

У цьому уроці ви дізнаєтеся

Читання	1. Як читаються буквосполучення *th, au, all, al, ire.* Як вимовляються звуки: приголосні [ð], [θ]; трифтонг [aɪə].
Грама-тика	2. Займенник *they* (вони). 3. Вказівні займенники *this, that, these, those.* 4. Запитання *What's this? What's that? What are these? What are those?* і відповіді на них. 5. Означений артикль, і коли він вживається. 6. Прийменник *of* для передавання родового відмінка.

ПРАВИЛА ЧИТАННЯ

Буквосполучення th

Буквосполучення *th* може передавати два звуки — [ð] та [θ]. Звук [θ] відповідає українському шепелявому звуку «с». Щоб вимовити його правильно, трохи просуньте язик між зубами і в такому положенні скажіть «с».

Звук [ð] відповідає українському шепелявому звуку «з». Він вимовляється так само, як і [θ], з просунутим між зубами язиком.

Буквосполучення *th* читається як:

[ð]	[θ]
на початку службових слів (артикль, займенники).	**на початку іменників, дієслів, прикметників, прислівників; наприкінці слів; перед приголосною або після голосної.**
this — цей **th**ey — вони **th**e — означений артикль	**th**ick — товстий fai**th** — віра mon**th**ly — щомісячний
між голосними	
ba**th**e — купатися fa**th**er — батько	

У власних іменах *th* часто читається як [t]

Thames — Темза (ріка) **Th**omas — Томас

Буквосполучення *th* передає один звук, тому, якщо за ним іде голосна, то попередня голосна читається за правилами відкритого складу: *clothes* [kləʊðz] — одяг.

8.1 Послухайте і повторіть:

thin — тонкий
ba**th**room — ванна кімната
bo**th** [bəʊθ] — обидва
that — той

Важливо чітко розрізняти звуки [s] та [θ], а також [z] та [ð].

8.2 Послухайте і повторіть:

fai**th** — fa**c**e	ba**th**e — ba**s**e	bo**th** — bo**ss**	pa**th** — pa**ss**
thick — **s**ick	mou**th** — mou**s**e	**th**in — **s**in	lea**th**er — la**s**er

Завдання

8.3 **1.** Послухайте і підкресліть у кожній парі слово, яке чуєте.

1) thick — sick	6) faith — face	11) think — sink
2) sin — thin	7) clothes — closes	12) they — say
3) mouth — mouse	8) bathe — base	13) worth — worse
4) leather — laser	9) path — pass	14) theme — seem
5) both — boss	10) thank — sank	

8.4 Reading exercise 1. [ð]

than	then	them	this	thus	that
these	those	bathe	with	without	they
feather	leather	weather	heather	another	the
father	farther	further	grandfather	stepfather	together
other	brother	mother	grandmother	stepmother	breathe

8.5 Reading exercise 2. [θ]

both	smooth	tooth	teeth	birth	birthday
thin	thick	thirsty	month	monthly	think
breath	death	stealth	health	wreath	depth
width	deathly	thunder	cloth	tenth	fifth
three	thrill	thriller	throat	throw	path
thatch	faith	thrust	theatre	thinner	catholic
thread	thud	bath	booth	Kathie	broth
mouth	moth	theft	theme	youth	worth

8.6 Reading exercise 3. **th — s**

month	mouth	mouse	thick	sick	soak
thick	moose	smooth	mother	theme	seam
booth	both	boss	breathe	together	thriller
faith	face	path	pass	brother	father
breath	breast	thin	sin	youth	cloth

Буквосполучення **au**

Буквосполучення *au* читається як [ɔ:]. Цей звук був описаний в уроці 6. Часто слова, в яких зустрічається це буквосполучення, бувають іноземного походження, і подібні слова є в українській мові, тільки на місці англійського [ɔ:] в українській мові звучить «ау» або «ав».

8.7

Послухайте і повторіть:

audio — **ау**діо	p**au**se — п**ау**за	**Au**stria — **Ав**стрія
f**au**lt — провина	s**au**na — с**ау**на	**Au**gust — серпень

8.8

Reading exercise 4. **au**

laud	applaud	fraud	taunt	vaunt	gaunt
haul	maul	Maurice	Paul	launch	haunch
paunch	sauce	saucer	saucepan	daub	taut
cause	pause	fault	faulty	vault	jaunt
August	Austria	Australia	sauna	audio	applause
astronaut	assault	audit	augment	aura	pauper
author	auto	automobile	faucet	fauna	trauma
jaundice	Saul	laundry	launder	gauge	taunter

8.9

Reading exercise 5

laud	loud	fraud	freeze	launch	loud
cause	case	fault	foal	foul	feel
taut	tout	toad	teach	tale	teen
pauper	Pope	puppet	Paul	peel	pony
haul	howl	heel	hole	house	hatch
maul	mole	moat	meal	mow	match
dew	daub	dice	deal	assault	sow

Буквосполучення **all**

Буквосполучення *all* наприкінці слів читається як [ɔ:l].

8.10

Послухайте і повторіть:

fall — падати	**all** — весь	**call** — звати; дзвонити
tall — високий	sm**all** — маленький	**ball** — м'яч

У середині слова під наголосом *a* перед *ll* читається за правилами закритого складу, тобто як [æ], а в ненаголошеному складі як [ə]:

Dallas [ˈdæləs] – Даллас (місто в США)

balloon [bəˈlu:n] — повітряна кулька

Буквосполучення **al**

Буквосполучення *al* читається як:

8.11

[ɔ:]	[ɑ:]	[ɔ:l]
▪ перед *k*:	▪ перед *f*:	▪ перед усіма приголосними, крім *k* та *f*:
t**al**k [tɔ:k] — говорити w**al**k [wɔ:k] — ходити пішки ch**al**k [ʧɔ:k] — крейда	c**al**f [kɑ:f] — теля h**al**f [hɑ:f] — половина	**al**so — також b**al**d — лисий **al**ways — завжди

На початку слова перед приголосними буквосполучення *al* часто читається як [æl], тому незнайомі слова слід перевіряти в словнику:

album [ˊælbəm] — альбом
alley [ˊæli] — вузький провулок
Albert [ˊælbət] — Альберт
Alps [ælps] — Альпи

8.12

Reading exercise 6. **all**

all, ball, tall, mall, fall, call
gall, hall, handball, icefall, install, pitfall
rainfall, small, snowball, stall, wall, stonewall

8.13

Reading exercise 7. **al**

also, bald, always
talk, chalk, balk, walk, sleepwalk, duckwalk, sidewalk
calf, half, halfway, behalf

Буквосполучення **ire**

Буквосполучення *ire* читається як [ˊaɪə].

8.14

Послухайте і повторіть:

f**ire** — вогонь, стріляти
t**ire**d — втомлений
h**ire** — наймати
w**ire** — дріт

8.15

Reading exercise 8. **ire**

tire, tired, tiresome, sire, fire, retire
admire, aspire, campfire, desire, dire, empire
entire, entirely, fireball, firebase, fireboat, firebox
firebug, fired, firedog, firefly, firehose, fireman
firepot, fireroom, firewall, firewater, foxfire, gunfire
hire, hired, inspire, mire, retired, retires
wire, rewire, satire, spire, tiredly, wired

ТЕКСТ

8.16 *Read then turn on the recording and check yourself.*

What's this? — This is a balloon. This balloon is green.	Що це? — Це повітряна кулька. Ця кулька зелена.
Who's that? — That's my grandfather. He's bald.	Хто то? — То мій дідусь. Він лисий.
What are these? — These are balls. These balls are small.	Що це? — Це м'ячі. Ці м'ячі маленькі.
What are those? — Those are shelves. Those shelves are big.	Що то? — То полиці. Ті полиці великі.
We often walk to school together.	Ми часто ходимо до школи разом.
They sometimes play football together.	Вони іноді грають разом у футбол.
We aren't hungry. We're just thirsty.	Ми не голодні. Ми просто хочемо пити.
They aren't tired. They're full of energy.	Вони не втомилися. Вони сповнені енергії.

ГРАМАТИЧНІ ПОЯСНЕННЯ ДО ТЕКСТУ

1. *Вказівні займенники* **this, that, these, those.**

Вказівні займенники *this, that, these, those* мають чіткі відповідники в українській мові:

this — цей / ця / це (*this room* — ця кімната; *this window* — це вікно, *this table* — цей стіл)
that — той / та / те (*that pen* — та ручка, *that pencil* — той олівець, *that stew* — те рагу)
these — ці (*these boys* — ці хлопці, *these houses* — ці будинки)
those — ті (*those rooms* — ті кімнати, *those girls* — ті дівчата)

Як видно з прикладів, усі англійські вказівні займенники мають тільки одну форму, що не залежить від іменника, який вживається з ними.

У протиставленнях *this* та *these* позначають предмети або живі істоти, що знаходяться ближче до того, хто говорить, а *that* і *those* — далі:

This dress is yellow and *that* dress is orange. — Ця сукня жовта, а та сукня помаранчева.

Вказівні займенники *this, that, these, those* також уживаються у вказівних реченнях типу «Це столи», «То стільці». На відміну від української мови, вибір вказівного займенника в англійській мові залежить від числа іменника.

Проаналізуйте:

This is a chair. — Це стілець.

That is a table. — То стіл.

These are chairs. — Це стільці.

Those are tables. — То столи.

У відповідях *this, that, these, those* вживаються за тим самим принципом, що і в запитаннях:

What is (=What's) *this*? — *This* is a bird. (Можна також дати відповідь *It's a bird.* Значення не зміниться.)

What are *these*? — *These* are cats. (Можна також дати відповідь *They are cats* (Вони кішки.) Значення не зміниться.)

What's *that*? — *That* is a dog. (= *It's a dog*).

What are *those*? — *Those* are elephants. (= *They are elephants*).

Зверніть увагу, що в мовленні, як правило, вживаються скорочені форми:

What's = What is It's = It is That's = That is They're = They are

2. *Означений артикль* **the**

У попередніх уроках ми познайомилися з неозначеним артиклем *a/an*. В англійській мові існує також означений артикль.

- Ми вживаємо *the*, коли говоримо про конкретний предмет, конкретних людей або тварин:

This is *a* pen. — Це ручка. (Ручок у світі багато, і це одна з них.)

The pen is on *the* table. — Ручка на столі. (Саме ця конкретна ручка на цьому конкретному столі.)

The books are interesting. — Книги цікаві. (Саме ці книги.)

- Ми також вживаємо *the* з іменниками, що означають дещо унікальне:

the moon — місяць

the sun — сонце

the sky — небо

the Earth — Земля

Артикль *the* також уживається в усталених виразах, які поступово потрібно запам'ятовувати. Наприклад, *in the theatre* (у театрі), *to the cinema* (в кінотеатр), *see the doctor* (сходити до лікаря (досл. «побачити лікаря»)).

3. *Прийменник* **of** *для передавання родового відмінка*

Оскільки іменники в англійській мові не змінюються за відмінками, англійці знайшли інший спосіб передавання відмінка — за допомогою прийменників. Так, для іменників, що позначають назви предметів, міст тощо, родовий відмінок передається за допомогою прийменника *of* [əv]:

the roof *of* the house — дах будинку

the capital *of* France — столиця Франції

the end *of* the film — кінець фільму

Завдання

1. Напишіть англійською, використовуючи слова-підказки.

book	room	boy	house	window	box
nurse	table	cow	tree	town	wall

1) ця книга ____________________
2) та кімната ____________________
3) ті хлопці ____________________
4) той будинок ____________________
5) те вікно ____________________
6) ці коробки ____________________
7) ті медсестри ____________________
8) той стіл ____________________
9) ті корови ____________________
10) ці дерева ____________________
11) ті міста ____________________
12) ці стіни ____________________

2. Напишіть запитання *Що це?* або *Що то?* і дайте на них відповіді, використовуючи підказки в дужках.

Example: *What are those?* (то — м'ячі) *Those are balls.*

1) ____________________ (то — будинок) ____________________
2) ____________________ (то — олівці) ____________________
3) ____________________ (це — письмовий стіл) ____________________
4) ____________________ (це — кімнати) ____________________

3. Поставте перед українськими словами правильний артикль, що мав би стояти у відповідних англійських реченнях — означений, неозначений або ніякий. Нагадуємо, що ***a / an*** ставиться там, де його можна замінити словами «один будь-який», ***the*** ставиться в тому випадку, якщо предмет або жива істота нам уже знайомі, і ми знаємо точно, про який предмет або живу істоту йдеться.

1) Я бачу _______ дерево. _______ дерево високе.
2) На _______ столі лежить _______ книга.
3) Де _______ книга? — _______ книга лежить на _______ столі.
4) У двері подзвонила _______ жінка.
5) Вчора я побачив _______ дівчину, одягнуту в _______ прекрасну білу сукню.
6) Подивись! Бачиш _______ дівчину в _______ жовтій сукні?
7) Моя мама _______ лікар.
8) Це _______ лікар, який робив мені операцію. Він _______ добрий лікар.
9) Лілі _______ дуже вродлива дівчина.
10) Відчини _______ вікно, будь ласка.
11) На _______ стіні висять _______ картини.
12) Я подивився у _______ вікно. У дворі грали _______ діти.

4. Перекладіть англійською, використовуючи прийменник *of.* Не забудьте вжити означений артикль!

1) кінець вулиці ____________________

2) столиця Британії ______________________________

3) вікна і дах будинку ______________________________

4) будинки цієї вулиці ______________________________

5) кінець фільму ______________________________

6) магазини цього містечка ______________________________

7) будинки цього міста ______________________________

8) вулиці мого міста ______________________________

РОЗВИТОК МОВЛЕННЯ

1. *Say and write in English.* (*Let's ... together.*)

1) Давайте зробимо це разом. ______________________________

2) Давайте пограємо разом.______________________________

3) Давайте підемо до театру разом. ______________________________

4) Давайте підемо в кіно разом. ______________________________

5) Давайте подивимось цей фільм разом. ______________________________

6) Давайте подивимось телевізор разом. ______________________________

7) Давайте почекаємо разом.______________________________

2. *Say and write in English.* (*be full of ...*)

1) Ці хлопці сповнені енергії. ______________________________

2) Цей будинок повен людей. ______________________________

3) Цей стакан повен води. ______________________________

4) Ця вулиця повна машин. ______________________________

5) Ці коробки повні олівців. ______________________________

3. *Say and write in English.* (*be tired / be bored*)

1) Ми втомилися. ______________________________

2) Я не втомився, а ви втомилися? ______________________________

3) Вони втомилися? ______________________________

4) Їм не нудно. ______________________________

5) Мені не нудно. ______________________________

6) Вам нудно? ______________________________

7) Йому не нудно, а їй нудно. ______________________________

4. *Say and write in English.* (*be hungry / be (just) thirsty*)

1) Ми не голодні, ми просто хочемо пити. ______________________________

2) Він не голодний, він просто хоче пити.______________________________

3) Вона не сумна, вона просто втомилася.______________________________

4) Я не голодний, я просто хочу пити. ______________________________

5) Моїй сестрі не нудно, вона просто втомилася. ______________________________

6) Мій друг не втомився, йому просто нудно.______________________________

7) Нам не нудно, ми просто втомилися.______________________________

УРОК 9

У цьому уроці ви дізнаєтеся

Читання	1. Як читаються буквосполучення *eer, ere, ear, are, air.* 2. Як вимовляються дифтонги [ɪə] та [eə].
Граматика	3. Коли вживається теперішній простий час (*The Present Simple Tense*). 4. Як поставити запитання з питальним словом *Where*? (Де?). Прийменники місця *in, on, under, between, next to* та інші.

ПРАВИЛА ЧИТАННЯ

Буквосполучення **eer** *та* **ere**

Буквосполучення *eer* і *ere* читаються як [ɪə], що схоже на українське «іа».

9.1 Послухайте і повторіть:

m**ere** — простий, звичайний
d**eer** — олень
b**eer** — пиво
h**ere** — тут

Запам'ятайте винятки:
where [weə] — де
there [ðeə] — там

9.2 Reading exercise 1. **eer**, **ere**

jeer	leer	here	deer	mere
beer	cheer	steer	sheer	peer
cheerful	career	where	there	cheers
cheerer	deerskin	engineer	fleer	musketeer
pioneer	racketeer	puppeteer	rocketeer	seer
sneer	Speer	steer	steers	steerer
adhere	austere	sphere	cashmere	

Буквосполучення **ear**

Буквосполучення *ear* наприкінці слова у більшості випадків читається як [ɪə], але в деяких словах може читатися як [eə]. Це сполучення звуків дещо нагадує українське «еа». Ці слова потрібно запам'ятовувати.

9.3 Послухайте і повторіть:

[ɪə]	[eə]
cl**ear** — ясний	p**ear** — груша
f**ear** — страх	b**ear** — ведмідь; терпіти
n**ear** — близько, близький	w**ear** — носити (одяг)
ear — вухо	t**ear** — рвати
t**ear** — сльоза	

Зверніть увагу в прикладах на слово *tear*. Воно читається по-різному у залежності від значення: [teə] — рвати і [tɪə] — сльоза.

Запам'ятайте ці слова. Вони читаються однаково, але пишуться і перекладаються українською по-різному.

[hɪə] *hear* (чути) — *here* (тут)
[dɪə] *deer* (олень) — *dear* (дорогий, любий)
[ðeə] *there* (там) — *their* (їхній)
[weə] *where* (де) — *wear* (носити)
[beə] *bear* (ведмідь) — *bare* (голий)

У середині і на початку слова буквосполучення *ear* читається як [ɜ:].

9.4 Послухайте і повторіть:

p**ear**l — перлина
early — рано, ранній
earth — земля
l**ear**n — учити(ся)

9.5 Reading exercise 2. **ear** [ɪə]

ear	dear	near	clear	fear	rear
smear	Lear	sear	tear	gear	
hear	year	appear	unclear	disappear	

9.6 Reading exercise 3. **ear** [eə]

pear	wear	bear	tear	swear	forbear
wears	footwear	outwear	bugbear	rainwear	neckwear
playwear	menswear	beachwear	underwear	sportswear	swear

9.7 Reading exercise 4. **ear** [ɪə] — [eə]

ear	bear	wear	clear	fear	pear
year	gear	hear	swear	appear	dear

9.8 Reading exercise 5. **ear** у середині слова

earn	earth	learn	pearl	early	earner
search	research	researcher	earnest	earthly	heard

Буквосполучення **are**

Буквосполучення *are* читається як [eə] (схоже на українське «еа»).

9.9 Послухайте і повторіть:

hare — заєць
rare — рідкий
care — піклуватися
st**are** — витріщитися
sp**are** — щадити, берегти
par**ents** — батьки
fare — плата за проїзд
sc**are** — лякати

! **Пам'ятайте**, що слово *are* (множина дієслова *to be*) читається як [ɑː]

9.10 Reading exercise 5. **are**

stare	spare	hare	dare	fare	bare
care	declare	welfare	flare	shareware	snare
share	hardware	software	snare	rare	parents
scare	scarecrow	aware	beware	flare	glare

9.11 Reading exercise 5. **are — ar**

stare — star	share — sharp	snare — shark	scare — scar
dare — dark	bare — bark	glare — glark	parents — park
fare — far	hare — hard	car — care	

Буквосполучення **air**

Буквосполучення *air* читається як [eə].

9.12 Послухайте і повторіть:

air — повітря
ch**air** — стілець
rep**air** — ремонтувати
f**air**y — фея, чарівний

Буквосполучення *air* та *are* читаються однаково, тому існує ряд слів, які вимовляються абсолютно однаково, але означають різні речі. Наприклад:

[feə] *fair* (ярмарок, справедливий) — *fare* (плата за проїзд)
[heə] *hair* (волосся) — *hare* (заєць)
[steə] *stair* (сходинка) — *stare* (витріщитися)

9.13

Reading exercise 6. **air**

air	airy	pair	stair	chair	hair
dairy	despair	stairs	hairy	airbag	airbrush
airboat	affair	airbus	aircraft	airlift	airline
airmail	airspace	fair	fairy	unfair	chairman
repair	haircut	hairdo	hairdresser	hairline	hairbrush

9.14

Reading exercise 7

deer	dear	dare	hear	here	hare	hair
pear	peer	pore	pair	air	are	pearl
stair	stare	steer	mare	mere	more	part
fair	fare	fear	for	dairy	deer	parents
share	sheer	spare	spear	spark	spur	peel
learn	lean	earn	ear	care	cure	perk

ТЕКСТ

9.15

Read then turn on the recording and check yourself.

I usually wake up early.	Я зазвичай прокидаюсь рано.
My brother sometimes goes to bed very late.	Мій брат іноді лягає спати дуже пізно.
They very seldom go to work together.	Вони дуже рідко ходять на роботу разом.
Jack usually meets his friends in a cafe.	Джек зазвичай зустрічається зі своїми друзями в кав'ярні.
Come here today!	Приходь сюди сьогодні!
Where's your chair? — It's over there, between the sofa and the table.	Де твій стілець? — Ось там, між диваном і столом.
Where are my glasses? — They're over there, under the book.	Де мої окуляри? — Ось там, під книгою.
Where are your books? — They're on the shelf.	Де твої книги? — Вони на полиці.
Where's his car? — It's over there, next to the shop.	Де його машина? — Ось там, поруч з магазином.
Where's the supermarket? — It's opposite that grey house.	Де супермаркет? — Навпроти того сірого будинку.
Where's your hotel? — It's over there, behind the Zoo, near the park.	Де твій готель? — Ось там, за зоопарком, поруч з парком.
Where are you? — We're in London.	Де ви (зараз)? — Ми зараз у Лондоні.
Where are your friends? — They are at home.	Де твої / ваші друзі? — Вони вдома.

ГРАМАТИЧНІ ПОЯСНЕННЯ ДО ТЕКСТУ

1. Запитання **Where?** *(Де?)*

Запитання типу «Де знаходиться ручка?» перекладаються англійською мовою практично дослівно:

Where's (=Where is) the pen?

Проте, на відміну від українського запитання, в англійському запитанні перед іменником має обов'язково стояти визначальне слово. В якості визначального слова може вживатися, наприклад, присвійний займенник (Where's *my* dog?), вказівний займенник (Where's *that* man?) або означений артикль (Where's *the* pencil?). Речення *Where's pen?* англійською буде звучати незрозуміло, оскільки вашому співрозмовнику не ясно, про яку ручку йдеться.

Друга відміна від української мови полягає в обов'язковому вживанні дієслова *be*. Якщо в українському реченні ми можемо опустити дієслово «знаходитися» і спитати «Де ручка?», то в англійському реченні це неможливо.

Дієслово *be* змінюється у залежності від числа і особи підмета.

Where **is** the child?	Where **are** the children?	Where **am** *I*?
Де дитина?	Де діти?	Де я?

2. Прийменники місця

Найпоширенішими прийменниками місця є нижченаведені:

in — в / у

on — на

under — під

at — в / у, біля, за. Цей прийменник не має чіткої відповідності в українській мові. Поступово запам'ятовуйте різні випадки вживання цього прийменника для опису місця розташування.

behind — за, позаду

between — між

near — поруч, недалеко

next to — поруч, наступний у ряду, в безпосередній близькості

opposite — навпроти

Наприклад:

in the cafe — у кав'ярні	*at school* — у школі
under the chair — під стільцем	*at work* — на роботі
on the table — на столі	*at the window* — біля вікна
at the table — біля стола / за столом	*in/at the theatre* — у театрі
at home — вдома	*in/at the cinema* — у кінотеатрі

(Якщо ми говоримо, що знаходимося в театрі або кіно, ми скажемо *at the theatre* або *at the cinema*. Якщо ми хочемо сказати, що бачили цей фільм або спектакль у кіно або в театрі, ми скажемо *in the cinema* або *in the theatre.*)

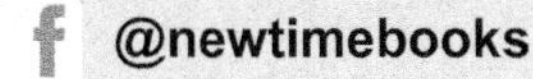

next to the sofa — поруч з диваном (у безпосередній близькості)
near the park — поруч з парком (поблизу від нього)
opposite the shop — навпроти магазину
between the shop and the bank — між магазином і банком
behind the chair — за стільцем (=позаду стільця)

3. Вживання означеного артикля з прийменниками місця

Зверніть увагу, що практично в усіх вищенаведених прикладах вживається означений артикль. Це цілком логічно. Коли ми, відповідаючи на запитання «Де моя книга?» (*Where's my book*), говоримо «на столі», ми маємо на увазі певний стіл — *on the table*, тобто стіл, що відомий і тому, хто ставить запитання, і тому, хто на нього відповідає.

Вирази:
at home (вдома), *at school* (у школі) *at work* (на роботі)
є винятками з цього правила. Їх потрібно запам'ятати.

У тексті вам зустрілося речення *Jack usually meets his friends in a café*, де перед словом *café* (кав'ярня) стоїть неозначений артикль. Це значить, що Джек зустрічається зі своїми друзями в будь-якій кав'ярні, можливо, кожен раз у різних. Якщо б ми сказали *Jack usually meets his friends in the café*, це означало б, що Джек і його друзі вибрали одну конкретну кав'ярню для зустрічі, і нашому співрозмовнику прекрасно відомо, про яку кав'ярню йдеться.

Завдання

1. Вставте правильний артикль або поставте X, якщо артикль не потрібен.

1) This is ______ table.
2) That is ______ nice little girl.
3) Where is ______ chair?
4) ______ chair is near ______ wall.
5) We are at ______ work now.
6) My brother is at ______ home now.
7) I need _____ red pen.
8) He sees __ black cat. __ cat is big.
9) They are at _______ theatre now.
10) ______ hotel is behind _____ shop.
11) I feed _____ my cat every day.
12) Take _____ pencil!
13) Please give me ______ apple.
14) This is _____ little elephant.
15) ______ elephant in _____ Zoo is very small.

2. *Write in English.*

1) поруч (у безпосередній близькості) з магазином ________________________
2) поруч з моїм містом ________________________
3) між кішкою і собакою ________________________
4) між тими будинками________________________
5) на даху її будинку ________________________
6) навпроти його будинку________________________
7) у будинках її міста ________________________

8) за диваном ____________
9) у театрі____________
10) на роботі ____________
11) у школі ____________
12) у кінотеатрі____________
13) навпроти магазину____________
____
14) за зоопарком ____________
15) на стіні ____________
16) біля стіни ____________
17) за столом ____________
18) за її будинком ____________
19) за стіною ____________
20) під столом ____________
21) під стільцем ____________
22) під деревом ____________

РОЗВИТОК МОВЛЕННЯ

1. *Say and write in English.*

1) Де твої книги? — Вони ось там, на полиці. ____________
____
2) Де кіт? — Він ось там, під столом. ____________
3) Де твоя сукня? — Вона в кімнаті. ____________
4) Де її друзі? — Вони вдома.____________
5) Де мій м'яч? — Він ось там, під стільцем. ____________
6) Де стілець? — Він ось там, під тим деревом.____________
7) Де твоя машина? — Вона ось там, між деревом і будинком. ____________
____
8) Де твій будинок? — Він між парком і магазином. ____________
____
9) Де супермаркет? — Він за зоопарком.____________
10) Де магазин? — Він ось там, поруч (наступний у рядку) з магазином. ____________
____
11) Де ці будинки? — Вони поруч з парком. ____________

2. *Say and write in English.*

1) Ми іноді ходимо в кіно разом.____________
2) Йому часто потрібна моя допомога. ____________
3) Джейн дуже рідко потрібна (її) машина. ____________
4) Мої друзі часто лягають спати пізно. ____________
5) Я рідко прокидаюся рано. ____________
6) Він зустрічається зі своїми друзями в цій кав'ярні.____________
____
7) Ті хлопці часто приходять сюди разом. ____________
____
8) Ми зазвичай прокидаємося дуже рано. ____________
9) Вони часто встають пізно. ____________
10) Їй потрібен велосипед. ____________

УРОК 10

У цьому уроці ви дізнаєтеся

Читання	1. Як читаються буквосполучення: *ng, nk, kn, ie, ei, ye, igh.* Як вимовляється звук [ŋ].
Грама-тика	2. Кількісні числівники від 1 до 100. 3. Номери телефонів. 4. Час. 5. Розклад дня.

ПРАВИЛА ЧИТАННЯ

Буквосполучення **ng**

Буквосполучення *ng* наприкінці слова читається як [ŋ]. Такого звука в українській мові немає. Він схожий на український «н», якщо його вимовляти із затиснутим носом. Якщо звичайний звук [n], схожий на український «н», вимовляється за допомогою кінчика язика, то звук [ŋ] вимовляється за допомогою спинки язика. Щоб вимовити його правильно, скажіть звуки [g], [k], потім, не змінюючи положення язика, скажіть «н». Якщо ви все зробите правильно, ви отримаєте чистий англійський звук [ŋ].

Потренуйтесь декілька разів поспіль: [g] [k] [ŋ].

10.1 Послухайте і повторіть:

! Слідкуйте за тим, щоб звук [g] не вимовлявся.

song — пісня
thing — річ
ceiling — стеля
reading — читання
lung — легеня
long — довгий

Дуже важливо, щоб звук [ŋ] не перетворювався на [n], інакше можна отримати зовсім не ті слова, які хочете сказати.

10.2 Послухайте, порівняйте і повторіть:

rang (дзвонив) — ran (бігав)
bang (стукнутися) — ban (забороняти)
thing (річ) — thin (тонкий)
wing (крило) — win (вигравати)
sing (співати) — sin (гріх)
king (король) — kin (рідня)

Усередині слова *ng* читається як [ŋg]. Але якщо до слова, яке закінчується на *ng*, додається будь-який суфікс, то *ng* навіть усередині слова читається як [ŋ].

10.3 Послухайте і повторіть:

finger [ˊfiŋgə] — палець
hungry [ˊhʌŋgri] — голодний
mango [ˊmæŋgəʊ] — манго
angle [ˊæŋgl] — кут

Але:

sing — singing [ˊsɪŋɪŋ] — спів
ring — ringer [ˊrɪŋə] — дзвонар

Якщо після сполучення *ng* іде буква *e* або *i*, то *ng* зазвичай читається як [nʤ], а буква *a,* що стоїть перед цим сполученням, читається як [eɪ].

10.4 Послухайте і повторіть:

danger angel tangible range sponge

10.5 Reading exercise 1. **ng**

a)

bang	rang	sang	fang	clang	stung
song	dong	wrong	long	pong	hang
sing	ding	ping	ring	sting	slang
swing	swung	string	wing	cling	bring
fling	king	paying	reading	barking	shouting
singing	ringing	stinging	writing	sinning	riding
singer	matching	raining	snowing	charming	gaining

b)

angle	single	dangle	entangle	strangle	angry
hungry	finger	linger	mango	rectangle	
triangle	triangular	wrangle	wrangler	strangler	jungle

10.6 Reading exercise 2. **ng** [nʤ]

range	danger	angel	tangible	plunge	sponge
change	changing	changes	endanger	stranger	strange
lounge	interchange	intangible	ranger	fringe	

10.7 Reading exercise 3. **ng** [ŋ] — [ŋg] — [nʤ]

king	singer	angle	danger	reading	angry
hungry	bang	triangle	fling	change	strange
angel	wing	sting	jungle	fringe	mango
string	finger	raining	sponge	writing	bingo

10.8 Reading exercise 4. [ŋ] — [n]

bang — ban	sing — sin	singer — sinner
clang — clan	king — kin	swung — swan

Буквосполучення **nk**

Буквосполучення *nk* читається як [ŋk].

10.9 Послухайте і повторіть:

thank — дякувати	bank — банк	ink — чорнила
sink — раковина; тонути	pink — рожевий	think — думати

10.10 Reading exercise 5. **nk**

bank	rank	stank	prank	plank	frank
link	stink	wink	ink	clink	blink
pink	sink	flank	tank	lank	crank
sunk	chunk	junk	drunk	blank	drink
winking	sinking	drinking	linking	blinking	stinking

Буквосполучення **kn**

Буквосполучення *kn* на початку слова читається як [n], тобто буква *k* не вимовляється.

10.11 Послухайте і повторіть:

knee — коліно	kneel — ставати на коліна
knowledge — знання	knit — плести, в'язати
knife — ніж	knock — стукати

10.12 Reading exercise 6. **kn**

knee	knew	know	kneel	knit	knitting
knowing	known	knife	knelt	knock	knight
knack	knacker	kneehole	kneeler	kneeling	knuckle
kneels	knell	knob	knives	knockdown	knowledge

Буквосполучення **ie, ei, ye**

Буквосполучення *ie* та *ei* всередині слова читаються як [i:].

10.13 Послухайте і повторіть:

field	receipt	niece	receive
sieve	deceive	piece	ceiling

Запам'ятайте винятки!

friend [frend] — друг   diet [ˈdaɪət] — дієта

Буквосполучення *ie* часто зустрічається наприкінці слова. В цьому положенні воно читається як буква *i* у відкритому складі, тобто як [aɪ]. Аналогічним чином читається і буквосполучення *ye* наприкінці слова. На початку слова *ye* читається як [je].

10.14 Послухайте і повторіть:

tie	die	lie	pie	dye	rye
yes	yell	Yemen	yep		

10.15 Reading exercise 7. **ie / ei**

niece	piece	achieve	chief	brief	shield
brownie	priest	fiend	briefing	receive	sieve
deceive	conceive	conceit	deceit	deceitful	perceive
receives	receiving	ceiling	field	receipt	friend
lie	die	rye	pie	dye	tie

Буквосполучення **igh**

Буквосполучення *igh* читається як [aɪ].

10.16 Послухайте і повторіть:

sigh	night	high	right
sight	fight	light	might

10.17 Reading exercise 8. **igh**

sigh	thigh	high	nigh	night	fight
sight	light	might	right	flight	tight
bright	night	knight	fighting	slight	lighting
brighter	daylight	delight	delightful	fighter	firefighter
fright	frightful	gunfight	headlight	highland	highlight
insight	lightbulb	lighten	enlighten	lighter	lightning
lightwood	limelight	lowlight	mighty	moonlight	moonlighter
nightcap	nightclub	nightdress	nightly	nightshirt	moonlighting
nighttime	nightwalker	outright	overnight	oversight	skylight
penlight	playwright	sidelight	sights	sightseeing	sightseer
slighter	spotlight	tight	tighten	tights	tightly

Read then turn on the recording and check yourself.

ТЕКСТ

— Let's meet tomorrow morning, say, at 9.30.	— Давай зустрінемося завтра, скажімо, вранці, о 9.30.
— Oh, no. I'm busy in the morning. Let's meet in the evening. Say, at 7.45.	— О, ні. Я зайнята вранці. Давай зустрінемося ввечері. Скажімо, о 7.45.
— 7.45 is fine with me.	— 7.45 мені підходить.
— What's your phone number? — It's 051 3 96 12 84	— Який твій номер телефону? — 051 3 96 12 84
I usually wake up early, about 6 a.m. I get up at once. I brush my teeth, wash my face and then I cook breakfast. I usually have breakfast about 7.15. Then, at about 8 a.m. I go to work. I usually go there by bus but sometimes I take the underground.	Я зазвичай прокидаюсь рано, біля 6-ї ранку. Я відразу ж встаю. Чищу зуби, умиваюсь (дослівно «Умиваю своє обличчя»), а потім готую сніданок. Я зазвичай снідаю біля 7.15. Потім, біля 8-ї ранку я йду на роботу. Зазвичай я їжджу туди автобусом, але іноді я сідаю в метро.
I start work at 8.45 a.m. At midday I have lunch. At 5.30 I finish work.	Я починаю роботу о 8.45 ранку. Опівдні я обідаю. О 5.30 я закінчую роботу.
I often walk home after work.	Я часто ходжу додому пішки після роботи.
I come back home by 6.40 p.m. I eat my dinner and then watch TV.	Я повертаюсь додому до 6.40 вечора. Я вечеряю, а потім дивлюсь телевізор.
I always go to bed early, at about 10.15.	Я завжди лягаю спати рано, біля 10.15.

ГРАМАТИЧНІ ПОЯСНЕННЯ ДО ТЕКСТУ

1. Кількісні числівники

0 oh, zero
1 one
2 two
3 three
4 four
5 five
6 six
7 seven
8 eight
9 nine
10 ten
11 eleven
12 twelve
13 thirteen
14 fourteen
15 fifteen
16 sixteen
17 seventeen
18 eighteen
19 nineteen
20 twenty
21 twenty-one
22 twenty-two
23 twenty-three
24 twenty-four
30 thirty
40 forty
50 fifty
60 sixty
70 seventy
80 eighty
90 ninety
100 a/one hundred

2. Телефонні номери

Телефонні номери в англійській мові завжди вимовляються окремими цифрами.

Цифра *0* вимовляється як буква *o* (на письмі *oh*) в Британії та як *zero* в США.

Телефонний номер	Як вимовляється
26 55 03	two-six-double five-oh-three або two-six-five-five-zero-three

3. Час

Способи передачі часу	Формальний	Більш уживаний
07:00	It's seven (o'clock).	It's seven (o'clock).
07:10	It's seven ten.	It's ten (minutes) past seven.
07:15	It's seven fifteen.	It's (a) quarter past seven.
07:30	It's seven thirty.	It's half past seven.
07:40	It's seven forty.	It's twenty (minutes) to eight.
23:45t	It'stwenty-three forty-five	It's (a) quarter to midnight.
12:00	It's midday.	It's midday.
00:00	It's midnight.	It's midnight.
00.10	It's ten past midnight.	It's ten past midnight.
12.15	It's twelve fifteen.	It's quarter past twelve. / It's quarter past midday.

Запам'ятайте!

at 10 a.m. / at 10 in the morning — о десятій ранку
at 2 a.m. / at 2 in the morning — о другій ночі
at noon / at midday — опівдні
at midnight — опівночі
at 8 p.m. / at 8 in the evening. — о восьмій вечора
by 4 (o'clock) — до четвертої години
(at) about 3.30 — біля пів на четверту

4. Невживання артикля в усталених виразах

В англійській мові існує велика кількість усталених виразів, у яких не вживається артикль. До найбільш поширених виразів відносяться:

by bus — автобусом / на автобусі
by car — машиною / на машині
by train — поїздом / на поїзді
by sea — морем / на кораблі
by plane / by air — літаком
by Underground / by subway (амер.) — на метро

Без артикля також вживаються слова *home* у значенні «додому» та *work* у різноманітних усталених виразах:

go home — іти додому
before work — перед роботою
go to work — іти на роботу
finish work — закінчувати роботу
come back home — повертатися додому
come home — приходити додому
return home — повертатися додому
start work — починати роботу
after work — після роботи

Завдання

1. Напишіть час словами.
Example: 10.15 – *It's quarter past ten.*

1) 2.30 ______
2) 3.45 ______
3) 12.00 ______
4) 00.00 ______
5) 1.10 ______
6) 2.25 ______
7) 8.10 ______
8) 10.05 ______
9) 12.55 ______
10) 00.05 ______
11) 00.55 ______
12) 8.40 ______
13) 3.50 ______
14) 2.15 ______
15) 1.15 ______
16) 1.45 ______
17) 2.35 ______

10.19 **2.** Скажіть ці телефонні номери. Увімкніть запис і перевірте себе.

1) 66 78 25 11
2) 73 12 44 56
3) 90 86 77 23
4) 02 08 73 15
5) 10 88 36 97
6) 24 35 46 57

3. Пронумеруйте ці дії в тому порядку, в якому вони зустрілися в тексті.

☐ watch TV
☐ wake up
☐ start work
☐ have lunch
☐ come back home
☐ cook breakfast
☐ brush my teeth
☐ finish work
☐ have breakfast
☐ walk home
☐ get up
☐ go to work
☐ go to bed
☐ have dinner

1. *Say and write in English.* Не забудьте, що якщо підмет стоїть у 3-й особі однини (*he, she, it*), до дієслова додається *–s*: *He speaks; She travels; It runs.*

1) Я їжджу туди автобусом. ____
2) Він їздить туди автобусом. ____
3) Я повертаюся додому на метро. ____
4) Він повертається додому на метро. ____
5) Він часто подорожує (*travel*) морем. ____
6) Але іноді я подорожую поїздом. ____
7) Він часто подорожує літаком. ____
8) Він рідко подорожує на машині. ____
9) Я іноді подорожую на машині. ____
10) Я зазвичай подорожую літаком. ____
11) Я дуже рідко подорожую морем. ____
12) Мої друзі рідко подорожують літаком. ____
13) Мій друг часто подорожує поїздом. ____
14) Мої батьки іноді подорожують на машині. ____

2. *Say and write in English.*

1) Я зазвичай встаю рано. ____
2) Я рідко прокидаюсь пізно. ____
3) Він часто прокидається дуже пізно. ____
4) Зазвичай Джек лягає спати дуже рано. ____
5) Іноді він лягає спати опівночі. ____
6) Моя дівчина повертається додому пізно. ____
7) Вона приходить додому після роботи пізно. ____
8) Він приходить додому після роботи до 6.30. ____
9) Мої батьки йдуть на роботу біля 9.15. ____
10) Я зазвичай приходжу додому до 8.40. ____
11) Мій син іде до школи біля 8-ї ранку. ____
12) Ці діти зазвичай ідуть до школи дуже рано. ____

3. *Say and write in English.*

It's fine with me. — Мені це підходить.

him — йому   her — їй   us — нам   you — вам   them — їм

1) Йому це підходить. ____
2) Їй це підходить. ____
3) Нам це підходить. ____

4) Вам це підходить? ________________

5) Йому це підходить? ________________

6) Їм це підходить? ________________

7) Їй це підходить? ________________

8) Ранок мені підходить. ________________

9) 2.15 нам підходить. ________________

10) Вечір йому підходить. ________________

11) Південь нам підходить. ________________

12) 6.30 вам підходить? ________________

13) Дев'ята ранку вам підходить? ________________

14) Десята вечора їм підходить? ________________

4. Розкажіть про свій розклад дня, використовуючи дієслова:

get up — вставати

have breakfast — снідати

go to work — іти на роботу

start work — починати роботу

finish work — закінчувати роботу

come back home — повертатися (досл. «приходити назад») додому

watch TV — дивитися телевізор

go to bed — лягати спати (досл. «іти до ліжка»)

а також обставини частоти дії *always, usually, often, sometimes*

For example (наприклад): *I usually get up at 6.45 a.m. Then I ...*

УРОК 11

У цьому уроці ви дізнаєтеся

Читання	1. Як читаються буквосполучення *our, ower, ild, old, mb, age.* 2. Як вимовляється трифтонг [aʊə]. 3. Які особливості англійської інтонації в питальному реченні.
Граматика	4. Як поставити запитання про вік (*How old are you?*). 5. Запитання типу *What's your name / profession?* і відповіді на них. 6. Запитання типу *Where are you from?* і відповіді на них.

ПРАВИЛА ЧИТАННЯ

Буквосполучення **our**

Буквосполучення *our* під наголосом зазвичай читається як [ˊaʊə].

11.1 Послухайте і повторіть:

our — наш

sour — кислий

fl**our** — мука

h**our** — час (Зверніть увагу, що буква *h* у цьому слові не читається.)

Якщо на *our* не падає наголос, то воно читається як [ə].

11.2 Послухайте і повторіть:

armour harbour honour behaviour glamour

Зверніть увагу, що в американському варіанті англійської мови ненаголошене закінчення *our* часто перетворюється на *or*:

armor harbor honor behavior

але: glamour

(Зверніть увагу, що буква *h* у слові *honour* також не читається.)

Проте, існує велика кількість слів, у яких буквосполучення *our* може читатися по-іншому. Наприклад, в словах:

pour [pɔ:] — наливати

four [fɔ:] — чотири

your [jɔ:] — ваш

tour [ˊtʊə] — тур

11.3 Reading exercise 1. **our** під наголосом

our	sour	hour	flour	devour
pour	tour	your	four	

11.4 Reading exercise 2. **our** без наголосу

glamour	colour	harbour	armour	humour
behavior	flavour	honour	labour	parlour
savour	rumour	tumour	vapour	favour

Буквосполучення **ower**

Буквосполучення *ower* також читається як [ˈaʊə].

11.5 Послухайте і повторіть:

power — влада
tower — вежа
flower — квітка
shower — душ

11.6 Reading exercise 3. **ower**

tower	power	airpower	flower	cauliflower
shower	dower	tower	overpower	sunflower
wallflower	watchtower	waterflower	warpower	twinflower

Буквосполучення **ild**

Буквосполучення *ild* читається як [aɪld].

11.7 Послухайте і повторіть:

child — дитина
mild — м'який
wild — дикий

Запам'ятайте винятки!

build [bɪld] — будувати
children [ˈʧɪldr(ə)n] — діти

11.8 Reading exercise 4. **ild**

mild	wild	child	milder	wilder
childbed	childproof	childly	childish	wildlife
mildly	wildly	schoolchild	children	schoolchildren
build	builder	building	shipbuilding	shipbuilder

Буквосполучення **old**

Буквосполучення *old* читається як [əʊld].

11.9 Послухайте і повторіть:

fold — згинати, згортати
old — старий
gold — золото
told — сказав
bold — сміливий
hold — тримати

11.10

Reading exercise 5. **old**

old	gold	bold	sold	told	fold
hold	holder	cold	colder	blindfold	folder
coldness	boldly	coldish	coldly	freehold	folds
goldbrick	golden	goldfish	goldsmith	goldstone	handhold
holdback	holdup	household	scold	older	twofold

11.11

Reading exercise 6

mild	mind	mold	might	mouth	moat
bind	bold	bald	build	boat	blind
sold	salt	sight	sour	saw	sow
gold	goal	grind	goat	green	great
fold	fall	find	fight	flow	flower
cold	colour	coal	cling	crow	kind
power	plight	paw	pole	park	parlour
shower	shield	show	shawl	sheet	sheer
tower	tow	toad	tall	taunt	tumour
old	all	own	owe	owl	officeholder

Буквосполучення **mb**

Буквосполучення *mb* наприкінці слова читається як [m], а усередині слова — за загальними правилами, як [mb].

11.12

Послухайте і повторіть:

comb [kəʊm] bomb [bəʊm] thumb climb [klaɪm] lamb dumb
member amber combine umbrella

Буквосполучення **age**

Буквосполучення *age* в ненаголошеному складі читається як [ɪʤ].

11.13

Послухайте і повторіть:

marriage language storage message

ТЕКСТ

Read then turn on the recording and check yourself.

— Hello, how are you?	— Вітаю, як справи / як ся маєш / -єте?
— I'm fine. And you?	— Чудово. А у вас / А ти як?
— I'm fine, too.	— У мене теж (все) чудово.

— What's your name?	— Як вас звати?
— I'm Jack. What's your name?	— Я — Джек. А вас як звати?
— I'm Jane. What's your job?	— Я — Джейн. Ким ви працюєте?
— I'm an engineer. And what are you?	— Я — інженер. А ви хто?
— I'm a hairdresser. What's your nationality?	— Я — перукар. Хто ви за національністю?
— I'm British. And you?	— Я британець. А ви?
— I'm Swiss. I'm from Switzerland.	— Я швейцарка. Я зі Швейцарії.
— How old are you?	— Скільки вам років?
— I'm 23 (years old). And you?	— Мені 23 (роки). А вам?
— I'm 31.	— Мені 31.
— Lisa, where are you from?	— Ліза, звідки ти родом?
— I'm from the USA.	— Я зі США.
— And where's your friend from?	— А звідки (родом) твоя подруга?
— She's from Australia.	— Вона з Австралії.

ГРАМАТИЧНІ ПОЯСНЕННЯ ДО ТЕКСТУ

1. Запитання про ім'я

Зверніть увагу, що запитання про ім'я, національність і роботу будують не так, як в українській мові.

Українською ми запитуємо «Як тебе звати?». Англійською дослівно запитання звучить як «Що є твоє ім'я?» — *What's your name?*

Щоб дізнатися, як його / її звати, нам потрібно поміняти присвійний займенник *your*:

What's his name? — Як його звати? (досл. «Що є його ім'я?»)
What's her name? — Як її звати? (досл. «Що є її ім'я?»)

Повна відповідь на запитання буде звучати як:

My name's … — Мене звати … (досл. «Моє ім'я є …»)
Her name's … — Її звати … (досл. «Її ім'я є …»)
His name's … — Його звати … (досл. «Його ім'я є …»)

Але, як правило, у відповідь на запитання «Як тебе звати?» ми не даємо повну відповідь. Ми просто називаємо ім'я. Так само і в англійській мові говорять просто:

I'm Jane. — Я Джейн. *He's Jack.* — Він Джек. *She's Ann.* — Вона Енн.

2. Запитання про роботу

Якщо ми хочемо поцікавитися, ким працює наш співрозмовник, українською ми запитуємо «Ким ти працюєш?» або «Хто ти за професією?». Англійською це запитання дослівно звучить як «Що ти є?» — *What are you?*, «Що є твоя професія?» — *What's your profession?* або «Що є твоя робота?» — *What's your job?*

Якщо ми хочемо поставити це запитання про інших людей, ми робимо відповідні зміни в реченнях:

What is he? / What's his job? — Ким він працює?

What is she? / What's her profession? — Хто вона за професією?

What are they? / What's their job? — Ким вони працюють?

!

Зверніть увагу, що дослівний переклад запитання «Хто ти?» — *Who are you?* — звучить англійською досить грубо і скоріше відповідає українській фразі «Хто ти такий?»

Проте, ми можемо поставити таке запитання у відношенні до третіх осіб:

Who is he? — He's my brother. (Хто він? — Він мій брат.)

Who are they? — They are our new teachers. (Хто вони? — Вони наші нові вчителі.)

Відповідаємо ми на запитання про професію просто «Я є ...» — *I'm* ... Не забувайте, що перед професією ми ставимо неозначений артикль:

I'm an engineer. — Я інженер.

I'm a pilot. — Я льотчик.

She's a flight attendant. — Вона стюардеса.

He's a builder. — Він будівельник.

They're teachers. — Вони вчителі.

We're accountants. — Ми бухгалтери.

3. Запитання про національність

Англійське запитання *What's your nationality?* відноситься не до національності в нашому розумінні, а до громадянства. Тобто, якщо ви коли-небудь переїдете жити, скажімо, до Італії і отримаєте італійське громадянство, на це запитання ви будете відповідати *I'm Italian*, незважаючи на те, що в нашому розумінні слова «національність» ви українець, поляк або ще хтось. Інакше кажучі, на запитання *What's your nationality?* відповідаємо згідно з тим, паспорт якої країни ви маєте.

Відповідь на це запитання звучить так:

I'm Ukrainian. (Я українець.)

What's his nationality? — He's Polish. (Хто він за національністю? — Він поляк.)

What's their nationality? — They're German. (Хто вони за національністю? — Вони німці.)

4. Запитання про рідну країну

Запитання *Where are you from?* за значенням схоже на запитання про національність. Воно перекладається як «Звідки, з якої країни ви родом?»:

Where are you from? — I'm from Germany. I'm German.

Звідки ви родом? — Я з Німеччини. Я німка.

5. Присвійні займенники

У попередніх уроках ми познайомилися з усіма присвійними займенниками. Ось їх зведена таблиця.

Особовий займенник	Присвійний займенник	Переклад
I	my	мій / моя / моє / мої
he	his	його (про людей)
she	her	її (про людей)
it	its	його / її (про предмети і про тварин)
we	our	наш / наша / наше / наші
you	your	ваш / ваша / ваше / ваші твій / твоя / твоє / твої
they	their	їхній / їхня / їхнє / їхні (про людей, тварин і про предмети)

Examples:

My dress is new. — Моя сукня нова.
This is Jack. His sister is over there. — Це Джек. Його сестра ось там.
This is Mary. Her chair is here. — Це Мері. Її стілець тут.
Our lessons start at 5 p.m. — Наші заняття починаються о 5-й вечора.
This is a cat. Its tail is long. — Це кіт. Його хвіст довгий.
Our house is far from here. — Наш будинок далеко звідси.
Will you take your coat, please. — Візьміть ваше пальто, будь ласка.
I need their help. — Мені потрібна їхня допомога.

Завдання

1. Напишіть відповідні присвійні займенники.

1) we ______________
2) they ___________
3) you _____________
4) he ______________
5) it _______________
6) I ________________
7) she _____________
8) Jack ____________
9) my friends ______________
10) Sam and I ______________
11) Clara __________________
12) my pets ________________

2. Доповніть речення відповідними присвійними займенниками.

1) Hello, _______ name's Peter.
2) This is my friend. _________ name's Nick.
3) Look! It's Alice over there! ______ dress is very nice.
4) Look at the dog! _____ tail is very long.
5) We usually travel by car. ________ car is very cozy.
6) This is my sister. ________ name's Judy.
7) Mr and Mrs Jackson are at the theatre, but _______ children are at the cinema.

3. З'єднайте англійські назви професій з їхніми українськими відповідниками.

1) pilot	a) перукар
2) engineer	b) учитель
3) hairdresser	c) менеджер
4) manager	d) водій
5) accountant	e) медсестра
6) flight attendant	f) льотчик
7) doctor	g) бухгалтер
8) dentist	h) інженер
9) nurse	i) будівельник
10) teacher	j) стюардеса
11) driver	k) лікар
12) builder	l) продавець-консультант
13) sales assistant	m) стоматолог

РОЗВИТОК МОВЛЕННЯ

1. *Say and write in English.*

1) Як ти поживаєш? ______
2) Як поживають твої батьки? ______
3) Як поживають його друзі? ______
4) Як поживає твій брат? ______
5) Як справи у Майка? ______

2. *Say and write in English.*

1) У мене все чудово. ______
2) У них все чудово. ______
3) У Пітера все чудово. ______
4) У моїх батьків все чудово. ______
5) У нас все чудово. ______

3. *Say and write in English.*

1) Як тебе звати? ______
2) Як його звати? ______
3) Як її звати? ______
4) Хто ви (за професією)? ______
5) Хто він (за професією)? ______
6) Хто вона (за професією)? ______
7) Хто твій брат (за професією)? ______
8) Ким вони працюють («Що є їхня робота»)? ______
9) Ким вона працює? ______
10) Ким ви працюєте ? ______

4. *Say and write in English.*

1) Твій брат лікар? ______
2) Я не медсестра. ______
3) Він бухгалтер? ______
4) Вона не стюардеса. ______
5) Ми не будівельники. ______
6) Вони не водії. ______
7) Я стоматолог. ______
8) Моя сестра вчитель. ______
9) Твій тато вчитель? ______
10) Мій друг будівельник. ______
11) Мої друзі інженери. ______
12) Він не інженер. ______
13) Вони менеджери. ______
14) Мої батьки бухгалтери. ______
15) Його сестра не перукар. ______
16) Ви медсестри? ______
17) Я не перукар. ______
18) Ми не медсестри. ______

5. *Say and write in English.*

1) Звідки Ви родом? — Я з Німеччини. ______
2) Звідки він родом? — Він з Китаю. ______
3) Звідки вона родом? — Вона з України. ______
4) Звідки родом твій батько? — Він з Японії. ______
5) Звідки родом твоя подруга? — Вона з Польщі. ______
6) Звідки родом ваші сусіди? — Вони з Франції. ______
7) Звідки родом ваші друзі? — Вони з Іспанії. ______
8) Звідки родом ваша жінка? — Вона з Італії. ______
9) Звідки вони родом? — Вони з Туреччини. ______
10) Звідки родом її батьки? — Вони з Британії. ______

УРОК 12

У цьому уроці ви дізнаєтеся

Читання	1. Як читаються букви *x, q*; буквосполучення: *sion, ssion, tion, sure, ssure, ture, ought, aught.* Як вимовляються звуки: приголосний [ʒ]. 2. Що таке слова з подвійним наголосом.
Грама-тика	3. Як сказати «Не роби чогось». 4. Як сказати «йому», «їй», «їм», «нам» (об'єктний відмінок займенників). 5. Як утворюється присвійний відмінок іменників. 6. Як поставити запитання *Чий?*

ПРАВИЛА ЧИТАННЯ

Буква **x**

Буква *x* усередині слова перед наголошеним складом читається як [gz]:

e**x**am [ɪgˊzæm] — іспит

e**x**ist [ɪgˊzɪst] — існувати

e**x**otic [ɪgˊzɒtɪk] — екзотичний

У решті випадків (тобто наприкінці слова, перед приголосною і перед ненаголошеною голосною) буква *x* читається як [ks]:

te**x**t [tekst] — текст

ta**x**i [ˊtæksɪ] — таксі

o**x** [ɒks] — віл

fa**x** [fæks] — факс

Іноді буква *x* зустрічається в парі з буквою *h* (*xh*). Як правило, в цьому сполученні буква *h* не читається:

e**xh**ibit [ɪgˊzɪbɪt] — виставляти.

12.1 Reading exercise 1. **x**

a) exist exits existing exhibit exhibition exam
examination exult exultation exotic exile exact
exert exempt example execute executor

b) extort exercise expo exposition expat expel
excel excess extra excite expert extend
extent exciting expand excuse expire expiry
expires expiring expose exposal exposure expense
express explain export exporter exploit expulse
exploitation explore expertly exchange except exception
excellent extensive expansion extension exclude exclusion

c) ox	fox	box	icebox	kickbox	jukebox
wax	lynx	flux	conflux	chickenpox	mailbox
climax	firebox	tax	overtax	triplex	fax
telefax	toolbox	index	suffix	prefix	influx
fix	sphinx	syntax	matrix	pretext	earwax
text	fixing	mixing	mixture	fixation	relax

Буква **q**

Буква *q* зустрічається тільки в буквосполученні *qu*, за яким іде якась голосна. Це буквосполучення читається як [kw]. Наступні за *qu* голосні зазвичай читаються за загальними правилами, з яких, звичайно, бувають винятки.

12.2

Послухайте і повторіть:

Слідкуйте за тим, щоб [kw] не перетворювалося на звичайне українське «кв».

quick — швидкий
queen — королева
quarrel — сваритися, сварка
s**qu**irrel — білка
s**qu**eeze — стискати
s**qu**eal — верещати

12.3

Reading exercise 2. **qu**

quick	quickly	quicken	quicker	quail	quaint
quiver	quivery	equip	equipment	quest	inquest
inquiry	quote	quoter	quarter	quarry	quarrel
queen	squeeze	squirrel	squeal	squash	quack
quake	earthquake	quiet	queer	quality	qualify
quirk	quite	quit	question	quaint	equation
equator	liquid	liquidity	liquidly	frequent	quantity

Суфікси **sion, ssion, tion**

Слова, ща закінчуються в англійській мові на *sion, ssion, tion,* часто мають споріднені слова в українській. Тому про їх значення легко здогадатися. Часто ці суфікси відповідають певним суфіксам в українській мові. Слова з такими суфіксами прийшли в більшість європейських мов з латині, тому схожі слова можна зустріти в італійській, французькій, іспанській та інших мовах.

Зверніть увагу, що в словах, що закінчуються на *sion, ssion, tion,* основний наголос завжди падає на склад, що передує цим суфіксам.

- *Суфікс* **sion**

Суфікс *sion* читається як [ʃn] (дуже схоже на українське «шн») або як [ʒn] (дуже схоже на українське «жн»). Цей суфікс часто відповідає українському «сія» або «зія».

12.4 Послухайте і повторіть:

excur**sion** — екскурсія
ver**sion** — версія
revi**sion** — ревізія, перегляд
illu**sion** — ілюзія, обман почуттів

- *Суфікс* **ssion**

ssion наприкінці слова читається як [ʃn] і часто відповідає українському «сія».

12.5 Послухайте і повторіть:

se**ssion** — сесія
pa**ssion** — пасія, пристрасть
mi**ssion** — місія
profe**ssion** — професія

- *Суфікс* **tion**

Суфікс *tion* читається як [ʃn] і часто відповідає українському «ція».

12.6 Послухайте і повторіть:

na**tion** — нація
sec**tion** — секція
por**tion** — порція
sta**tion** — станція

Хоча кінцеві *sion, ssion, tion* часто відповідають українським «сія», «зія» або «ція», нерідко зустрічаються й інші варіанти перекладу таких слів українською мовою.

12.7 Послухайте і повторіть:

fic**tion** — вигадка
vi**sion** — зір
transla**tion** — переклад
dicta**tion** — диктант
permi**ssion** — дозвіл
ac**tion** — дія

Завдання

1. У цих українських слів є «брати» в англійській мові. Спробуйте здогадатися, як вони пишуться англійською. Запишіть і прочитайте англійські слова.

1) конституція ____________________
2) дикція ____________________
3) версія ____________________
4) емоція ____________________
5) революція ____________________
6) порція ____________________

12.8 Reading exercise 3. **sion**

excursion	revision	version	illusion	vision	precision
collision	compulsion	decision	delusion	diffusion	dimension
dispersion	division	emersion	evasion	explosion	expansion
fusion	supervision	incision	inclusion	lesion	mansion
occasion	obtrusion	pension	tension	prevision	repulsion

12.9 Reading exercise 4. **ssion**

aggression	session	mission	commission	passion	profession
compression	concession	concussion	confession	depression	demission
dismission	possession	dispossession	dismission	discussion	digression
expression	impassion	cession	session	progression	impression
obsession	oppression	omission	permission	procession	admission
remission	succession	submission	transmission		

12.10 Reading exercise 5. **tion**

nation	portion	section	fiction	station	dictation
translation	action	abbreviation	abduction	negation	adaption
abolition	abortion	absolution	abruption	reaction	affection
exception	abstraction	acclimatization	absorption	attention	allegation
accommodation	adoption	admiration	addition	addiction	ambition
arbitration	assumption	audition	aviation	calculation	caption
capitation	cessation	concession	circulation	civilization	coalition
collocation	collection	competition	compilation	conception	population
computation	consumption	congregation	conversation	decoration	deletion

Суфікси **sure, ssure, ture**

- *Суфікс* **sure**

Суфікс *sure*, на який не падає наголос, читається як [ʒə]. Сполучення звуків [ʒə] дуже схоже на українське «же», що стоїть в ненаголошеному складі.

12.11 Послухайте і повторіть:

plea**sure** — задоволення
lei**sure** — дозвілля
trea**sure** — скарб
mea**sure** — міра

- *Суфікс* **ssure**

Суфікс *ssure*, на який не падає наголос, читається як [ʃə]. Сполучення звуків [ʃə] дуже схоже на українське «ше», що стоїть в ненаголошеному складі.

12.12 Послухайте і повторіть:

pre**ssure** [ˊpreʃə] — тиск

Суфікс **ture**

Суфікс *ture*, на який не падає наголос, читається як [ʧə]. Сполучення звуків [ʧə] дуже схоже на українське «че». Слова з цим закінченням іноді мають схожий український переклад, і такі українські слова закінчуються на «тура». Ці слова прийшли в нашу мову з латині.

12.13 Послухайте і повторіть:

litera**ture** — література
na**ture** — природа, натура
cul**ture** — культура
struc**ture** — структура
tor**ture** — тортури
crea**ture** — створення, творіння
pic**ture** — картина
fea**ture** — характерна риса

Завдання

12.14 **1.** Послухайте і запишіть слова, що ви чуєте. Усно перекладіть їх українською мовою.

1) ____________________
2) ____________________
3) ____________________
4) ____________________
5) ____________________
6) ____________________
7) ____________________
8) ____________________
9) ____________________
10) ____________________
11) ____________________
12) ____________________

12.15 Reading exercise 6. **ture**

mixture	literature	torture	nature	culture	feature
structure	picture	creature	mixture	capture	adventure
furniture	gesture	posture	imposture	juncture	lecture
structure	fracture	rapture	recapture	texture	signature
manufacture	vulture	venture	temperature	sculpture	puncture

12.16 Reading exercise 7. **sure, ssure**

pleasure	treasure	measure	leisure	closure	inclosure
exposure	remeasure	pressure			

Буквосполучення **ought, aught**

Буквосполучення *ought, aught* читаються як [ɔ:t].

12.17

Послухайте і повторіть:

daughter — дочка	bought — купив	caught — зловив
ought — повинен	thought — думка, думав	

12.18

Reading exercise 8. **ought, aught**

bought	sought	wrought	thought	brought	fought
thoughtful	gunfought	ought	rethought	unsought	unbought
thoughtfulness	unthought	taught	fraught	caught	haughty
haughtily	naughty	naughtier	mistaught	slaughter	slaughterer
uncaught	untaught	daughter	stepdaughter	granddaughter	

12.19

Reading exercise 9

excursion	session	translation	nation	decision	passion
commission	competition	mission	aggression	expression	revision
accommodation	collocation	omission	collection	station	donation
literature	treasure	pleasure	pressure	structure	nature
bought	taught	thought	brought	daughter	naughty
queen	quest	exercise	fox	lynx	explain
query	quite	future	excite	exhaust	promotion

Подвійний наголос

Подвійний наголос дуже часто використовується в довгих словах, особливо тих, які закінчуються на *–tion*. У таких словах основний наголос падає на голосну, що стоїть перед *tion*, а другорядний, більш слабкий, — на перший склад.

12.20

Послухайте і повторіть:

constitution [ˌkɔn(t)stɪˈtjuʃ(ə)n] — конституція
revolution [ˌrev(ə)ˈlu:ʃ(ə)n] — революція
situation [ˌsɪtjuˈeɪʃ(ə)n] — ситуація
Japanese [ˌʤæp(ə)ˈni:z] — японський
independence [ˌɪndɪˈpendəns] — незалежність
guarantee [ˌgær(ə)nˈti:] — гарантувати

ТЕКСТ

12.21 *Read then turn on the recording and check yourself.*

Read it aloud, please.	Прочитай це вголос, будь ласка.
Don't read it now, please.	Не читай цього зараз, будь ласка.
Don't explain it to me, explain it to him.	Не пояснюй це мені, поясни це йому.
Show it to us.	Покажи це нам.
Show Jack your photos.	Покажи Джеку свої світлини.
Give it to them.	Дай це їм.
Give me this pencil.	Дай мені цей олівець.
Buy it for her.	Купи це для неї.
Buy Jane this dress.	Купи Джейн цю сукню.
Whose dress is it? — It's my sister's dress.	Чия це сукня? — Це сукня моєї сестри.
Whose rooms are these? — These are her children's rooms.	Чиї це кімнати? — Це кімнати її дітей.
Whose car is this? — It's my parents' car.	Чия це машина? — Це машина моїх батьків.

ГРАМАТИЧНІ ПОЯСНЕННЯ ДО ТЕКСТУ

1. Об'єктний відмінок займенників. (Objective Case)

Займенники в англійській мові мають 3 відмінки: називний (*I, he* тощо), присвійний (*my, his* і таке ін.) та об'єктний.

Об'єктний відмінок займенників вживається, коли відповідний займенник в українській мові відповідає на запитання «Кого?», «Що?».

Називний відмінок	Об'єктний відмінок	Приклади
I	me	*You know me.* — Ти мене знаєш.
We	us	*Tell us the truth!* — Скажи нам правду!
You	you	*Your sister loves you.* — Твоя сестра любить тебе.
He	him	*The dog obeys him.* — Собака його слухається.
She	her	*I see her every day.* — Я бачу її щодня.
It	it	*Don't read it!* — Не читай цього!
They	them	*She teaches them.* — Вона їх навчає.

Ми також використовуємо об'єктний відмінок займенників після прийменників, наприклад: *for* («для»), *to* (часто не перекладається, передає давальний відмінок української мови), *at* («на», «в», «біля»), *with* («з») тощо:

I usually play chess *with my brother*. I play with *him*. — Я зазвичай граю в шахи зі своїм братом. Я граю з ним.

This present is not *for you*. It's *for me*. — Цей подарунок не для тебе. Він для мене.

Look at *that woman*. Look *at her*! — Подивись на ту жінку. Подивись на неї!

У множині живі та неживі істоти в об'єктному відмінку замінюються займенником *them*:

I like my teachers. I like *them*. — Я люблю своїх учителів. Я люблю їх.

I want those flowers. Please give *them* to *me*. — Я хочу ті квіти. Будь ласка, дайте їх мені.

2. Прямий і непрямий додаток

В уроці 2 ми вводили поняття прямого й непрямого додатка. Нагадаємо, що:

- ***прямий додаток*** — це додаток, що відповідає на запитання «Кого?» «Що?» (відповідає українському знахідному відмінку);
- ***непрямий додаток*** — це додаток, що відповідає на запитання «Кому?» «Чому?» (відповідає українському давальному відмінку).

Якщо в реченні присутні обидва додатки, то спочатку ми ставимо непрямий додаток (Кому?), а потім прямий (Кого? Що?), наприклад:

Show Lisa her room. — Покажіть Лізі (Кому?) її кімнату (Що?).

Ми також можемо змінити порядок слів, уживаючи непрямий додаток з прийменником:

Show this room to Lisa. — Покажіть цю кімнату (Що?) Лізі (Кому?).

Зверніть увагу, що якщо прямий додаток виражено займенником, то можливий єдиний варіант порядку слів: спочатку прямий додаток, потім непрямий додаток з прийменником:

Give it to my brother. — Дай це (Що?) моєму брату (Кому?).

Запам'ятайте! Дієслово *explain* приєднує до себе непрямий додаток тільки з прийменником *to*!

Неправильно говорити: ~~*Explain me this rule.*~~

Правильно говорити: *Explain this rule to me.*

3. Присвійний відмінок іменників

В англійській мові іменник має два відмінки — загальний (*the Common Case*) і присвійний (*the Possessive Case*). Загальний відмінок відповідає всім сьоми відмінкам української мови — називному, родовому, давальному, знахідному, орудному, місцевому та кличному:

The girl is pretty. — Дівчина гарненька.

I see a boy. — Я бачу хлопчика.

Присвійний відмінок відповідає на запитання *Whose*? («Чий?»).

Утворюється присвійний відмінок шляхом додавання до іменника *'s*. Закінчення *'s* вимовляється за тими самими правилами, що і закінчення *s* у множині, тобто як [z] після голосних і дзвінких приголосних і як [s] після глухих приголосних.

Як правило, *'s* уживається з іменами або іменниками, що позначають живі істоти:

my brother's car — машина мого брата
a cat's tail — котячий хвіст

Присвійний відмінок іменників у множині утворюється простим додаванням апострофа (*'*):

my friends' house — будинок моїх друзів
these girls' dolls — ляльки цих дівчат

Але: В нестандартних випадках утворення множини (без закінчення *-s*) присвійний відмінок утворюється за допомогою *'s*:

children's room — дитяча кімната   *men's clothes* — чоловічий одяг

І ще один нюанс.

Припустимо, ми хочемо сказати «Діти Мері і Пітера». Тут можливі два варіанти вживання присвійного відмінка:

1) *Mary and Peter's children.* Так ми скажемо в тому випадку, якщо діти у Мері і Пітера спільні.
2) *Mary's and Peter's children.* Так ми скажемо в тому випадку, якщо діти у кожного свої.

Інакше кажучи, якщо те, чим володіють, спільне, то і закінчення присвійного відмінка буде також спільним. А якщо те, чим володіють, у кожного своє, то і закінчення *'s* також буде своє у кожного володаря.

4. Запитання «Чий?»

Щоб поставити запитання «Чий?» («Чия?», «Чиє?», «Чиї?»), вживається питальне слово *Whose*?

Whose house is it? — Чий це будинок?
Whose doll is this? — Чия це лялька?
Whose books are these? — Чиї це книги?

Зверніть увагу, що саме питальне слово *Whose* не змінюється в залежності від числа предметів, але змінюється форма дієслова *to be* (*is* або *are*) і вказівний займенник (*it* або *this* для однини та *these* для множини).

5. Заперечна форма наказового способу (Не роби!)

Щоб утворити заперечну форму наказового способу, тобто сказати «Не роби чогось», треба поставити *Don't* [dəʊnt] перед дієсловом:

Don't stand here! — Не стій(те) тут!   *Don't* shout! — Не кричи!
Don't be lazy! — Не будь ледачим!

Завдання

1. Напишіть заперечну форму наказового способу:

Example: Do it! — *Don't do it!*

1) Buy it! — ____________
2) Look there! — ____________
3) Listen to him! — ____________
4) Come today! — ____________
5) Go to the theatre! — ____________
6) Join them! — ____________
7) Smile! — ____________
8) Read aloud (*вголос*)! — ____________
9) Write! — ____________
10) Stay in that hotel! — ____________
11) Take this book! — ____________
12) Sell your car! — ____________
13) Show it to me! — ____________

2. Перекладіть ці вказівки англійською мовою.

1) Приєднуйтесь до нас! ____________
2) Не ходіть туди! ____________
3) Не читайте цей лист! ____________
4) Дайте мені це! ____________
5) Не давайте йому це! ____________
6) Не розмовляйте! ____________
7) Не кричіть! ____________
8) Не пишіть ці слова! ____________
9) Не розповідай їм цей жарт! ____________
10) Не плач! ____________
11) Прочитай це вголос! ____________
12) Не читай цього вголос! ____________

3. Замініть іменник займенником.

Example: I like these trousers. I like *them.*

1) I like this dog. I like ____________ .
2) I like this house. I like ____________ .
3) I like these girls. I like ____________ .
4) I like his pictures. I like ____________ .
5) I like John's brother. I like ____________ .
6) I like our teachers. I like ____________ .
7) I like his mother. I like ____________ .
8) I like our teacher Mister Smith. I like ____________ .

4. Доповніть речення *it/them + me/us/him/her/them.*

Example: I want those toys. Please give *them* to *me.* .

1) I want these jeans. Please give ________________ to ____________________ .
2) She wants this doll. Please give ________________ to ____________________ .
3) He wants that car. Please give ________________ to ____________________ .
4) They want this book. Please give ____________ to ____________________ .
5) We want these books. Please give ___________ to ____________________ .
6) She wants these dresses. Please give _________ to ____________________ .

5. Складіть словосполучення з іменниками в присвійному відмінку, використовуючи слова в дужках.

Example: (Jane / room) *Jane's room*

1) (his sister / school) ____
2) (the dog / tail) ____
3) (my brother / trousers) ____
4) (these children / toys) ____
5) (my mother / dress) ____
6) (Jack / book) ____
7) (my parents / company) ____
8) (these boys / bikes) ____
9) (Mary and Ann / children) ____

6. Складіть запитання з *Whose*, використовуючи слова в дужках.

Example: (pens) *Whose pens are these?*

1) (computer) ____
2) (children) ____
3) (parents) ____
4) (house) ____
5) (garden) ____
6) (cars) ____
7) (clothes) ____
8) (food) ____
9) (money) ____

7. *Translate into English.* (Перекладіть англійською мовою.)

1) діти цієї жінки ____
2) намет Піта ____
3) ручка Енджели ____
4) стільці Анни і Роберта ____
5) контрольні Тома і Едді ____
6) фотоапарати Алекса і Джейн ____
7) готель Боба і його жінки ____
8) сумки моїх дітей ____
9) столи моїх друзів ____

8. Дайте відповідь на запитання, використовуючи підказки в дужках.
Example: Whose hat is this? (Jack) _This is Jack's hat._

1) Whose shirts are these? (my sons) ______________________________
2) Whose dresses are those? (these women*) ______________________________
3) Whose daughter is this? (my friend) ______________________________
4) Whose parents are these? (Jill) ______________________________
5) Whose car is this? (my brother) ______________________________

women [ˈwɪmɪn] — множина від woman [ˈwʊmən], «жінка»

9. Напишіть заперечну команду за зразком.
Example: I am lazy. — _Don't be lazy!_

1) I am angry. — ______________
2) I am sad. — ______________
3) I am late. — ______________
4) I am sorry. — ______________

РОЗВИТОК МОВЛЕННЯ

1. *Say and write in English.*

! *explain something* **to** *somebody* — пояснити щось комусь

1) Не пояснюй це мені! ______________________________
2) Поясни це моєму брату! ______________________________
3) Поясни це Джеку! ______________________________
4) Не пояснюй це правило Джеку! ______________________________
5) Поясни нам це правило! ______________________________
6) Наш учитель пояснює нам правила щодня. ______________________________
____
7) Не дурій! (досл. «Не будь дурним» (*silly*)!) ______________________________
8) Не запізнюйся! ______________________________

2. *Say and write in English.*

1) Покажи це мені. ______________________________
2) Покажи це їм. ______________________________
3) Покажи це їй. ______________________________
4) Покажи це нам. ______________________________
5) Покажи це його сестрі. ______________________________
6) Покажи це сестрі Майка. ______________________________
7) Дай це йому. ______________________________
8) Дай це моєму собаці. ______________________________
9) Дай це мені. ______________________________
10) Дай це брату Джейн. ______________________________
11) Купи це для мене. ______________________________
12) Купи це для своїх батьків. ______________________________
13) Купи це для нас. ______________________________
14) Купи це для брата Тома. ______________________________

ОСНОВНИЙ КУРС

УРОК 13

Спілкування. *Знайомство. Розповідь про себе.*

Граматика. *Present Simple. Заперечення. Прислівник never.*

13.1

Hello, my name's Jack Clove. I'm from the US. I speak English very well because it's my native language. I travel a lot, but unfortunately I don't speak foreign languages. That's why I never travel alone. My wife's name is Carla. She's from Mexico, so she speaks Spanish. It's her native language. She also speaks French very well.

My daughter's name is Doris. She speaks Chinese. My son's name is Luke. He speaks Portuguese. We usually travel together.

We usually stay at good hotels, but sometimes we rent an apartment. We never stay at hostels.

We usually travel by air, but sometimes we travel by train or by car. We never travel by sea because I don't like ships. I feel seasick.

We are never bored when we are together.

Вітаю! Мене звати Джек Клоув. Я зі Сполучених Штатів. Я дуже добре розмовляю англійською, тому що це моя рідна мова. Я багато подорожую, але, на жаль, я не володію іноземними мовами. Ось чому я ніколи не подорожую сам. Мою жінку звати Карла. Вона з Мексики, тому вона розмовляє іспанською. Це її рідна мова. Вона також дуже добре розмовляє французькою.

Мою доньку звати Доріс. Вона розмовляє китайською. Мого сина звати Люк. Він розмовляє португальською. Ми зазвичай подорожуємо разом.

Зазвичай ми зупиняємося в добрих готелях, але іноді ми знімаємо апартаменти. Ми ніколи не зупиняємося в хостелах.

Ми зазвичай подорожуємо літаком, але іноді ми подорожуємо поїздом або машиною. Ми ніколи не подорожуємо морем, тому що я не люблю кораблів. У мене морська хвороба.

Нам ніколи не нудно, коли ми разом.

РОБОТА З ТЕКСТОМ

1. Користуючись текстом, напишіть англійський аналог цих речень:

1) Я не володію іноземними мовами. ____________________

2) тому (= ось чому) ____________________

3) Я ніколи не подорожую сам. ____________________

4) зупинятися в добрих готелях ____________________

5) Ми ніколи не зупиняємося в хостелах. ____________________

____

6) на жаль ____________________

7) Ми ніколи не подорожуємо морем ____________________

8) відчувати морську хворобу ____________________

9) знімати квартиру / апартаменти ____________________

10) подорожувати літаком ____________________

11) рідна мова ____________________

12) подорожувати поїздом ____________________

13) подорожувати на машині ____________________

14) Я не люблю кораблів. ____________________

15) Нам ніколи не нудно ____________________

16) подорожувати разом ____________________

2. Перечитайте уважно текст уроку і підкресліть усі заперечні речення.

Перш ніж ви прочитаєте пояснення про утворення заперечень, спробуйте самі, проаналізувавши заперечні речення з тексту, дати відповідь на запитання, як утворюються заперечення. Спробуйте за аналогією з реченнями з тексту сказати і написати:

Я не ходжу до театру. ____________________

I don't go to the theatre.

Ми не дивимось телевізор. ____________________

We don't watch TV.

Вони ніколи не їдять м'яса. ____________________

They never eat meat.

Інтонація

Англійська інтонація дуже сильно відрізняється від української. У розповідному реченні (тобто в тому, яке закінчується крапкою) значущі слова вимовляються з яскраво вираженим наголосом, а наприкінці речення голос досить різко падає. В українській мові ми вимовляємо речення більш рівно, без голосових стрибків угору — вниз.

Ще одна відміна англійської інтонації від української: у перелічуваннях перед комою і перед *and* («і») голос помітно піднімається.

ГРАМАТИКА

The Present Simple Tense. Заперечення

У попередньому уроці ми розглядали, як утворити заперечну форму наказового способу. Якщо пам'ятаєте, ми використовували для цього допоміжне дієслово *do + not*. Або в скороченні це виглядало як *don't* (*Don't cry!* — Не плач!).

Щоб утворити заперечення в часі *Present Simple*, ми також використовуємо *do + not* (*don't*), які ми ставимо перед смисловим дієсловом.

I *do not get* up early. — Я не встаю рано.

We *do not travel* very much. — Ми не багато подорожуємо.

You *do not eat* properly. — Ти не їси як слід.

They *do not drink* tea. — Вони не п'ють чай.

Щоб утворити заперечення для третьої особи однини (*he / she / it*), ми ставимо *does not* перед смисловим дієсловом. При цьому смислове дієслово втрачає закінчення *-s*:

He *plays* tennis. He *does not play* football. — Він грає в теніс. Він не грає у футбол.

She *likes* meat. She *does not like* fish. — Вона любить м'ясо. Вона не любить рибу.

Якщо *do* є також і смисловим дієсловом, то воно повторюється двічі:

I *do not do* my homework on Sundays. — Я не роблю домашнє завдання у неділю.

She *does not do* sports. — Вона не займається спортом.

У розмовній мові, як правило, вживається скорочена форма.

do not = don't (вимовляється [dəʊnt], схоже на «доунт»)

does not = doesn't (вимовляється [dʌznt], схоже на «дазнт»)

We *don't work*. — Ми не працюємо.

My brother *doesn't like* eggs. — Мій брат не любить яєць.

Заперечення з **never**

В англійській мові в реченнях не використовується подвійне заперечення, на відміну від української мови. Ми кажемо: «Я ніколи не лягаю спати пізно» або «Він ніколи не гуляє сам».

Англійською дослівно подібні речення будуть звучати як:

«Я ніколи лягаю спати пізно». — I *never go* to bed late.

«Він ніколи гуляє сам». — He *never goes* for walks alone.

Never ставиться перед смисловим дієсловом. Проте, якщо в реченні присутнє дієслово *be*, то *never* ставиться після нього:

I *am never* tired of my work. — Я ніколи не втомлююся від своєї роботи.

Коли нам потрібне допоміжне дієслово **do** *для утворення заперечення, а коли ні?*

Проаналізуйте ці речення:

I *am* sad. — I *am not* sad.

He *is* bored. — He *is not* bored.

I *swim* well. — I *don't swim* well.

He *reads* a lot. — He *doesn't read* a lot.

Якщо в стверджувальному реченні присутнє дієслово *be* (а точніше, його особові форми — *am, is, are*), то воно обов'язково буде присутнім і в запереченні.

Якщо ж у стверджувальному реченні немає дієслова *be*, то воно ніколи не з'явиться в запереченні. В цьому випадку ми будемо утворювати заперечення за допомогою *don't* (для *I, we, they*) або *doesn't* (для *he, she, it*).

Також зверніть увагу на одну дуже важливу річ. Іноді українські дієслова в англійській мові передаються за допомогою виразів з дієсловом *to be*. Наприклад:

хворіти — *to be ill* (дослівно: «бути хворим»)
спізнюватися — *to be late* (дослівно: «бути пізнім»)
хотіти пити — *to be thirsty* (дослівно: «бути спраглим»)

Будуючи заперечення, ми орієнтуємося на структуру саме англійського речення.

I am thirsty but my friends aren't thirsty. — Я хочу пити (дослівно: «Я є спраглим»), а мої друзі не хочуть пити.

She isn't late. — Вона не спізнилася. (дослівно: «Вона не є пізня»)

Запитання про ім'я

Найпростіше запитання про ім'я вам уже відомо. Воно звучить як
What's your name? — Як вас звати? (досл. «Що є ваше ім'я?»)

Роблячи різноманітні підстанови в це речення, ми можемо поставити запитання про ім'я будь-кого. Як правило, ми будемо заміняти присвійний займенник *your*.

What's his name? — Як його звати? (досл. «Що є його ім'я?»)
What's her name? — Як її звати? (досл. «Що є її ім'я?»)

Але замість присвійних займенників можуть використовуватися й іменники. Наприклад, ми, можливо, захочемо запитати «Як звати твою сестру?»

У цьому реченні ми складаємо словосполучення «ім'я твоєї сестри» — *your sister's name*, а потім підставляємо його в речення:
What's your sister's name?

Grammar practice

1. Заповніть пропуски дієсловами в заперечній формі. Використовуйте *don't* або *doesn't*.

Example: We usually ___*don't stay*___ (stay) at a holel.

1) We ______________________ (watch) TV.
2) They ______________________ (drink) milk.
3) My grandmas ______________________ (eat) nuts.
4) Jack ______________________ (play) computer games.

5) Mary and her mom ________________________ (like) eggs.
6) Your friend ________________________ (do) sports.
7) These cats ________________________ (play) outside (*на вулиці*).
8) My brothers ________________________ (sing).
9) My sister ________________________ (travel) a lot.
10) Karin ________________________ (study) hard.
11) Your friends ________________________ (swim) in the river.
12) You ________________________ (speak) French.
13) Luke ________________________ (like) meat.

2. Замініть заперечну форму на стверджувальну.
Example: He doesn't swim in cold water. He _*swims*_ in cold water.
1) My friend doesn't watch TV. My friend _________________ TV.
2) His mom doesn't play chess. His mom _________________ chess.
3) John doesn't sing folk songs. John _________________ folk songs.
4) Liz doesn't read books. Liz _________________ books.
5) Rick doesn't help his mom. Rick _________________ his mom.
6) Sally doesn't jog in the morning. Sally _________________ in the morning.
7) Alex doesn't eat sweets. Alex _________________ sweets.
8) She doesn't learn English. She _________________ English.
9) My dad doesn't cook meat. My dad _________________ meat.
10) Jack's son doesn't speak French. Jack's son _________________ French.
11) Jack doesn't like planes. Jack _________________ planes.
12) They don't stay at hostels. They _________________ at hostels.

3. Заповніть пропуски правильним запереченням — з дієсловом *do* або *be*.
Example: Mary ____*doesn't*____ live in Britain.
We ____*aren't*____ in London now.
1) I ____________ in a hurry.
2) I ____________ want to go there.
3) Lea ____________ go to school.
4) My parents ____________ stay at this hotel.
5) Bob ____________ tired.
6) They ____________ often go on holidays.
7) She ____________ do her homework.
8) I ____________ Italian.
9) Dina ____________ like fruit.
10) These cars ____________ red.
11) We ____________ from Germany.
12) We ____________ speak German.
13) My friend ____________ ill.
14) My friend ____________ get up early.

4. Розкажіть текст уроку про Джека Клоува в третій особі. Почніть так: *His name is ...*

5. За прикладом тексту уроку складіть правдиву розповідь про себе.

6. *Translate into English.*

1) Вони не читають газет. ____________________
2) Ліз не читає книжок. ____________________
3) Він не любить чай. ____________________
4) Лілі не грає на піаніно. ____________________
5) Вони не люблять яблука. ____________________
6) Вони не спізнилися. ____________________
7) Боб не співає. ____________________
8) Його друзі не співають. ____________________
9) Я не голодний. ____________________
10) Я не п'ю кави. ____________________
11) Кішка Тіма не п'є молоко. ____________________
12) Він не любить солодощі. ____________________
13) Малюки не бігають. ____________________
14) Мій друг не хворий. ____________________
15) Ми не плаваємо в холодній воді. ____________________
16) Мій брат не вивчає англійську. ____________________
17) Моя собака не стрибає. ____________________
18) Ми не подорожуємо морем. ____________________

7. Поставте дієслова в дужках у заперечну форму, використовуючи *never*.

Example: She *never plays* (play) football.

1) He ____________________ (swim) in the sea.
2) He ____________________ (count) his mistakes.
3) Jack ____________________ (be ill) in winter.
4) Dan ____________________ (eat) ice cream.
5) We ____________________ (be late) for classes.
6) Lily ____________________ (drink) tea.
7) His friend ____________________ (go) to the cinema.
8) We ____________________ (stay) at this hotel.
9) They ____________________ (do) their homework.
10) My parents ____________________ (watch) TV.

8. Змініть речення, використовуючи слово never.

Example: He doesn't eat fish. — He *never eats* fish.

1) Jack Clove doesn't travel by sea. He ____________________ by sea.
2) He doesn't read books. — He ____________________ books.

3) I don't eat cakes. — I ______________________ cakes.
4) Sara doesn't go shopping. — She ______________________ shopping.
5) This bird doesn't sing. — It ______________________.
6) We don't travel by train. — We ______________________ by train.
7) They don't help their friends. — They ______________________ their friends.
8) We don't travel together. — We ______________________ together.
9) My friends don't rent skis. — They ______________________ skis.

9. Переробіть заперечення з *never* на заперечення з *doesn't* або *don't*.

Example: We never go there. — We *don't go* there.

1) He never swims in cold water. — He ______________________ in cold water.
2) My sister never tells me her secrets. — My sister ____________ me her secrets.
3) Joe never climbs trees. — Joe ______________________ trees.
4) My parents never travel by sea. — My parents ______________________ by sea.
5) Our teacher never shouts. — Our teacher ______________________.
6) My brother never does his homework. — My brother ________ his homework.
7) They never play together. — They ______________________ together.

10. Напишіть до кожного речення дві заперечні форми.

Example: They swim. *They don't swim. / They never swim.*

1) She watches TV. ______________________
2) She eats sweets. ______________________
3) It flies. ______________________
4) You draw. ______________________
5) We play together. ______________________
6) They work hard. ______________________
7) It runs fast. ______________________
8) He smiles. ______________________
9) He talks loudly. ______________________

РОЗВИТОК МОВЛЕННЯ

1. *Say and write in English.*

1) Мене звати Джек. ______________________
2) Мою сестру звати Анна. ______________________
3) Як його звати? ______________________
4) Як звати твого брата? ______________________
5) Мого друга звати Нік. ______________________
6) Його брата звати Лео. ______________________
7) Як звати твого сусіда? (*neighbour* [ˈneɪbə]) ______________________

____

8) Мого сусіда звати Тед. ______________________________
9) Її сусідку звати Карін. ______________________________
10) Як звати твоїх сусідів? ______________________________
11) Як звати її брата? ______________________________
12) Її брата звати Тед. ______________________________
13) Як звати цих дітей? ______________________________
14) Як звати твоїх друзів? ______________________________

2. *Say and write in English.*

1) Мені нудно. ______________________________
2) Йому нудно. ______________________________
3) Йому не нудно. ______________________________
4) Йому ніколи не буває нудно. ______________________________
5) Мені ніколи не буває нудно. ______________________________
6) Вам нудно? ______________________________
7) Твоєму другу нудно? ______________________________
8) Моїм друзям не нудно. ______________________________
9) Я щасливий. ______________________________
10) Вони нещасливі. ______________________________
11) Ми не хворі. ______________________________
12) Ми ніколи не хворіємо взимку (*in winter*). ______________________________
____
13) Він часто хворіє взимку. ______________________________
14) Вона іноді хворіє весною (*in spring*). ______________________________
15) Він сумний. ______________________________
16) Вони ніколи не бувають сумними. ______________________________
17) Ми хочемо пити (досл. «Ми спраглі»). ______________________________
18) Вони хочуть пити. ______________________________
19) Я не хочу пити. ______________________________
20) Ви хочете пити? ______________________________
21) Він хоче пити? ______________________________
22) Ви голодні? ______________________________
23) Ні, ми не голодні, ми просто хочемо пити. ______________________________
____
24) Він голодний? ______________________________
25) Ні, він не голодний, він просто хоче пити. ______________________________
____
26) Діти Майка не голодні. ______________________________
27) Вони не сумні, вони просто втомилися. ______________________________
28) Ви втомилися? ______________________________
29) Він не втомився, він просто голодний. ______________________________
30) Твій брат втомився? ______________________________

31) Ваші сусіди втомилися? ______________________________

32) Твій сусід хворий? ______________________________

33) Ні, мій сусід не хворий. ______________________________

3. *Say and write in English using expressions from the text.* (Скажіть і напишіть англійською, використовуючи вирази з тексту).

1) Я з Великої Британії. ______________________________

2) Моя рідна мова українська, але я також розмовляю англійською і німецькою. ______________________________

____

3) Мій друг багато подорожує. ______________________________

4) Моя мама не розмовляє іноземними мовами, тому вона ніколи не подорожує одна. ______________________________

____

5) Коли ми подорожуємо, ми зазвичай орендуємо машину. ______________

____

6) Мої сусіди зазвичай подорожують літаком, але іноді вони подорожують поїздом або на машині. ______________________________

____

7) Ми часто подорожуємо морем. ______________________________

8) Я ніколи не відчуваю морську хворобу. ______________________________

____

9) Я не люблю літаків. ______________________________

10) Їм ніколи не нудно, коли вони разом. ______________________________

____

11) На жаль, дочка Джека дуже втомилася. ______________________________

____

12) Як ви зазвичай подорожуєте? ______________________________

13) Звідки вони родом? ______________________________

14) Жінка мого сусіда родом не з Німеччини. ______________________________

____

15) Він не часто відчуває морську хворобу. ______________________________

____

16) Брат Джека зазвичай зупиняється в готелях, але іноді орендує апартамент. _

____

17) Ваші друзі багато працюють. ______________________________

18) Донька мого друга не любить літаків. ______________________________

____

19) Чия це дочка? ______________________________

20) Вони ніколи не втомлюються. ______________________________

21) Ми не завжди подорожуємо разом. ______________________________

____

УРОК 14

Спілкування. *Розклад на тиждень. Заняття за порами року.*

Граматика. *Present Simple. Загальні запитання. Короткі відповіді. Дні тижня. Пори року. Місяці.*

14.1

Dr Lenard Baskin is a very busy man. He works as a surgeon in the local hospital. He performs operations every day except Sunday — on Monday, on Tuesday, on Wednesday, on Thursday, on Friday and even on Saturday. Because he's always so busy he is happy when he goes on holiday.	Доктор Ленард Баскін дуже зайнята людина. Він працює хірургом в місцевій лікарні. Він робить операції щодня, крім неділі — у понеділок, вівторок, середу, четвер, п'ятницю і навіть у суботу. Через те, що він такий зайнятий, він щасливий (дуже радий), коли іде у відпустку.
Usually he goes on holiday twice a year — two weeks in summer and two weeks in winter. In winter he goes skiing in the mountains. His little daughter doesn't ski. She goes skating instead. Sometimes she goes sledding.	Зазвичай він іде у відпустку двічі на рік — два тижні влітку і два тижні взимку. Взимку він їздить кататися на лижах у горах. Його маленька дочка не катається на лижах. Замість цього вона катається на ковзанах. Іноді вона катається на санчатах.
In summer the Baskins usually go to the seaside. They rent a self-catering apartment near the sea or sometimes they stay in a hotel. In the morning they swim in the sea and sunbathe. If the sea is cold, they swim in the swimming pool. In the afternoon they have a rest and after that they play tennis. In the evening they usually have dinner in some restaurant. Dr Baskin likes French cuisine but Dr Baskin's wife prefers Italian cuisine. And their little daughter doesn't care.	Улітку сім'я Баскінів зазвичай їздить до моря. Вони орендують біля моря апартаменти з можливістю приготування їжі або іноді зупиняються в готелі. Вранці вони *плавають / купаються* в морі і загоряють. Якщо море холодне, вони плавають у басейні. Вдень вони відпочивають, а після цього вони грають у теніс. Вечорами вони зазвичай вечеряють в якомусь ресторані. Лікар Баскін любить французьку кухню, а жінка Доктора Баскіна віддає перевагу італійській кухні. А їхній маленькій дочці все одно.
They like their holidays and they always have fun together.	Їм подобається їхня відпустка, і вони завжди разом весело проводять час.
Is Dr Baskin a busy man? — Yes, he is.	Доктор Баскін зайнята людина? — Так.
Does he work as a surgeon? — Yes, he does.	Він працює хірургом? — Так.

What does he do almost every day? — He performs operation.	Що він робить майже щодня? — Він робить операції.
Where does he spend his winter holiday? — He goes skiing in the mountains.	Де він проводить свою зимову відпустка? — Він їздить кататися на лижах у горах.
Does his little daughter ski? — No, she doesn't.	Його маленька дочка катається на лижах? — Ні.
Do the Baskins usually spend their summer holiday in the mountains? — No, they don't. They usually spend their summer holiday at the seaside.	Чи сім'я Баскінів зазвичай проводить літню відпустку в горах? — Ні. Вони зазвичай проводять літню відпустку на морі.
What do they do there? — They swim in the sea, sunbathe, play tennis and have fun together.	Що вони там роблять? — Вони плавають у морі, загоряють, грають у теніс і весело проводять час.
Does Dr Baskin's wife prefer French cuisine? — No, she doesn't. She prefers Italian cuisine.	Чи жінка Доктора Баскіна віддає перевагу французькій кухні? — Ні. Вона віддає перевагу італійській кухні.
Do the Baskins always stay at hotels when they go to the sea? — No, they don't. They sometimes stay in a hotel, but usually they rent a self-catering apartment.	Чи Баскіни завжди зупиняються в готелях, коли їздять на море? — Ні. Вони іноді зупиняються в готелі, але зазвичай вони орендують апартаменти з можливістю приготування їжі.

ЛЕКСИЧНИЙ КОМЕНТАР

Title before the name — *титул перед ім'ям*

В англійській мові при формальному зверненні та в документах перед прізвищем обов'язково вживається титул (*title*). Титули можуть бути такими:

Mr — містер (будь-яка людина, що не має дворянського титулу або вченого ступеня)

Mrs [mɪsɪs] — місіс, заміжня жінка з прізвищем чоловіка

Miss [mɪs] — міс, незаміжня жінка, дівчина

Ms [mɪz] — заміжня жінка, яка залишила дівоче прізвище. Цей титул також усе частіше використовується жінками, які не бажають розкривати свій сімейний стан.

Dr — Доктор. Так звертаються до будь-якої людини (чоловіка або жінки), які мають учений ступінь *PhD — philosophy doctor* (приблизно відповідає званню кандидата наук з будь-якої спеціальності), або до лікарів.

Prof. — професор (чоловік або жінка)

Lord — лорд (в Британії: знатний чоловік високого соціального статусу)

Lady — леді (в Британії: знатна жінка високого соціального статусу)

Зверніть увагу, що всі ці титули крім *Miss* уживаються тільки з прізвищем або з іменем і прізвищем. *Miss* може вживатися як просто з іменем, так і з прізвищем або з іменем і прізвищем:

Lord (Adrian) Pimsley — *Miss Janet*
Mr (Jack) Smith — *Miss (Monica) Brown*

Якщо ви хочете звернутися до незнайомої людини, прізвища якої ви не знаєте, то прийнято говорити *Sir,* звертаючись до чоловіка, *Madam* — до жінки і *Miss* — до молодої жінки або дівчини.

The Baskins — *Баскіни, сім'я Баскінів*

Українською, щоб описати членів однієї родини, ми ставимо прізвище у множину — Сідорчуки, Шевчуки або говоримо «родина Петренків». Англійською в таких випадках прізвище ставиться у множину і перед ним ставиться артикль *the*:

The Browns — Брауни, сім'я Браунів.

До речі, відомий мультфільм «Сімейка Адамсів» в оригіналі називався *The Adams.*

Відпочивати / перепочити

В англійській мові вираз *have a rest* має значення «трохи відпочити», «перепочити». Наприклад, посидіти після довгої ходьби або трохи полежати. Якщо ми маємо на увазі відпочивати тривалий час, тобто «їздити у відпустку» або «проводити відпустку», то англійською ми скажемо:

I *go on holiday* every year. — Я їжджу у відпустку щороку.

I usually *spend my holiday* at the seaside. — Я зазвичай відпочиваю (або: проводжу відпустку) на морі.

РОБОТА З ТЕКСТОМ

1. Знайдіть у тексті еквівалент цих слів і виразів:

1) працює хірургом ______________________
2) крім неділі ______________________
3) у п'ятницю ______________________
4) робить операції ______________________
5) іде у відпустку ______________________
6) двічі на рік ______________________
7) замість цього ______________________
8) катається на санчатах ______________________
9) катається на ковзанах ______________________

10) влітку / взимку ____________________
11) катається на лижах ____________________
12) у горах ____________________
13) їхати на море ____________________
14) у басейні ____________________
15) удень (у післяобідній час) ____________________
16) відпочивати (перепочити) ____________________
17) їхній маленькій дочці все одно ____________________
18) грати в теніс ____________________
19) віддає перевагу ____________________
20) вечеряти ____________________
21) французька кухня ____________________
22) апартаменти з можливістю приготування їжі ____________________

____
23) орендувати ____________________
24) зупинятися в готелі ____________________
25) загоряти ____________________

2. Подивіться уважно на останню частину тексту. Перш ніж ви прочитаєте пояснення про утворення запитань, спробуйте самі, проаналізувавши питальні речення в тексті, визначити, як утворюються запитання.

Спробуйте за аналогією з реченнями з тексту сказати і написати:

1) Ти любиш морозиво? ____________________
Do you like ice cream?
2) Він любить яблука? ____________________
Does he like apples?
3) Ви ходите в кіно? ____________________
Do you go to the cinema?

ГРАМАТИКА

Загальні запитання в Present Simple

Загальними запитаннями називаються запитання без питального слова, які потребують відповіді «Так» або «Ні».

У попередньому уроці ми дізналися, що для утворення заперечення в часі *Present Simple* необхідне допоміжне дієслово *do* (для *I, we, you, they*) або *does* (для *he / she / it*) + частка *not*. Для утворення запитань потрібне те саме допоміжне дієслово *do/does*, яке ставиться перед підметом:

Do you know that man? — Ти знаєш того чоловіка?

Does he know the answer? — Він знає відповідь?

Зверніть увагу, що в запитаннях про третю особу однини (*he, she, it*) дієслово втрачає закінчення *-s* — воно переходить до допоміжного дієслова:

Jack *plays* tennis. — *Does* he also *play* football? (Джек грає в теніс. — А у футбол він теж грає?)

Оскільки допоміжне дієслово *do* (*does*) не перекладається, то якщо *do* також є смисловим дієсловом, воно повторюється двічі:

Do you do sports? — Ти займаєшся спортом?

Коротка відповідь до загальних запитань

Do you know the answer? — Yes, I do. / No, I don't.
Ти знаєш відповідь? — Так. / Ні.
Does she like sweets? — Yes, she does. / No, she doesn't.
Вона любить (=Їй подобаються) солодощі? — Так. / Ні.

Спеціальні запитання в Present Simple

Спеціальними запитаннями називаються запитання з питальним словом. З попередніх уроків вам уже відомі деякі питальні слова:

What? — Що?
Who? — Хто? / Кого?
Where? — Де?
Whose? — Чий?

Структура спеціального запитання буде подібна до структури загального запитання, тільки на перше місце ми додаємо питальне слово:

Does he usually play in the evening?— Він зазвичай грає вечорами? (загальне запитання)

What does he usually play in the evening? — Уві що він зазвичай грає вечорами? (спеціальне запитання)

Do you spend your holiday at the seaside? — Ти зазвичай відпочиваєш (проводиш відпустку) на морі? (загальне запитання)

Where do you spend your holiday? — Де ти проводиш свою відпустку? (спеціальне запитання)

Прийменники **in / to**

Прийменник *in* означає знаходження всередині чогось і відповідає українським «в / у». Ми вживаємо його, коли говоримо про місцезнаходження. Прийменник *to* вказує на напрямок руху і відповідає українському «до / в / у»:

We go to France to the mountains every year. — Ми їздимо до Франції в гори щороку. (Куди? — напрямок руху)

We ski in France in the mountains every year. — Ми катаємося у Франції на лижах у горах щороку. (Де? — місцезнаходження)

Grammar practice

1. *Ask questions using the words in brackets.* (Поставте запитання, використовуючи слова в дужках.)

Example: (you / run fast) ___*Do you run fast?*___

1) (he / perform operations) ______________________
2) (Dr Baskin / work as a surgeon) ______________________
3) (his little daughter / ski) ______________________
4) (the Baskins / go to the seaside) ______________________
5) (your friends / watch TV) ______________________
6) (I / speak loudly) ______________________
7) (Dr Baskin's wife / speak French) ______________________
8) (the Baskins / usually rent an apartment) ______________________
9) (you / usually stay at a hotel) ______________________

2. *Use do or does.* (Вживіть *do* або *does*.)

Example:: ___*Do*___ you get up late?

1) ________ you like sweets?
2) ________ your husband cook?
3) ________ frogs eat meat?
4) ________ children cry a lot?
5) ________ cats climb trees?
6) ________ your brother go to school?
7) ________ his little daughter read books?
8) ________ you watch TV in the evening?
9) ________ you go to work every day?
10) ________ their son swim well?

3. *Complete the short answers.* (Допишіть короткі відповіді на запитання.)

Example: Does she cook? — Yes, ___*she does.*___

1) Does your mom play the piano? ______________________
2) Do they eat meat? — No, ______________________
3) Does he eat fruit? — No, ______________________
4) Does your son do his homework? — Yes, ______________________
5) Does your daughter read fairy-tales? — No, ______________________
6) Do cats bark? — ______________________
7) Do you play the guitar? — ______________________
8) Do you like football? — ______________________
9) Do you like apples? — ______________________
10) Do dogs climb trees? ______________________
11) Do your parents go to the swimming pool on Sundays? — ______________________
12) Are you tired? — No, ______________________
13) Does your nephew go to school? — Yes, ______________________
14) Do you do sports? — ______________________
15) Does your brother ski every year? — No, ______________________
16) Are your friends thirsty? — No, ______________________
17) Is his father a surgeon? — Yes, ______________________
18) Do your parents live here? — No, ______________________
19) Do you like music? — ______________________

4. Перетворіть ці речення на питальні.

Example: We are at the seaside. *Are we at the seaside?*

1) Dr Baskin's daughter likes skating. ____________________
2) His hat is black. ____________________
3) Dr Baskin works at a hospital. ____________________
4) They know the way to the park. ____________________
5) Her uncle always buys food here. ____________________
6) His friends like jogging. ____________________
7) He is sad. ____________________
8) She feels better today. ____________________

5. Складіть запитання із запропонованих слів і дайте на них правдиву коротку відповідь.

Example: the kangaroo / jump high *Does the kangaroo jump high? — Yes, it does.*

1) you / usually stay in a hotel when you go on holiday ____________________
____
2) the shark / swim fast ____________________
3) your brother (sister) / draw well ____________________
4) the frog / jump ____________________
5) birds / fly ____________________
6) the mouse / sing ____________________
7) the fish / swim ____________________
8) you / go on holidays in winter ____________________

6. Вставте *do / does* або особову форму дієслова *to be* (*is, am, are*)

1) ____________ you see your granny every day?
2) ____________ your friend ill?
3) ____________ you tired?
4) ____________ your neighbour play tennis with you?
5) ____________ your parents go skiing in winter?
6) ____________ they at home?
7) ____________ these women hungry?
8) ____________ you come home late?
9) ____________ they late again?
10) ____________ your brother get up early?
11) ____________ they have fun together?
12) ____________ you go on holiday in summer?
13) ____________ you on holiday now?
14) ____________ your son go to school?
15) ____________ you happy with your present?
16) ____________ they play chess?
17) ____________ she come here every morning?
18) ____________ your sister sing in the Opera?

19) ______________ she an engineer?
20) ______________ you know the answer?
21) ______________ your friend often help you?
22) ______________ your friends travel a lot?
23) ______________ the shop near the bank?
24) ______________ Dr Lenard Baskin a busy man?
25) ______________ they always come late?
26) ______________ you from Mexico?
27) ______________ you come from Brazil?
28) ______________ his wife ill?
29) ______________ her husband speak French?
30) ______________ the money on your desk? (*money* — гроші — в англійській мові це іменник однини!)

7. *Translate into English.*

1) Ця сукня гарна? ______________
2) Вони там разом? ______________
3) Вони часто дивляться телевізор? ______________
4) Твій брат багато подорожує? ______________
5) Ти почуваєшся добре? ______________
6) Магазин відкривається о 8-й ранку? ______________
7) Ти приходиш сюди щодня? ______________
8) Твій друг знає дорогу? ______________
9) Він знову спізнюється? ______________

8. Прочитайте ще раз текст уроку. Напишіть запитання до даних відповідей.

Example: _*Is Dr Baskin a very busy man?*_ Yes, he's a very busy man.

1) ______________
His name is Lenard.
2) ______________
In the local hospital.
3) ______________
No, he doesn't. He works as a surgeon.
4) ______________
Almost every day, except Sunday.
5) ______________
Yes, he is. He's happy when he goes on holiday.
6) ______________
In the mountains.
7) ______________
No, she doesn't. She doesn't ski.
8) ______________
She goes skating or sledding.

9) ____

To the seaside.

10) ____

They rent a self-catering apartment near the sea or sometimes they stay in a hotel.

11) ____

They swim in the sea and sunbathe.

12) ____

They swim in the swimming pool.

13) ____

They have a rest.

14) ____

They usually have dinner in some restaurant.

15) ____

Dr Baskin (likes French cuisine).

16) ____

Dr Baskin's wife.

17) ____

Yes, the Baskins like their holidays very much.

9. Перекладіть англійською, звертаючи увагу на переклад прийменників.

1) Я часто їжджу до Лондона. ______________________
2) Мої батьки зараз у Британії. ______________________
3) Ми зазвичай проводимо відпустку на морі. ______________________
4) Ми їздимо на море щоліта. ______________________
5) Мій брат щозими їздить у гори. ______________________
6) Ми зазвичай не відпочиваємо в горах. ______________________

РОЗШИРЕННЯ СЛОВНИКОВОГО ЗАПАСУ

Пори року і місяці

winter — зима
spring — весна
summer — літо
autumn [ˈɔːtəm] — осінь

January — січень
February — лютий
March — березень
April — квітень
May — травень
June — червень
July — липень
August — серпень
September — вересень
October — жовтень
November — листопад
December — грудень

З місяцями і порами року вживається прийменник *in*:

in autumn — восени

in October — у листопаді

Дні тижня

Sunday — неділя
Monday — понеділок
Tuesday — вівторок
Wednesday — середа
Thursday — четвер
Friday — п'ятниця
Saturday — субота

Зверніть увагу, що англійський тиждень починається з неділі.

З днями тижня вживається прийменник *on*:
on Wednesday — у середу / щосереди
on Sundays — щонеділі

ЛЕКСИКО-ГРАМАТИЧНІ ЗАВДАННЯ

1. Вставте правильний прийменник — *in* або *on*.

1) ________ Monday
2) ________ December
3) ________ autumn
4) ________ Thursday
5) ________ winter
6) ________ Saturday
7) ________ March
8) ________ spring
9) ________ October
10) ________ Friday

2. *Say and write in English.*

1) щосуботи ______________________
2) у березні______________________
3) весною ______________________
4) восени ______________________
5) взимку ______________________
6) влітку ______________________
7) у понеділок ____________________
8) у січні____________________
9) щочетверга ____________________
10) у вівторок ____________________
11) у липні ____________________
12) у вересні ____________________

- **to play tennis** — *грати в теніс*

У виразах *play* + назва спортивної гри не вживається ні артикль, ані прийменник:

play football — грати у футбол
play basketball — грати в баскетбол

Проте, у виразах *play* + назва музичного інструмента перед музичним інструментом ставиться артикль *the*:

play the piano — грати на фортепіано
play the violin — грати на скрипці
play the guitar — грати на гітарі

3. Вставте, де необхідно, артикль *the*

1) *play* ________ *soccer* ([ˈsɒkə] — так в США і деяких інших країнах називають звичний для нас футбол на противагу американському футболу, який там називають *football*)

2) play ________ guitar
3) play ________ basketball
4) play ________ football
5) play ________ piano
6) play ________ violin
7) play ________ volleyball
8) play ________ rugby (*регбі*)
9) play ________ trumpet (*труба*)
10) play ________ cards (*карти*)
11) play ________ baseball (*бейсбол*)

4. *Say and write in English.*

1) Він грає в баскетбол. ________________________________
2) Я не граю на піаніно. ________________________________
3) Ти граєш у теніс? ________________________________
4) Твої друзі грають на скрипці? ________________________________
5) Ми не граємо в карти. ________________________________
6) Нік грає у волейбол? ________________________________
7) Мої сусіди грають на гітарі. ________________________________
8) Ваші сусіди грають на піаніно? ________________________________
9) Твій друг грає на трубі? ________________________________
10) Вони не грають у волейбол. ________________________________
11) Твій брат грає в теніс? ________________________________
12) Наш сусід грає на трубі. ________________________________

- **to work as a surgeon** — *працювати хірургом*

Українською ми кажемо «Я працюю лікарем». Англійською ця фраза потребує прийменника *as*, який у цьому випадку має значення «в якості». Тобто речення *He works as a surgeon* дослівно можна перекласти як «Він працює в якості лікаря».

5. *Say and write in English.*

1) Вона працює медсестрою. ________________________________
2) Він працює водієм. ________________________________
3) Ти працюєш учителем? ________________________________
4) Ми не працюємо водіями. ________________________________
5) Вони працюють менеджерами. ________________________________
6) Він працює секретарем? ________________________________
7) Вона працює хірургом? ________________________________
8) Вона не працює лікарем. ________________________________
9) Мої друзі працюють хірургами. ________________________________
10) Твої батьки працюють учителями? ________________________________

- **to care** — *турбуватися, піклуватися*

I don't care — Мені все одно, мені начхати
She doesn't care — Їй все одно, їй начхати

6. *Say and write in English.*

1) Мені все одно. ______________________________
2) Їй все одно. ______________________________
3) Йому все одно. ______________________________
4) Нам все одно. ______________________________
5) Їм все одно. ______________________________
6) Моїй сестрі все одно. ______________________________
7) Його друзям все одно. ______________________________
8) Брату Мері все одно. ______________________________
9) Нашим сусідам все одно. ______________________________
10) Сусідам Тома все одно. ______________________________

- **cuisine** [kwɪˈzi:n]

В англійській мові існує два варіанти для слова «кухня»:

kitchen — місце в домі, де ми готуємо їжу і

cuisine — стиль приготування їжі, характерний для певного регіону або країни:

to prefer French cuisine — віддавати перевагу французькій кухні

to like Oriental cuisine — любити східну кухню

7. *Say and write in English.*

1) Мені подобається італійська кухня. ______________________________
2) Ми віддаємо перевагу східній кухні. ______________________________
3) Моїй сестрі не подобається мексиканська кухня. ______________________________
____
4) Вона віддає перевагу європейській кухні. ______________________________
5) Тобі подобається французька кухня? ______________________________
6) Твоїм батькам подобається іспанська кухня? ______________________________
____
7) Джеку подобається португальська кухня? ______________________________
8) Він віддає перевагу східній кухні? ______________________________
9) Вони віддають перевагу японській кухні. ______________________________
10) Ви віддаєте перевагу китайській кухні? ______________________________

- *Вирази типу* **go skiing**

В англійській мові досить багато виразів типу *go skiing*, тобто дієслово *go* + інше дієслово-дія із закінченням *–ing*. Це сполучення означає «поїхати або піти кудись, щоб зайнятися чимось».

8. *Say and write in English using these expressions.* (Скажіть і напишіть англійською, використовуючи ці вирази.)

go skiing — кататися на лижах
go skating — кататися на ковзанах
go roller-skating — кататися на роликових ковзанах
go sledding — кататися на санчатах
go sailing — кататися на човні (зазвичай, з вітрилом) або ходити під вітрилом
go jogging — виходити на пробіжку (*to jog* — бігати повільно, підтюпцем)
go running — виходити на пробіжку (*to run* — бігати досить швидко)
go fishing — ходити на рибалку
go sightseeing — оглядати визначні пам'ятки

1) Ми їздимо кататися на лижах щозими. ______________________________

____

2) Взимку ми часто катаємося на ковзанах. ____________________________

____

3) Моя дочка часто ходить кататися на санчатах з друзями. _____________

____

4) Давай підемо на рибалку. ______________________________________
5) Навесні Джек часто ходить під парусом. ____________________________

____

6) Щовечора Анна виходить на пробіжку.______________________________

____

7) Він ніколи не ходить на пробіжку вранці.____________________________

____

8) Коли я їжджу за кордон (*abroad*), я часто ходжу оглядати визначні пам'ятки. ____

____

9) Давайте підемо покатаємося на роликах. ____________________________

____

10) Давай підемо покатаємося на ковзанах. ____________________________

____

11) Давай підемо на пробіжку разом. _________________________________

____

12) Він не ходить на рибалку в січні.__________________________________

____

13) Вони ніколи не оглядають визначні пам'ятки. _______________________

____

14) Сара ніколи не ходить під парусом одна. ___________________________

____

15) Я ніколи не їжджу кататися на лижах одна. _________________________

____

16) Взимку ми зазвичай їздимо кататися на лижах у горах. ______________

____

- **stay somewhere** — *зупинятися десь, жити короткий проміжок часу*

Ми можемо сказати *stay in a hotel* або *stay at a hotel.*

Зверніть увагу, що наголос у слові *hotel* падає на ОСТАННІЙ склад, тобто як в українському слові «готель».

Українською ми можемо сказати «Я живу в готелі». Англійською якщо ви скажете *I live in a hotel*, складеться враження, що ви там оселилися на пару років, оскільки слово *live* означає «постійно жити десь».

9. *Say and write in English using the verbs* _live_ *or* _stay_ .

1) Ми зазвичай живемо в цьому готелі, коли їздимо відпочивати. ___________

____

2) Вони ніколи не зупиняються в хостелах. ___________

____

3) Мій друг живе в Лондоні. ___________
4) Де живе твоя мама? ___________
5) Де ти зазвичай живеш, коли їздиш на море? ___________

____

Revision exercise. Translate into English.

1) Твій чоловік працює хірургом? ___________
2) Мої діти займаються спортом щодня, крім неділі. ___________

____

3) Його сусіди їздять у відпустку двічі на рік: влітку вони їдуть на море, а взимку вони проводять відпустку в горах. ___________

____

4) Коли ми їдемо у відпустку, ми рідко зупиняємося в готелях. Ми часто знімаємо апартаменти з можливістю приготування їжі. ___________

____

____

5) Її маленький син ніколи не катається на лижах. Замість цього він катається на санчатах. ___________

____

6) Коли ти ходиш у басейн? ___________
7) Якій кухні віддає перевагу твій син? — Моєму синові все одно. ___________

____

____

8) Мої діти не ходять оглядати визначні пам'ятки. ___________

____

УРОК 15

Спілкування. *З'ясування інформації. Розклад дня.*
Граматика. *Спеціальні запитання в Present Simple. Питальні слова.*

15.1

Daily routines around the world	Щоденний звичайний порядок справ у світі
• In Austria children go to school at half past seven in the morning.	• В Австрії діти йдуть до школи о пів на восьму ранку.
• In Germany people go to work between seven and nine in the morning.	• У Німеччині люди йдуть на роботу між сьомою та дев'ятою ранку.
• People in Holland, the Dutch, start work at eight in the morning and finish work at five in the afternoon.	• Люди в Голландії, голландці, починають роботу о восьмій ранку і закінчують о п'ятій вечора (дослівно: після полудня).
• In France people have lunch at midday.	• У Франції люди обідають опівдні.
• In Spain people have lunch at three or four o'clock in the afternoon.	• В Іспанії люди обідають о третій або четвертій після полудня.
• The Americans finish work at five in the afternoon.	• Американці закінчують роботу о п'ятій вечора.
• People in Norway, the Norwegians, have dinner at five in the afternoon.	• Люди в Норвегії, норвежці, вечеряють о п'ятій вечора.
• The Spanish have dinner at ten or eleven in the evening.	• Іспанці вечеряють о десятій або одинадцятій вечора.
• Who has lunch at midday? — The French.	• Хто обідає опівдні? — Французи.
• Who finishes work at five in the afternoon? — The Americans.	• Хто закінчує роботу о п'ятій вечора? — Американці.
• What time do the Spanish have dinner? — At ten or eleven in the evening.	• О котрій годині іспанці вечеряють? — О десятій або одинадцятій вечора.

ЛЕКСИЧНИЙ КОМЕНТАР

Вираз *in the afternoon* означає час після полудня приблизно до 17:00. Тому українською мовою цей вираз може перекладатися як «після полудня», так і «ввечері» / «вечора»

РОБОТА З ТЕКСТОМ

1. Знайдіть у тексті еквіваленти цих слів і виразів.

1) голландці ____________________
2) вранці / ранку ________________
3) обідати ______________________
4) опівдні ______________________
5) увечері / вечора ______________
6) закінчувати роботу ____________
7) закінчує роботу _______________
8) норвежці _____________________
9) іти на роботу _________________
10) після полудня ________________

2. Подивіться уважно на ці запитання:

What time do the Spanish have dinner?
Who finishes work at five in the afternoon?
Who has lunch at midday?

Перед тим, як ви прочитаєте пояснення в розділі «Граматика», спробуйте здогадатися, чому в першому запитанні ми використовуємо допоміжне дієслово *do*, а в другому і третьому обходимося без нього.

Підказка. Дайте відповідь на запитання: Де в англійському реченні ставиться допоміжне дієслово? В другому й третьому запитаннях яке слово виконує роль питального слова? Яке слово виконує функцію підмета?

ГРАМАТИКА

Запитання до підмета

Чому в питальних реченнях типу *Who finishes work at five in the afternoon?* і *Who has lunch at midday?* відсутнє допоміжне дієслово?

Давайте пригадаємо структуру запитання в англійській мові. Вона має такий вигляд:

питальне слово — допоміжне дієслово — підмет — присудок — інші члени речення

У вищенаведених запитаннях *Who* виконує функцію і питального слова, і підмета, тому для допоміжного дієслова тут просто немає місця. Також зверніть увагу, що дієслово стоїть завжди в 3-й особі однини.

Запитання, що ставляться до означення підмета, також не потребують допоміжного дієслова:

What film starts at 9 p.m.? — Який фільм починається о 9-й вечора?

Збірна назва людей однієї національності

Якщо назва національності закінчується на шиплячий або свистячий звук (*-sh, -tch, -ese, -ss*), то слово не ставиться у множину, проте перед ним з'являється означений артикль *the*:

the Dutch — голландці *the British* — британці
the Chinese — китайці *the Turkish* — турки

Якщо назва національності закінчується на інші букви (наприклад, на *–ian*), то слово ставиться у множину (додається закінчення *–s*). У цьому випадку до назви національності додається означений артикль *the* тільки тоді, коли ми маємо на увазі конкретних людей цієї національності:

Italians — італійці (будь-які італійці)

the Italians that I know — італійці, яких я знаю

Americans — американці (будь-які американці)

The Americans that live along the Canadian border — американці, які живуть уздовж канадського кордону.

Arabs — араби *The Arabs of Egypt* — араби Єгипту

Grammar practice

1. Напишіть час цифрами, додавши *a.m.* або *p.m.*

Example: Quarter to six in the evening *5.45 p.m.*

1) Half past eleven in the morning ______________
2) Twenty to four in the afternoon ______________
3) Twenty-five to one in the morning ______________
4) Ten past seven in the evening ______________
5) Five in the afternoon ______________
6) Half past midnight ______________
7) Midnight ______________
8) Midday ______________
9) Quarter past midday ______________

2. Ще раз уважно прочитайте текст і напишіть запитання до цих відповідей.

Example: *What time do people in France have lunch? / What time do people have lunch in France?* At midday.

1) ______________________________
At half past seven in the morning.
2) ______________________________
At eight in the morning
3) ______________________________
Between seven and nine in the morning.
4) ______________________________
They finish work at five in the afternoon.
5) ______________________________
At ten or eleven in the evening.
6) ______________________________
At three or four o'clock in the afternoon.

3. Користуючись зразком, напишіть запитання за текстом.

Example: *Where do children go to school at half past seven in the morning?*
In Austria.

1) ____

In the USA and in Holland.

2) ____

In Spain.

3) ____

In Norway.

4) ____

In France.

5) ____

In Holland.

6) ____

In Germany.

4. Користуючись зразком, напишіть запитання за текстом.

Example: *Who goes to school at half past seven in the morning?*

Children in Austria.

1) ____

People in Germany.

2) ____

People in Holland.

3) ____

People in Norway.

4) ____

People in the USA and in Holland.

5) ____

People in France.

6) ____

People in Spain.

5. Напишіть, як англійською ми назвемо всіх представників цих національностей (звертайте увагу на вживання артикля!). Якщо ви забули назви деяких національностей, поверніться до уроку 6 (с. 47).

1) німці ____________________
2) голландці ____________________
3) французи ____________________
4) британці ____________________
5) японці ____________________
6) китайці ____________________
7) канадці ____________________
8) поляки ____________________
9) українці ____________________
10) росіяни ____________________

Speaking practice

1. *Answer these questions about yourself.*

1) What time do you usually get up?
2) Who cooks breakfast for you? (yourself / your mom / your husband / wife)
3) What time do you usually have breakfast?

4) What time do you usually leave home? What time do you usually get to work?
5) What time and where do you usually have lunch?
6) What time do you usually finish work and come back home?
7) How do you usually get home? (by bus / on foot / by taxi / by bike / by Underground / by tram)
8) What do you usually do in the evening?
9) What time do you usually have dinner? What time do you usually go to bed?

2. Використовуючи нижченаведені вирази, а також обставини частоти дії *always, usually, often, sometimes,* розкажіть про розклад дня свого родича (чоловіка, жінки, дитини, будь-кого з батьків). Не забувайте додавати закінчення *–s* до дієслів (*He gets up, she brushes her teeth* ...).

get up — вставати
brush one's teeth* — чистити (свої) зуби
have breakfast — снідати
leave home — іти з дому (досл. «залишати домівку»)
go to work / to school — іти на роботу / до школи
start work — починати роботу
have a lunch break — мати перерву на обід
finish work — закінчувати роботу
come back home — повертатися (досл. «приходити назад») додому
watch TV — дивитися телевізор
go to bed — лягати спати (досл. «іти до ліжка»)

** one's означає, що в реченні на цьому місці має стояти відповідний присвійний займенник:*
I brush *my* teeth / She brushes *her* teeth / We brush *our* teeth тощо.

Revision exercise. Translate into English.

1) Голландці починають роботу о сьомій ранку? — Ні. ____________________
____
2) О котрій годині зазвичай встає твоя дочка? — За п'ятнадцять хвилин до восьмої. ____
____
3) Поляки багато працюють? ____________________
4) Опівдні ми обідаємо. ____________________
5) Мій батько часто повертається додому після 8-ї вечора. ____________________
____
6) Я не лягаю спати пізно. ____________________
7) Її дочка йде з дому о пів на дев'яту ранку. ____________________
____
8) Моя мама завжди чистить зуби після сніданку. ____________________
____

УРОК 16

Спілкування. *Сім'я. Сімейний стан.*

Граматика. *Have got. Неозначені займенники some і any.*

16.1

Hi there. My name's Brittany Wallace. I'm 32. I'm from California. I work as a primary school teacher. I love my job because I love little kids. I'm married and I have two wonderful children: a daughter and a son. They are twins. They go to school, to the same school where I work. My daughter's name is Alice and my son's name is Larry. They are 7 years old.

Привіт! Мене звати Бріттані Уоллес. Мені 32 роки. Я з Каліфорнії. Я працюю вчителем у початковій школі. Я люблю свою роботу, тому що люблю маленьких дітей. Я одружена, й у мене дві чудові дитини — дочка і син. Вони близнюки. Вони ходять до школи, тієї ж самої школи, де я працюю. Мою дочку звати Еліс, а мого сина звати Ларрі. Їм по 7 років.

My husband's name is Colin. He's my age. He's an IT-specialist. I'm an only child, but my husband has three brothers and two sisters. So our kids have a lot of aunts and uncles.

Мого чоловіка звати Колін. Він мого віку. Він IT-спеціаліст. Я єдина дитина, але у мого чоловіка три брати і дві сестри. Тож у наших дітей багато тіток і дядьків.

On weekends we often visit my parents or my parents-in-law. They are so happy to see their grandchildren! The grandpas play football or basketball with the kids and the grannies always cook something delicious.

У вихідні (в суботу-неділю) ми часто відвідуємо моїх батьків або моїх свекрів. Вони такі щасливі бачити своїх онуків! Дідусі грають у футбол або баскетбол з дітьми, а бабусі завжди готують щось смачненьке.

On Christmas we gather all together: our family, my parents and all my in-laws with their kids. It's a very big family reunion!

На Різдво ми всі збираємось разом: наша сім'я, мої батьки і родичі мого чоловіка зі своїми дітьми. Це дуже великі сімейні збори!

My name's David Smith. I'm married and my wife's name's Jess. We live in Britain. We've got a small farm and we work very hard every day. Our daughter Megan is grown-up. She is 22. She doesn't live with us. She's got a job in town and she rents a flat there. She works as a waitress in a nice little restaurant. She's single and hasn't got any children. But she's got some cats instead — three or four, I'm not sure.

Мене звати Девід Сміт. Я одружений, і мою жінку звати Джесс. Ми живемо в Британії. У нас маленька ферма, і ми важко працюємо щодня. Наша дочка Меган доросла. Їй 22 роки. Вона не живе з нами. У неї робота в місті, і вона там знімає квартиру. Вона працює офіціанткою в милому маленькому ресторанчику. Вона не одружена, і в неї немає дітей. Але натомість у неї є декілька котів — три або чотири, я не впевнений.

My brother Josh lives nearby. He's divorced and lives alone. He works with us on the farm.	Мій брат Джош живе неподалік. Він розлучений і живе сам. Він працює з нами на фермі.
Samba is a farmer and a vet in Senegal. He's thirty-nine years old. Samba is married. He and his wife have got six children, five girls and one boy. They live with the family of Samba's father. His uncle's family also live there. They all work on the farm. His uncle is a widower.	Самба фермер і ветеринар у Сенегалі. Йому 39 років. Самба одружений. У нього і його жінки шестеро дітей, п'ять дівчат і один хлопчик. Вони живуть з родиною батька Самби. Сім'я його дядька теж живе там. Вони всі працюють на фермі. Його дядько вдівець.
The men and the older boys are often away from home with the animals. The women, the girls and the little boys stay at home with the old and sick people. The women make yogurt and sell it in exchange for food, oil, salt and other things for the home. Samba's wife and their daughters walk ten kilometres twice a day to get water. It's hard work but they are a very happy family.	Чоловіки і старші хлопці часто бувають з тваринами далеко від дому. Жінки, дівчатка і маленькі хлопці залишаються вдома зі старими і хворими людьми. Жінки роблять йогурт і продають його в обмін на їжу, олію, сіль та інші речі для дому. Жінка Самби і їхні доньки ходять пішки 10 кілометрів двічі на день, щоб набрати води. Це важка праця, але вони дуже щаслива сім'я.

РОБОТА З ТЕКСТОМ

1. *Read the text carefully again and find the English equivalents of these words and expressions in the text. Pay attention to the prepositions and articles.* (Уважно прочитайте ще раз текст і знайдіть у ньому еквіваленти цих українських слів і виразів. Звертайте увагу на прийменники й артиклі!)

1) учитель початкової школи ____________________
2) Я люблю маленьких дітей. ____________________
3) чудовий ____________________
4) тітки й дядьки ____________________
5) знімати квартиру ____________________
6) жити одному ____________________
7) розлучений ____________________
8) працювати на фермі ____________________
9) важка праця ____________________
10) старанно / важко працювати ____________________
11) вдівець ____________________
12) в обмін на їжу ____________________

13) дорослий ______________________________
14) працювати офіціанткою ______________________________
15) бути не одруженою / не одруженим ______________________________
16) близнюки ______________________________
17) сімейні збори / возз'єднання ______________________________
18) натомість / замість цього ______________________________
19) ветеринар ______________________________
20) жити неподалік ______________________________
21) щось дуже смачне ______________________________
22) у вихідні (у суботу-неділю) ______________________________
23) бабуся / дідусь ______________________________
24) той самий, такий самий ______________________________
25) онуки ______________________________
26) єдина дитина ______________________________
27) старші хлопці ______________________________
28) бути часто далеко від дому ______________________________
29) залишатися вдома ______________________________
30) старі і хворі люди ______________________________
31) двічі на день ______________________________
32) щоб дістати воду / набрати води ______________________________
33) родичі чоловіка / жінки ______________________________

GRAMMAR

Have got

У тексті вам зустрівся зворот *have got*. Це розмовний варіант дієслова *have*. Цей зворот досить часто вживається в повсякденному мовленні, тому його потрібно обов'язково знати і впізнавати на слух.

У стверджувальній формі, як правило, використовується скорочений варіант:

I've got = I have got
They've got = They have got
We've got = We have got
He's got = He has got
She's got = She has got
It's got = It has got

Наприклад:

We have a house. = *We've got* a house. — Ми маємо будинок.
You have a pencil. = *You've got* a pencil. — Ти маєш олівець.
They have a dog. = *They've got* a dog. — Вони мають собаку.
He has a train. = *He's got* a train. — Він має поїзд.
She has a sister. = *She's got* a sister. — Вона має сестру.
It has a tail. = *It's got* a tail. — Він (наприклад, кіт) має хвіст.
My friend has a computer. = *My friend's got* a computer. — Мій друг має комп'ютер.

Запитання і заперечення з *have got* утворюються досить просто. В питальній формі достатньо поставити *have / has* перед підметом, а в заперечній формі — додати частку *not* після *have / has.*

Запитання		
Have	I we you they	got...?
Has	he she it	

Заперечення		
I We You They	have not (haven't)	got...
He She It	has not (hasn't)	

Коротка відповідь		
Yes, No,	I we you they	have. haven't.
Yes, No,	he she it	has. hasn't.

Have you got a sister? — У тебе є сестра?
No, I haven't. — Ні.
I haven't got a sister. — У мене немає сестри.
Has your friend got a kite? — Твій друг має повітряного змія?
No, he hasn't. — Ні.
He hasn't got a kite. — Він не має повітряного змія.

Звичайно, замість *have got* можна використовувати *have* (*has* для *he / she / it*), але не забувайте, що в цьому випадку запитання і заперечення утворюються, як з будь-якими іншими дієсловами, тобто за допомогою допоміжного дієслова *do / does:*

Does he have any brothers or sisters? — No, he *doesn't*. He *doesn't have* any brothers or sisters.

Він має братів або сестер? — Ні. Він не має (ніяких) братів і сестер.

Do you have any water? — No, *I don't*. I *don't have* any water.

У вас є вода? — Ні. У мене немає (ніякої) води.

Some, any

З обчислювальними іменниками у множині і з необчислювальними іменниками в питальній і заперечній формі вживається слово *any*, а у стверджувальній — *some*:

Have you got *any* friends here? — У тебе тут є (хоч якісь) друзі?
Yes, I have *some*. — Так, є декілька.
I've got *some* friends. — У мене декілька друзів.
Have you got *any* sugar? — У вас є цукор?
We haven't got *any* sugar. — У нас немає (ніякого) цукру.

Grammar practice

1. Напишіть, що у кого є. Використовуйте коротку форму від *have got* і *has got* — *'ve got* і *'s got.*

Example: (he / a pen) ___*He's got a pen.*___

1) (I / an exercise book) ______________________________
2) (we / a book) ______________________________
3) (you / a good boss) ______________________________
4) (I / a flat-sceen TV (*телевізор з плоским екраном*) ______________________________

5) (they / a big house) ______________________________
6) (she / an eraser) ______________________________
7) (he / an uncle in Germany) ______________________________
8) (my nephew / a good job) ______________________________

2. Перетворіть ці речення на заперечні. Не забудьте змінити *some* на *any*.

Example: I've got some friends here. *I haven't got any friends here.*

1) My father-in-law has got a big car. ______________________________
2) My daughter-in-law's got a sister. ______________________________
3) They've got nice suits. ______________________________
4) My friends have got some books in German. ______________________________

5) We've got some money. ______________________________
6) He's got a brother. ______________________________
7) You've got some time. ______________________________

3. Поставте запитання з *have got* / *has got,* користуючись підказками. Додайте до іменників *any* або *a / an*. Потім напишіть короткі відповіді.

Example: (he / bike. Yes) *Has he got a bike? — Yes, he has.*
(you / meat. No) *Have you got any meat? — No, we haven't.*

1) (your daughter / pet. No) ______________________________
2) (she / aunt. No) ______________________________
3) (we / sugar. No) ______________________________
4) (they / friends here. Yes) ______________________________
5) (you / time. No) ______________________________
6) (she / money. Yes) ______________________________
7) (your friends / flowers. No) ______________________________
8) (your baby / toy. Yes) ______________________________
9) (he / car. No) ______________________________

4. Напишіть повну форму скорочення *'s*. Будьте уважні! Іноді воно може означати *is*, а іноді — *has*.

Example: He's a student. *He is* a student.

1) Tom's thirsty. ________________ thirsty.
2) She's got a brother. ________________ a brother.
3) He's tired. ________________ tired.
4) He's got two pens. ________________ two pens.

5) She's in London. __________________ in London.
6) She's got many friends. __________________ many friends.
7) He's my friend. __________________ my friend.
8) He's your brother. __________________ your brother.
9) It's got a long tail. __________________ a long tail.
10) It's a kite. __________________ a kite.

5. Перетворіть твердження на запитання. Не забувайте, що *some* у запитанні змінюється на *any*.

Example: Tom has a car. *Does Tom have a car?*
Leila's got many friends. *Has Leila got many friends?*

1) They've got a country house. ______________________________
2) You have a nice dress. ______________________________
3) He has some mistakes in his test. ______________________________
4) He's got some problems. ______________________________
5) They have a noisy neighbour. ______________________________
6) You've got a brother. ______________________________
7) They have some meat. ______________________________
8) He has some fish. ______________________________

6. Перетворіть твердження на заперечення. Не забувайте, що *some* у запереченнях змінюється на *any*.

1) Sam has long hair. ______________________________
2) My parents have got good jobs. ______________________________
3) Their children have some friends here. ______________________________
4) We have some nice pictures on the wall. ______________________________
5) They've got a wonderful garden. ______________________________
6) My classmate has four sisters. ______________________________
7) Our teacher has got a nice voice. ______________________________
8) Tara has some mistakes in her test. ______________________________

РОЗШИРЕННЯ СЛОВНИКОВОГО ЗАПАСУ

Сім'я / родичі

Крім уже відомих *brother, sister, mother, father* у тексті присутні назви ще деяких родичів:

дядько — *uncle* [ʌŋkl] тітка — *aunt* [ɑ:nt]
вдівець — *widower* [ˈwɪdəʊə] вдова — *widow* [ˈwɪdəʊ]

Назви всіх родичів з боку чоловіка і жінки утворюються за допомогою добавки *in-law* (дослівно «в законі»).

brother-in-law — шурин / дівер, а також чоловік сестри
sister-in-law — зовиця / своячка, а також жінка брата
mother-in-law — теща / свекруха
father-in-law — тесть / свекор
parents-in-law — свекри / тесть з тещею
son-in-law — чоловік дочки
daughter-in-law — жінка сина

Усіх родичів чоловіка або жінки можна назвати просто *in-laws*.

1. *Say and write in English.*

1) Чоловік моєї дочки працює водієм. ______________________________
2) У жінки її сина троє братів. ______________________________
3) Теща мого брата віддає перевагу східній кухні. ______________________________
____
4) Де живе твій дядько? ______________________________
5) Твоя тітка працює в Іспанії? ______________________________
6) У її свекра 4 автівки? ______________________________

2. *Say and write in English.*

in exchange for — в обмін на

1) в обмін на їжу______________________________
2) в обмін на твоє мовчання (*silence*) ______________________________
3) в обмін на твою роботу ______________________________
4) в обмін на каву ______________________________
5) в обмін на цю поїздку (*trip*) ______________________________
6) в обмін на твоє пояснення ______________________________

3. *Say and write in English.*

an only child — єдина дитина

1) Ти єдина дитина? ______________________________
2) Він не єдина дитина. ______________________________
3) Клара не єдина дитина. ______________________________
4) Вона єдина дитина? ______________________________
5) Погано бути єдиною дитиною. ______________________________

4. *Say and write in English.*

A. ***instead*** — замість цього, натомість (ставиться наприкінці речення)

Example: *I don't eat sugar, I eat fruits instead.* — Я не їм цукру, замість цього (= замість нього) я їм фрукти.

1) Я не ходжу на пробіжку, натомість я ходжу плавати. ______________________________
____
2) Я не їм груш, я їм яблука замість них. ______________________________
____

3) У мене немає собаки, замість нього у мене кішка. ____________________
____

4) Він не п'є каву, він замість неї п'є чай. __________________________
____

5) Вона не їсть цукерки, натомість вона їсть багато шоколаду. __________
____

6) Я не займаюся спортом, натомість я багато ходжу пішки щодня. ______
____

B. ***instead of*** — замість чогось / когось: *instead of you* — замість тебе

1) Будь ласка, дай мені чай замість кави. ____________________________
____

2) Їжте фрукти замість цукерок. ______________________________________

3) Дай мені, будь ласка, рибу замість м'яса. __________________________
____

4) Я завжди роблю це замість тебе (=за тебе). ________________________
____

5) Мій брат хворий, тому я хочу піти до театру замість нього. _________
____

5. *Translate the sentences into English using the vocabulary from the text of this lesson.* (Перекладіть речення англійською мовою, вживаючи лексику з тексту цього уроку.)

1) Моя мама вчитель початкової школи. ____________________________
2) Твій брат працює вчителем початкової школи? ____________________
3) Вони люблять маленьких дітей. _________________________________
4) У них троє чудових дітей. _____________________________________
5) Мої дядьки й тітки живуть у Німеччині. _________________________
6) Ми ніколи не знімаємо квартиру, коли їздимо на море. ____________
____
7) Давай візьмемо напрокат (досл. «орендуємо») машину. ____________
____
8) Давай візьмемо напрокат човен. ________________________________
9) Моя тітка живе одна. ____
10) Мій дядько працює на фермі. __________________________________
11) Це важка праця. ____
12) Він не любить важкої праці. ___________________________________
13) Він завжди старанно працює? __________________________________
14) Вона ніколи не працює старанно. _______________________________
15) Мій дядько вдівець. ____
16) Вона вдова? ____
17) Вона не вдова, вона розлучена. _________________________________

18) Моя сестра не одружена, але має дочку. ______________________________
19) Моя подруга працює офіціанткою в цьому ресторані. ______________________________

____
20) Їхні діти вже дорослі. ______________________________
21) Вони близнюки. ______________________________
22) Ми не близнюки. ______________________________
23) Це велике возз'єднання сім'ї. ______________________________
24) Мій дідусь працює ветеринаром.______________________________
25) Моя бабуся працює вчителем початкових класів. ______________________________

____
26) Мої теща і тесть живуть неподалік.______________________________
27) Ти живеш недалеко звідси (неподалік)? ______________________________

____
28) Він не живе поблизу. ______________________________
29) Моя бабуся завжди готує щось дуже смачне, коли ми приїжджаємо. _____

____
30) Твоя мама завжди готує щось смачненьке щонеділі? ______________________________

____
31) Її онуки живуть неподалік. ______________________________
32) У нього така сама помилка. ______________________________
33) Ми їздимо в одне й те саме місце щороку. ______________________________

____
34) Вони орендують одну й ту саму машину. ______________________________
35) Вони живуть в одній (і тій самій) кімнаті. ______________________________
36) Це та ж сама людина. ______________________________
37) Вони вечеряють у тому ж ресторані.______________________________
38) Ми відвідуємо родичів мого чоловіка двічі на рік. ______________________________

____
39) Він приходить сюди двічі на день.______________________________
40) Він їздить до Лондона двічі на місяць. ______________________________
41) Вони проходять 3 милі, аби набрати води. ______________________________

____
42) Старі та хворі люди залишаються вдома. ______________________________

____
43) Мої бабуся і дідусь дуже рідко залишаються вдома на суботу-неділю. _____

____
44) У суботу-неділю ми часто залишаємося вдома.______________________________

____
45) Мій син зараз далеко від дому. ______________________________
46) Вони зараз далеко від дому?______________________________
47) Мій брат часто буває далеко від дому.______________________________
48) Її онуки живуть у тому ж самому місті. ______________________________

УРОК 17

Спілкування. *Орієнтація в місті. Опис будинку, квартири.*

Граматика. *Зворот there is / there are. Прийменники місця.*

17.1

There are 100 fully furnished luxury apartments on our ship The Sea Beauty. But that's not all. There are two swimming pools, three restaurants and a gym. There are a lot of shops, but there aren't any cars or traffic jams, so there is no city stress. In all our apartments there is a large living room and two or three bedrooms. In every bedroom there's a private bathroom and all the kitchens have a cooker, a dishwasher, a fridge and a microwave. There's also a washing machine in our apartments. Of course there isn't a garden but every apartment has a private terrace instead. There is a modern flat-screen TV, DVD and CD players in all the living rooms. Choose the style of your furniture and make your apartment on the ship a comfortable home.

На нашому кораблі «Морська красуня» знаходиться 100 повністю мебльованих розкішних апартаментів. Але це не все. На ньому два басейни, три ресторани і спортзал (тренажерний зал). Тут багато магазинів, але немає машин або дорожніх пробок, тому тут немає міського стресу. В усіх наших апартаментах є велика вітальня і дві-три спальні. В кожній спальні є своя (приватна) ванна кімната, і в усіх кухнях є варильна плита, посудомийна машина, холодильник і мікрохвильовка. В наших апартаментах також є пральна машина. Звичайно, тут немає саду, але замість нього є приватна тераса. В усіх вітальнях є сучасний телевізор з плоским екраном, DVD і CD програвачі. Виберіть стиль ваших меблів і зробіть ваш апартамент на кораблі затишним (комфортабельним) домом.

РОБОТА З ТЕКСТОМ

1. *Find the English equivalents of these words and expressions in the text.* (Знайдіть у тексті англійські еквіваленти цих слів і виразів.)

1) посудомийна машина__________
____
2) кухня __________________________
3) приватна тераса ______________
____
4) розкішний апартамент__________
____
5) спортзал________________________
6) басейн _________________________
7) магазин ________________________
8) ресторан_______________________
9) варильна плита ______________
10) холодильник _______________
11) мікрохвильовка ___________
____
12) приватна ванна кімната_______
____
13) повністю мебльований _______
____
14) сад ___________________________

15) сучасний телевізор з плоским екраном ______________________
____
16) вітальня ______________________
17) затишний будинок ______________________
18) пральна машина ______________________
____
19) меблі ______________________
20) дорожня пробка ______________________
____
21) спальня ______________________
22) міський стрес ______________________
____

2. *True or false? Correct the sentences if false.* (Правильно чи помилково? Виправте речення, якщо вони помилкові).

1. There is no bathroom in the apartments on the ship. ______________________
____
2. There is a big garden and two restaurants on the ship. ______________________
____
3. There is a large living room in every apartment. ______________________
____
4. There's one big terrace for all the apartments. ______________________
____
5. There are no shops or cars on the ship. ______________________
____
6. Living on a ship is stressful. ______________________
7. There is a gym in every restaurant. ______________________
____
8. You must bring your furniture with you. ______________________
9. There is a garden in some apartments. ______________________

GRAMMAR

Конструкція There is / There are

У тексті нам неодноразово зустрілася конструкція *There is / There are*. Давайте розберемося, для чого вона.

Подивіться на це речення: *The hat is on the table.*

Це речення з уже знайомою нам традиційною англійською структурою: підмет (*the hat*), присудок (*is*) й інші члени речення (*on the table*). Перекладається воно українською мовою практично дослівно:

Капелюх знаходиться (лежить) на столі.

Зверніть увагу на артикль *the* перед словом *hat*. Тобто нас цікавить ось цей конкретний капелюх. Цим реченням можна було б дати відповідь на запитання *Where is the hat?* — Де капелюх?

А тепер давайте розглянемо інше речення:

There is a hat on the table.

Тут структура речення вже змінилася. Це речення ми перекладемо українською мовою як «На столі лежить (знаходиться) (якийсь) капелюх».

Цим реченням можна було б дати відповідь на запитання *What's (there) on the table?* — Що лежить на столі?

Отже, давайте підсумуємо.

Якщо нас цікавить, що знаходиться в певному місці, ми вживаємо конструкцію *There is* (для однини) та *There are* (для множини). В українській мові такі речення починаються з обставини місця (обставина місця відповідає на запитання «Де?»), а все речення відповідає на запитання «Що (знаходиться)?»:

What is in your pocket? — Що (знаходиться) у твоїй кишені?

There is (There's) a pen in my pocket. — У моїй кишені (знаходиться) ручка.

There are (There're) two pencils in my pocket. — У моїй кишені (знаходяться) два олівці.

Щоб було ще ясніше, давайте порівняємо ці дві ситуації:

- *What's on the table? — There's a vase on the table.* Ми цікавимося, що знаходиться на столі. — На столі стоїть (знаходиться) (якась, неважливо, яка) ваза.

- *Where is the vase? — The vase is on the table.* Нас цікавить місцезнаходження певної вази, яку ми шукаємо — Ваза (та сама, яку ми шукаємо) стоїть на столі.

Зверніть увагу на вживання артиклів з цією конструкцією:
There is a flower in the vase. — У вазі (саме в цій вазі) є квітка (якась квітка, про яку ми вперше чуємо).

- Якщо ми маємо справу з іменником у множині або з необчислювальним іменником, то ми вживаємо слово *some* («декілька», «невизначена кількість»):

There is (= There's) *some sugar* in my cup. — У моїй чашці є цукор (деяка кількість).

There are *some people* in the square. — На майдані знаходяться декілька осіб.

- Якщо ми перелічуємо декілька предметів, то дієслово *to be* узгоджується з тим іменником, який іде одразу за дієсловом:

There *are two cups and a plate on the table.*
There *is a plate and two cups on the table.*

- Заперечення і запитання з конструкцією *There is / There are*

Питальна форма	Заперечна форма
Is there (any)...? *Are there (any)...?*	*There is not (any)... = There isn't (any)... = There's no ...* *There are not (any)... = There aren't (any)... = There're no ...*

Is there any water in your cup? — У твоїй чашці є вода?

There isn't any water in my cup. = *There's no* water in my cup. — У моїй чашці немає (ніякої) води.

▪ У запитаннях і запереченнях після *There is / There are* часто вживається слово *any*, що в запереченні означає «ніякого», а в запитанні — «якийсь». Українською це слово, як правило, не перекладається.

Is there any sugar in your tea? — У твоєму чаю є (якийсь) цукор?

No, *there isn't any sugar in my tea.* — В моєму чаю немає (ніякого) цукру.

But *there is some* (sugar) *in your tea.* — Але у твоєму чаю є трохи (цукру).

▪ На запитання можна дати коротку відповідь:

Is there a pen in your bag? — Yes, there is. (У твоїй сумці є ручка? — Так, є.)

Are there any pictures on the wall? — No, there aren't. (На стіні є картини? — Ні.)

▪ У конструкції *There is / There are* слово *There* не перекладається. Тому, якщо ми хочемо сказати, що щось знаходиться *там*, ми повинні повторити слово *there* наприкінці речення:

There are ten children there. — Там десятеро дітей.

Are there any apples there? — Там є яблука?

There aren't any books there. — Там немає (ніяких) книжок.

Іноді в реченнях з *There is / There are* зовсім відсутня обставина місця (тобто покажчик місця розташування), як, наприклад, у реченні з нашого тексту:

There are two swimming pools, three restaurants and a gym.

У цьому випадку ясно, що йдеться про корабель, оскільки саме про нього ми говорили в попередньому реченні. Тому українською ми в цьому випадку сказали б: *На ньому / На цьому кораблі / Там* є два басейни, три ресторани і спортзал.

▪ Обставина місця може ставитися також і на початку речення з конструкцією *there is / there are*, не змінюючи значення цього речення:

In our group there are ten people. — У нашій групі 10 осіб.

Прийменники місця

Коли ми описуємо місцезнаходження, звичайно, нам потрібно знати прийменники місця. Деякі з них нам уже відомі з уроку 9. Ось вони:

in — в / у

on — на

under — під

at — у / в, біля, на. Цей прийменник не має чіткого відповідника в українській мові. Поступово запам'ятовуйте різні випадки вживання цього прийменника для опису місцезнаходження.

behind — за, позаду
between — між
near — поруч, недалеко
next to — поруч, наступний у рядку, в безпосередній близькості
opposite — навпроти

Ось ще декілька прийменників місця, які стануть вам у пригоді:
in front of — перед чимось
over — над
to the left of — зліва від
to the right of — справа від
in the middle of — посередині, в центрі чогось

Наприклад:
In front of the sofa there's a table. — Перед диваном стоїть (знаходиться) стіл.
Over the sink there's a mirror. — Над раковиною висить (знаходиться) дзеркало.
To the right of the door there's an armchair. — Справа від дверей стоїть крісло.
To the left of the window there's a bookcase. — Зліва від вікна стоїть книжкова шафа.
There's a carpet *in the middle of* the room. — У центрі кімнати лежить килим.

Grammar practice

1. Вставте правильну форму дієслова *to be — is* або *are*.

Example: There <u>*are*</u> children in the room.

1) There _________ a doll in the box.
2) There _________ an apple in my bag.
3) There _________ some milk in the cup.
4) There _________ some pictures on the wall.
5) There _________ many children in the garden.

2. Напишіть речення, використовуючи конструкцію *There is / There are* і слова в дужках. Усно перекладіть речення українською мовою.

Example: (two pens / on the book) <u>*There are two pens on the book.*</u>

1) (a plant / in the middle of the room) ______________________________
2) (a cat / behind the arm-chair) ______________________________
3) (some flowers / in the vase) ______________________________
4) (many people / in the room) ______________________________
5) (a car / in front of the house) ______________________________
6) (a tree / behind the house) ______________________________
7) (an armchair / to the left of the window) ______________________________
____
8) (a table / in front of the wardrobe) ______________________________
9) (two chairs / to the left of the door) ______________________________

3. Напишіть відповіді на запитання, використовуючи слова в дужках.

Example: What's in your pocket? (keys) *There are keys in my pocket.*
Where is your pencil? (in my bag) *It's in my bag.*

1) What's under the table? (a cat and a dog) ____________________
2) Where is my dress? (in the wardrobe) ____________________
3) Where are your glasses? (on the table) ____________________
4) What's in that room? (some chairs) ____________________
5) What's in your bag? (new books) ____________________

4. *Translate into English.*

1) На столі є ручка. ____________________
2) Книга лежить на столі. ____________________
3) У кімнаті є діти. ____________________
4) У саду багато дерев. ____________________
5) На стіні висить картина. ____________________
6) Картина висить на стіні. ____________________
7) Перед диваном стоїть крісло. ____________________

5. Складіть запитання зі словами в дужках, використовуючи *There is / There are.*

Example: cups *Are there any cups* in the kitchen?

1) birds ____________________ in the tree?
2) toys ____________________ under the bed?
3) a dog ____________________ behind the house?
4) soup ____________________ in the bowl?

6. Перетворіть речення на заперечні за зразком.

Example: There's a dog on the sofa. *There's no dog* on the sofa.

1) There's a bird in the tree. ____________________ in the tree.
2) There's a cat under the chair. ____________________ under the chair.
3) There're trees in front of the house. ____________________ in front of the house.
4) There're cars in the street. ____________________ in the street.

7. Надайте коротку відповідь на ці запитання: (✓) — стверджувальна, (✗) — заперечна.

Example: Is there any water in the cup? (✗) *No, there isn't.*
Is there any sugar in the tea? (✓) *Yes, there is.*

1) Is there a plate on the table? (✓) ____________________
2) Are there any children in the room? (✓) ____________________
3) Are there any tigers in the Zoo? (✗) ____________________
4) Are there any interesting books here? (✓) ____________________
5) Is there a dishwasher in the kitchen? (✗) ____________________
6) Are there any apples on the plate? (✗) ____________________

8. Напишіть іншу заперечну форму замість наданої.

Example: There's no salt in the soup. *There isn't any salt* in the soup.

1) There're no flowers on the table. ________________ on the table.
2) There're no boys in our group. ________________ in our group.
3) There's no snow outside. ________________ outside.
4) There're no clouds in the sky. ________________ in the sky.
5) There's no pen in my bag. ________________ in my bag.
6) There're no people in the house. ________________ in the house.
7) There's no money in my pockets. ________________ in my pockets.

9. Сем живе в дуже маленькому містечку. Напишіть правильні речення про його містечко — стверджувальні або заперечні.

Example: (university — No) *There's no university in his town.*

1) (park — Yes) ________________
2) (hotel — Yes) ________________
3) (school — Yes, three) ________________
4) (hospital — Yes) ________________
5) (river — No) ________________
6) (cinema — Yes) ________________
7) (restaurant — Yes, 2) ________________
8) (theatre — No) ________________
9) (disco club — Yes, 2) ________________

10. *Paul and Mary are exchange travellers. Complete Mary's email. Use there's, there isn't, there are or there aren't* (Пол і Мері — мандрівники «за обміном». Заповніть пропуски в і-мейлі Мері, вставивши *there's, there isn't, there are* або *there aren't.*)

e-mail

Hi Paul,

I'm really happy that you want to stay in my apartment. Here's some information about it.

There are three rooms — two bedrooms and a living room, a kitchen and a bathroom. (1) ________________ a double bed in each bedroom and (2) ________________ a desk where you can work. In the living room (3) ________________ a DVD player and (4) ________________ a lot of films. (5) ________________ any dining room but (6) ________________ two chairs and a table in the kitchen. My apartment is on the top floor and (7) ________________ any neighbours, so you can play loud music.

Tell me about your apartment. Where is it and how big is it?

Best wishes,
Mary

11. Напишіть відповідного листа Мері від імені Пола. Розкажіть про своє житло, використовуючи *there's, there isn't, there are* або *there aren't.*

Supplementary reading. *(Додаткове читання)*

Sydney, Australia

17.2

Sydney is one of the most beautiful cities in the world. It has old and new buildings, there are wonderful beaches and the food is delicious.

The best times to visit it are spring and autumn. In summer it is too hot.

There are a lot of cheap hotels in Sydney. A room is about $50 a night.

There are theatres and cinemas in Sydney, and, of course, the Opera House. The best shops are in Pitt Street.

There are beaches, parks and cafés in Sydney, and the wonderful bridge.

Sydney has the famous Bondi Beach. People go swimming, surfing and windsurfing here.

There are restaurants from many countries — Turkish, Japanese, Thai, Chinese, and Italian. Australians eat a lot of seafood. The seafood is very fresh here.

There are fast trains and slow buses. The best way to see Sydney is by ferry.

Task 1. *Complete the chart with an adjective or a noun from the text.* (Доповніть таблицю прикметниками або іменниками з тексту, щоб вони утворили словосполучення.)

adjective (прикметник)	**noun (іменник)**
old / new	buildings
	beaches

delicious	
cheap	
	Bondi Beach
wonderful	
fast	
	buses

Task 2. *Answer the questions:*

1. When are the best times to go to Sydney?
2. What restaurants are there in Sydney?
3. Where are the best shops in Sydney?
4. What is the best way to see Sydney?

Task 3. *Make a similar story about any city of the world.* (Підготуйте схожу розповідь про будь-яке місто світу.)

____

____

____

____

____

____

____

____

____

____

____

____

____

____

РОЗШИРЕННЯ СЛОВНИКОВОГО ЗАПАСУ

1. *Say and write in English.*

1) за мікрохвильовкою ______________________
2) справа від саду ______________________
3) зліва від парку ______________________
4) посередині спортзалу ______________________

5) над столом ______________________________
6) над вікном______________________________
7) над містом______________________________
8) навпроти банку ______________________________
9) навпроти басейну______________________________
10) перед магазином______________________________
11) перед садом ______________________________
12) справа від посудомийної машини ______________________________
13) зліва від тераси______________________________
14) посередині тераси ______________________________
15) посередині саду ______________________________
16) за садом______________________________
17) між мікрохвильовкою і варильною плитою ______________________________
____
18) навпроти холодильника______________________________
19) перед спортзалом______________________________
20) перед басейном ______________________________
21) поруч з посудомийною машиною ______________________________
22) справа від пральної машини______________________________
23) за пральною машиною ______________________________
24) перед пральною машиною ______________________________
25) під пральною машиною ______________________________
26) між пральною і посудомийною машинами ______________________________
____
27) посередині ванної кімнати ______________________________
28) посередині дорожньої пробки ______________________________
29) зліва від спортзалу______________________________
30) справа від магазину ______________________________

2. *Say and write in English.*

1) У нашому місті два басейни. ______________________________
2) У цьому апартаменті є дві спальні, власна ванна кімната, кухня і приватна тераса. ______________________________
____
3) Перед будинком є сад? ______________________________
4) Зліва від парку знаходиться ресторан.______________________________
5) Мікрохвильовка стоїть зліва від холодильника. ______________________________
____
6) У цьому повністю мебльованому розкішному апартаменті є свій власний басейн і спортзал. ______________________________
____
7) Магазин знаходиться за садом. ______________________________

8) На кухні стоїть варильна плита, холодильник, мікрохвильовка і маленький телевізор з плоским екраном. ______________________________

9) У цьому ресторані сучасні меблі. ______________________________

10) У цьому апартаменті є посудомийна машина. ______________________________

11) У цьому місті завжди пробки на дорогах у години пік (*in the rush hours*). ______________________________

12) За містом (*in the country*) немає міського стресу. ______________________________

13) Зліва від спальні знаходиться вітальня. ______________________________

14) Над письмовим столом висить картина. ______________________________
15) Навпроти варильної плити стоїть невеличкий кухонний стіл. ______________________________

16) Зліва від мікрохвильовки стоїть тарілка. ______________________________

17) Посередині кухні стоїть рослина. ______________________________

18) Справа від ванної кімнати знаходиться тренажерний зал. ______________________________

19) Зліва від вікна стоїть рослина. ______________________________
20) Справа від вікна стоїть DVD-програвач. ______________________________

Revision exercise. Translate into English.

1) О котрій годині він зазвичай повертається додому після роботи? — О пів на сьому вечора. ______________________________

2) Тобі потрібна ця книга? — Ні. ______________________________
3) Американці працьовиті? ______________________________
4) Ти знаєш відповідь на це запитання? ______________________________
5) Ми зазвичай не відпочиваємо влітку на морі. ______________________________

6) Якій кухні віддає перевагу твоя сестра? ______________________________

7) Їхній маленький син не катається на лижах, замість цього він катається на санчатах. ______________________________
8) Уранці мій дядько віддає перевагу соку замість кави. ______________________________

УРОК 18

Спілкування. *Назва основних продуктів харчування.*

Граматика. *Поняття обчислювальних / необчислювальних іменників. Питальні речення «скільки» — How much / How many. Little / few; a little / a few; a lot of.*

18.1

Luke and Olive are a young couple. They are expecting some guests in the evening and they are checking what food they've got in the house.

O — Oh my gosh! There's no meat or fish left. The sugar-basin is almost empty, too.
L — Are you sure there's no sugar left in the house?
O — Absolutely.
L — Are there any biscuits?
O — Yes, just a few. And there's also a little honey. And there are a lot of sweets here.
L — Look! There's some jam here!
O — Yes, but very little!
L — Is there any cheese?
O — Yes, there is a little, but not much.
L — How much bread is there?
O — Very little. It's not enough.
L — How many eggs do we have?
O — Very few. Five or six.
L — Phew. We need to go to the supermarket and buy everything!

Люк і Олів — молода пара. Ввечері вони чекають на декількох гостей, і зараз вони перевіряють, яка їжа у них залишилась у домі.

О — О Боже! У нас не залишилося м'яса і риби. Цукорниця теж майже порожня.
Л — Ти впевнена, що в домі не залишилося цукру?
О — Абсолютно.
Л — А печиво є?
О — Так, усього декілька штук. І також є трохи меду. І тут є багато цукерок.
Л — Подивись! Тут є трохи джему!
О — Так, але дуже мало!
Л — А сир є?
О — Так, є деяка кількість, але не багато.
Л — А скільки є хліба?
О — Дуже мало. Цього недостатньо.
Л — Скільки у нас яєць?
О — Дуже мало. П'ять або шість.
Л — Уф. Нам потрібно поїхати в супермаркет і все купити.

ЛЕКСИЧНИЙ КОМЕНТАР

Подивіться уважно на фразу, що нам зустрілася в тексті:

There's no sugar left in the house. — У домі не залишилося цукру.

У багатьох викликає подив наявність в цій фразі слова *left*. Це слово вже зустрічалося нам раніше, і означало воно «лівий». В цій фразі *left* не має ніякого відношення ні до чого «лівого». Тут це слово дослівно означає «той, що залишився», а все речення дослівно перекладається як «У домі немає цукру, що залишився».

Спробуйте сказати за аналогією «В домі не залишилося м'яса».

There's no meat left in the house.

Ми також можемо вжити *left* у реченнях з *have / have got*:

I have no friends left here. — У мене тут не залишилося друзів.

РОБОТА З ТЕКСТОМ

1. *Find the English equivalents of these words and expressions in the text.* (Знайдіть у тексті англійські еквіваленти цих слів і виразів.)

1) м'ясо ____________________
2) риба ____________________
3) О Боже! ____________________
4) Ти впевнена? ____________________
5) сир ____________________
6) досить ____________________
7) яйце ____________________
8) джем ____________________
9) мед ____________________
10) солодощі ____________________
11) У домі не залишилося цукру. ____________________
12) хліб ____________________
13) печиво ____________________
14) цукор ____________________
15) цукорниця ____________________
16) майже порожній ____________________

ГРАМАТИКА

Обчислювальні і необчислювальні іменники

Іменники поділяються на обчислювальні і необчислювальні.

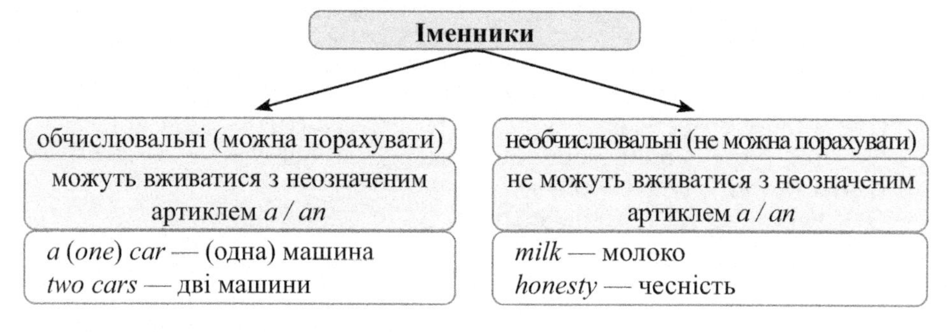

До необчислювальних іменників належать:

більшість продуктів	*salt* — сіль *sugar* — цукор	*bread* — хліб *milk* — молоко
природні явища	*rain* — дощ	*snow* — сніг
абстрактні поняття	*friendship* — дружба	*honesty* — чесність
деякі інші	*work* — робота	*money* — гроші

Деякі слова, які є обчислювальними в українській мові, в англійській мові необчислювальні.

news (необчислювальне) — одна новина (обчислювальне) *a lot of news* — багато новин	*advice* (необчислювальне) — одна порада (обчислювальне) *a lot of advice* — багато порад

Число іменника в українській і англійській мовах також не завжди збігається:

furniture (однина) — меблі (множина)

This *furniture is* beautiful. — Ці меблі гарні.

До речі, додавання артикля *a* перед деякими необчислювальними іменниками дещо змінює значення слів. Наприклад: *hair* — волосся; *a hair* — волосина. *He has a red hair.* — У нього (одна) руда волосина.

Навіщо нам все це потрібно? Справа в тому, що в англійській мові деякі поняття передаються у різний спосіб, у залежності від того, з яким іменником — обчислювальним чи необчислювальним — вони сполучаються. Нижче ми познайомимося з деякими з таких понять.

How much / How many

Ви, напевно, помітили, що в діалозі цього уроку українське питальне слово «Скільки» передавалося іноді як *How much*, а іноді як *How many*. Подивіться ще раз на ці запитання, і спробуйте самі визначити, в якому випадку ми говоримо *How much*, а в якому *How many*.

How many eggs do we have?

How much bread is there?

Отже, *much* («багато») ми вживаємо з необчислювальними іменниками, а *many* («багато») — з обчислювальними. Відповідно, *How much* ми поставимо перед необчислювальним іменником, а *How many* — перед обчислювальним.

У значенні «багато» може також уживатися вираз *a lot of*, причому незалежно від того, з якими іменниками — обчислювальними чи необчислювальними — ми маємо справу:

much / many вживаються, як правило, в запитаннях і запереченнях, а також у ствердженнях зі словом *very*;

a lot of уживається, як правило, у стверджувальних реченнях:

Have you got *much money*? — У тебе багато грошей?

No, I haven't got *much*. — Ні, у мене трохи (грошей).

Have you got *many friends*? — У тебе багато друзів?

Yes, I've got *very many friends*. — Так, у мене дуже багато друзів.

Peter has got *a lot of money*. — У Пітера багато грошей.

Little / few; a little / a few

І *little*, і *few* означають «мало». *Little* ми ставимо перед необчислювальним іменником, *few* — перед обчислювальним:

little sugar — мало цукру

few eggs — мало яєць

A little та *a few* означають «трохи, деяка кількість». Мабудь, ви можете самі здогадатися, в якому випадку ми вживаємо *a little*, а в якому *a few*:

a little water — трохи води

a few people — декілька (деяка кількість) людей

У чому ж різниця між *little — a little* та *few — a few*? Давайте уважно подивимося на цю таблицю.

a little* = *some = деяка кількість, трохи, але не багато *I can speak* _a little_ *Chinese (some Chinese, but not much).* — Я трохи розмовляю китайською.	***a few* = *some*** = декілька, але не багато *There are* _a few_ *people here (= some people, but not many).* — Тут є декілька осіб.
little = мало, практично немає (часто вживається зі словом *very*) *I can't buy this dress. I have very* _little_ *money for it.* — Я не можу купити цю сукню. У мене для цього дуже мало грошей.	***few*** = мало, практично немає (часто вживається зі словом *very*) *Your test is very good. You have very* _few_ *mistakes there.* — Твій тест дуже добрий. Ти зробив дуже мало помилок.
little і ***a little*** • ***a little*** передає позитивну ідею. *I have* _a little_ *water. You can have it.* — У мене є трохи води. Можеш її випити. (Хоча у мене й не багато води, але тобі вистачить.) • ***little*** передає негативну ідею. *We have very* _little_ *water. It's not enough for us all.* — У нас дуже мало води. Цього не вистачить для нас усіх.	***few*** і ***a few*** • ***a few*** передає позитивну ідею. *I've got* _a few_ *friends. I am very happy.* — У мене є декілька друзів. Я дуже щасливий. (Хоч у мене й не багато друзів, але я дуже радий, що вони у мене є.) • ***few*** передає негативну ідею. *I feel so lonely. I've got* _few_ *friends.* — Я почуваюся таким самотнім. У мене мало друзів. (Мені не вистачає тих друзів, що в мене є.)

Grammar practice

Повторення **some — any** *(див. с. 139)*

1. *Fill in the blanks with* _some_ *or* _any_. *Translate the sentences into Ukrainian.* (Заповніть пропуски словами *some* або *any*. Перекладіть речення українською мовою.)

Example: There are ___some___ pictures on the wall.

1) There isn't __________ snow outside.
2) Have you got ________ mistakes in your test?
3) Will you give me __________ bread, please.
4) There is __________ meat in the fridge.
5) He hasn't got _________ friends here.
6) My sister has got _________ interesting books on geography.

2. *Write answers to these questions according to the prompts.* (Напишіть відповіді на ці запитання у відповідності до підказок.)

Example: Have you got any mistakes in your test? — No, *I haven't got any.*
Are there any books on the table? — Yes, *there are some.*

1) Are there any pencils in the box? — No, ______________________
2) Have you got any time for that? — Yes, ______________________
3) Is there any milk in your coffee? — No, ______________________
4) Are there any tigers in the cage? — Yes, ______________________
5) Has he got any toys in his room? — Yes, ______________________

3. *Turn these sentences into questions, then give a negative answer.* (Перетворіть ці речення на питальні, а потім дайте заперечну відповідь.)

Example: There are some flowers on the floor. *Are there any flowers on the floor? No, there aren't any flowers on the floor.*

1) She's got some pets. ______________________
____
2) He's got some books in his bag. ______________________
____
3) They've got some beautiful pictures. ______________________
____
4) There's some milk in my tea. ______________________
____
5) There are some mistakes in her test. ______________________
____
6) I've got some meat on my plate. ______________________
____

Much, many, a lot of

much sugar — багато цукру

SUGAR

many books — багато книжок

4. *Fill in the blanks with much, many or a lot of.*

Example: Has the boy got *many* pencils?

1) My brother hasn't got ______________ free time.
2) I have very ______________ in-laws.
3) He's got ______________ friends here.
4) I haven't got ______________ books at home.
5) There are ______________ animals in the Zoo.
6) I drink ______________ coffee.
7) Have you got ______________ free time?

5. *Ask questions about the quantity of these objects.* (Постав запитання про кількість цих предметів.)

Example: *How many* children *are there* in the room?

1) ____________ flowers ____________ in the vase?
2) ____________ meat ____________ on the plate?
3) ____________ tea ____________ on the shelf?
4) ____________ milk ____________ in the fridge?
5) ____________ candies ____________ in the box?

6. *Write questions with* _How much_ *or* _How many_ .
Example: sugar? — _How much sugar have you got?_
dresses? — _How many dresses have you got?_

1) money? ____________
2) cheese? ____________
3) oranges? ____________
4) pears? ____________
5) meat? ____________
6) candies? ____________
7) food? ____________
8) salt? ____________

Little / a little, few / a few

7. *Give short answers to these questions, using* _a little_ *or* _a few_ . (Дайте короткі відповіді на ці запитання, використовуючи *a little* або *a few.*)
Example: Have you got any money? — Yes, _a little._
1) Are there any books on the shelf? — Yes, ____________
2) Have we got any bread? — Yes, ____________
3) Have you got any friends here? — Yes, ____________
4) Have you got any mistakes in your test? — Yes, ____________
5) Have you got any questions? — Yes, ____________
6) Does your sister speak French? — Yes, ____________

8. *Fill in the blanks with* _a little_ *or* _a few_ *+ one of the words given.* (Заповніть пропуски словами *a little* або *a few* + одне з наданих нижче слів.)

~~e-mails~~ fresh air houses times chairs German

Example: I am going to write _a few e-mails_ to my friends tonight.

1) I am going out for a walk to get ____________.
2) Tom lives in a very small village. There's only one street, a church, a shop and ____________ .
3) Do you speak any foreign languages? — Yes, English and ____________.
4) There isn't much furniture in this room — just a table, a bed and ____________ .
5) Are you going to London next month? — Yes, ____________.

9. *Answer the questions as in the example.*

Example: Have you got any water? — *I've got a little, but not much.*

Have you got any mistakes? — *I've got a few, but not many.*

1) Have you got any work to do? ________________.
2) Have you got any magazines? ________________.
3) Have you got any friends here? ________________.
4) Have you got any money? ________________.
5) Have you got any food? ________________.
6) Have you got any coffee? ________________.
7) Have you got any books on History? ________________.
8) Have you got any in-laws? ________________.
9) Have you got any sugar? ________________.

10. *Fill in the blanks with the correct word from brackets.*

1) I've got ________________ (a *few/a little*) mistakes in my test.
2) There are very ________________ (*few/little*) people in the street.
3) Unfortunately, I've got ________________ (*few/a few*) friends here.
4) I don't know ________________ (*much/many*) about that.
5) There is ________________ (*little/a little*) food in the fridge, so we can eat at home.
6) This city is very modern, but still there are ________________ (*few/a few*) old buildings.
7) George is a painter, so he knows ________________ (*little/a little*) about Physics.
8) There aren't ________________ (*much/many*) interesting things here.
9) I can't give you ____________ (*much/many*) stamps. I've only got ____________ (*few/a few*).
10) I have very ________________ relatives (*few/little*).
11) My sister only knows ________________ (*a few/a little*) words in Spanish.
12) I've got ________________ (*little/a little*) sugar. I can give you some.
13) I've got ________________ (*little/a little*) sugar. I can't give you any.
14) There are ________________ (*few/little*) chairs in this room.
15) I know ____________ (*few/a few*) people here, but not ____________ (*much/many*).
16) He usually makes so ____________ (*much/many*) mistakes in his test, but now he's only got ____________ (*few/a few*).

11. *Fill in the blanks with little / a little, few / a few.*

Example: Tonight I am going to the theatre with *a few* friends.

1) Ian is very lazy. He does ________________ work.
2) There is ________________ food in the fridge. You can have some.
3) There is ________________ food in the fridge. It's almost empty.

4) Shall I buy some bread? — No, we still have ____________________________.
5) Tom's parents are very rich, they have ______________ houses around the world.
6) People move from this town because there are ______________________ jobs.
7) This actress is not popular. ______________________________ people know her.
8) The sea is cold and it's very windy, so there are __________ people of the beach.

12. Журналіст *Phil Rodd* бере інтерв'ю у Містера *Richy,* одного з найбагатших людей Лондона. Відновіть їх бесіду.

PR How (1) __________________ (*much / many*) houses have you got?
Mr Richy Well, I haven't got (2) __________________ (*much / many*). I've only got (3) ________________ (*a few / a little*) — one in Monaco, one in Paris, and one here, in London.
PR Do you often travel abroad?
Mr Richy Well, actually, I do. I have (4) __________ (*few / a few*) trips every month.
PR Have you got (5) _______________ (*any / some*) children?
Mr Richy No, I haven't got (6) __________ (*any / no*) children.
PR I know you've got (7) _________________ (*a little / many*) cars. How (8) _____________ (*many / much*) cars exactly have you got?
Mr Richy Not very (9) ___________ (*many / much*). I've only got three cars.
PR Are there (10) ___________ (*some / any*) things in the world that you haven't got?
Mr Richy Actually, there are (11) ___________ (*no / some*) things I haven't got. I need (12) ______________ (*some / any*) furniture for my Scottish castle and I also need (13) ______________ (*some / any*) rare plants for my house in Monaco. *They are difficult to find.* (*Їх важко знайти.*)
IS How (14) _______________ (*much / many*) money have you got exactly?
Mr Richy Well, that's a difficult question. I'm a busy man. I've got (15) ___________ (*no / any*) time to count it.
IS Do you think people with (16) _______________ (*a lot of / many*) money are all very happy?
Mr Richy No, I don't. (17) _____________ (*any / some*) rich people I know are miserable. Other people I know, with only (18) ______________ (*a few / a little*) money are often *a lot happier* (*набагато щасливіші*). But I am happy because I've got (19) ______________ (*a lot of / few*) friends.

РОЗШИРЕННЯ СЛОВНИКОВОГО ЗАПАСУ

1. *Say and write in English.*

There is / are no … left … *I've got no … left*

1) У домі не залишилося яєць. ____
2) У цукорниці не залишилося цукру. ___________________________________

3) На вулиці не залишилося машин. ________________
4) На пляжі не залишилося людей. ________________
5) У холодильнику не залишилося м'яса. ________________
6) На тарілці не залишилося їжі. ________________
7) У місті не залишилося театрів. ________________
8) На дереві не залишилося листя. ________________
9) У цій школі не залишилося добрих учителів. ________________
____
10) У мене не залишилося грошей. ________________
11) У нього не залишилося друзів. ________________
12) У них не залишилося надії. ________________
13) У неї не залишилося надії. ________________
14) У нас не залишилося води. ________________
15) У Сари не залишилося їжі. ________________

2. *Say and write in English.*

much — many — a lot of — little — a little — few — a few

1) У нас мало печива. ________________
2) У них багато цукру. ________________
3) У неї мало сиру. ________________
4) У нас є трохи яєць. ________________
5) У нас є трохи цукерок. ________________
6) У нас дуже багато риби. ________________
7) У нас мало хліба. ________________
8) У нього мало меду. ________________
9) У нього багато джему. ________________
10) У них є дуже багато печива. ________________
11) У неї є трохи цукру. ________________

3. *Say and write in English.*

almost empty — майже порожній / пустий

1) Наш холодильник майже порожній. ________________
2) Цукорниця майже порожня. ________________
3) Його сумка майже порожня. ________________
4) Її стіл майже порожній. ________________
5) Моя тарілка майже порожня. ________________
6) Вулиці міста майже пусті. ________________
7) Села цього району (*region*) майже порожні. ________________
____

4. *Say and write in English.*

be (quite / absolutely) sure — бути (повністю / абсолютно) впевненим

1) Ти впевнений? ______
2) Я не зовсім упевнений. ______
3) Вона абсолютно впевнена. ______
4) Мої друзі не зовсім упевнені. ______
5) Мій брат не впевнений. ______
6) Його сестра не зовсім упевнена. ______
7) Ми не зовсім упевнені. ______
8) Вони цілком упевнені? ______
9) Мої батьки не зовсім упевнені. ______

Revision exercise. Translate into English.

1) Ви хочете їсти? ______
2) Ваш друг хоче пити? ______
3) Якими іноземними мовами говорить ваш брат? ______
4) Моя тітка з Німеччини. Вона говорить німецькою. ______
5) Підійди до мене, будь ласка. ______
6) Він не втомився, йому просто нудно. ______
7) Це друзі вашої доньки? ______
8) Навпроти дивана стоїть велика рослина. ______
9) Де ви зазвичай зустрічаєтеся зі своїми друзями? ______
10) Ви зазвичай подорожуєте на машині, поїздом чи літаком? ______
11) Вам це підходить? ______
12) Хто за професією ваша свекруха? ______
13) Не лінуйся! (=Не будь ледачим!) ______
14) Ляльки цих дівчат цілком нові. ______
15) Чиї ці будинки? ______
16) Не пояснюйте нам цього! ______
17) Не спізнюйтесь! ______
18) Їм ніколи не нудно, коли вони разом. ______
19) Як звати вашого шурина? ______
20) Вони завжди зупиняються в цьому готелі. ______

УРОК 19

Спілкування. *Розмова про вміння / невміння щось робити. Як знайти дорогу, дізнатися, де щось знаходиться.*

Граматика. *Дієслово can. Прийменники напрямку руху.*

19.1

How can we get there?

Luke Where's the nearest pub?
Mike I've no idea.
Luke Let's ask someone.
(*Addressing a passer-by*) Excuse me, madam. Is there a pub near here?
Passer-by Yes, there are two pubs near here. One is in Queen Street and the other is in Church street.
Luke Which one is nearer?
Passer-by I think the one in Church street.
Mike How can we get there?
Passer-by Walk straight ahead as far as the crossroads. Turn right at the traffic lights and then take the second turning left. Pass the hairdresser's and turn left again into Church Street. The pub is the third building on your right. It's next to the chemist's opposite the butcher's. You can't miss it.
Sara Eh, could you draw it for us, please?
Passer-by Sure. Here you are.
Luke Is it far from here?
Passer-by No, it's about ten minutes' walk.
Mike Thanks a lot.
Passer-by You're welcome. Any time.

Як туди дістатися?

Люк Де найближчий паб?
Майк Гадки не маю.
Люк Давай кого-небудь запитаємо.
(*звертаючись до перехожої*) Перепрошую, мадам. Тут поблизу є паб?
Перехожа Так, тут поруч є два паби. Один на Куїн стріт, а другий на Чьорч стріт.
Люк Котрий з них ближче?
Перехожа Гадаю, той, що на Чьорч стріт.
Майк Як туди дістатися?
Перехожа Йдіть прямо до перехрестя. Поверніть направо на світлофорі і потім на другому перехресті поверніть наліво. Пройдіть (повз) перукарню і поверніть знову наліво на Чьорч стріт. Паб — це третя будівля ліворуч від вас. Він знаходиться поруч з аптекою навпроти м'ясної лавки. Ви його не пропустите.
Сара Е-е, ви не могли б намалювати (накреслити) це для нас, будь ласка?
Перехожа Звичайно. Ось, прошу.
Люк Це далеко звідси?
Перехожа Ні, біля десяти хвилин пішки.
Майк Щиро дякую.
Перехожа Прошу. Звертайтеся (досл. «У будь-який час»).

ЛЕКСИЧНІ ПОЯСНЕННЯ ДО ТЕКСТУ

I've no idea — Гадки не маю.
Дуже корисний усталений вираз, який потрібно просто запам'ятати.
Зазвичай *have* скорочується тільки у складі конструкції *have got:*
I've got no car. — У мене немає машини.

Якщо *have* вживається окремо, без *got*, то, зазвичай, воно не скорочується: *I have no car.*

Проте вираз *I've no idea* чудово прижився в англійській мові і дуже часто використовується.

РОБОТА З ТЕКСТОМ

1. *Find the English equivalents of these words and expressions in the text.*

1) найближчий________________
2) Гадки не маю. ______________
3) Перепрошую. ______________
4) тут поблизу ________________
5) ближче____________________
____
6) котрий з них ______________
____
7) Як нам туди дістатися? _______
____
8) далеко ____________________
9) далеко звідси_______________
10) прямо (нікуди не повертаючи) _
____
11) до (якогось місця) __________
12) перехрестя ________________
13) світлофор _________________
14) другий поворот_____________
15) перукарня _________________
16) пройти повз_______________
17) аптека____________________
18) знову ____________________
19) поверніть наліво ___________
____
20) третій____________________
21) праворуч від вас ___________
22) м'ясна лавка_______________
23) навпроти м'ясної лавки _______
____
24) Ви не пропустите її / його._______
____
25) Щиро дякую.______________
____
26) Прошу.___________________
27) у будь-який час ____________

GRAMMAR

Питальне слово **Which**

Which, так само як і *What*, якщо воно стоїть перед іменником, означає «Який / Котрий» з тією різницею, що *Which* передбачає наявність вибору. Порівняйте:

Which cuisine do you prefer — French or Italian? — Котрій кухні ти віддаєш перевагу — французькій чи італійській? (Ми надаємо чіткий вибір.)

What cuisine do you prefer? — Якій кухні ти віддаєш перевагу? (Ми не даємо вибору. Наш співрозмовник може вибирати з усіх кухонь світу.)

I have three pencils. Which one do you want? — У мене три олівці. Котрий (з них) ти хочеш?

Надалі ми ще неодноразово зіткнемося з цим питальним словом, тому у вас буде можливість добре усвідомити, як воно вживається.

Займенник **one**

У тексті нам зустрілися такі речення:

Перехожа каже, що поблизу є два паби:

One is in Queen Street and the other is in Church street. — Один на Куін стріт, а другий на Чьорч стріт.

У цьому реченні слово *one* ужито в своєму прямому значенні числівника «один».

А ось у наступному реченні, коли Люк запитує:

Which one is nearer? — Котрий (з них) ближче?

слово *one* грає роль займенника і замінює слово *pub*. Ми могли б сказати *Which pub is nearer?*

І далі перехожа відповідає:

The one in Church street. — Той (паб), що на Чьорч стріт.

І в цьому випадку *one* знову грає роль займенника і замінює слово *pub*. В українській мові еквівалента займенника *one* не існує. Ми або повторюємо слово, яке це займенник замінює, або зовсім у цьому місці нічого не говоримо.

Уявіть, що вам показують три сукні — червону, зелену і чорну — і запитують:

Which dress do you like best? — Котра сукня тобі подобається більш за все?

Ви можете дати відповідь: *The black one. But the red one is good, too.* — Чорна. Але червона сукня теж гарна.

Ten minutes' walk

Дослівно вираз *ten minutes' walk* можна перекласти як «десятихвилинна ходьба». Апостроф після слова *minutes* — це знак присвійного відмінка. Ми вже знаємо, що присвійний відмінок може вживатися з людьми і тваринами:

Kate's dress — Катрусина сукня
this cat's tail — хвіст цього кота
і таке ін.

У цьому уроці нам зустрівся ще один випадок застосування присвійного відмінка — з проміжком часу. Давайте подивимось ще на деякі приклади:

a week's holiday — тижнева відпустка
a minute's talk — хвилинна розмова

It's only half an hour's drive — Це лише за пів години їзди.
three months' period — тримісячний період (період у три місяці)
twenty minutes' lesson — двадцятихвилинний урок (урок, довжиною в 20 хвилин)

Зверніть увагу на вживання неозначеного артикля. Якщо період часу стоїть в однині — *a minute, a week, an hour, a month,* — то перед цим періодом вживається неозначений артикль. Цей артикль ми можемо сміливо замінити словом *one*:

a week's holiday = one week's holiday — тижнева відпустка
a minute's talk = one minute's talk — хвилинна розмова

Якщо ж слова *minute, week, hour, month* і таке ін. стоять у множині, то артикль не вживається:

three years' war — трирічна війна
ten months' research — десятимісячне дослідження
two days' experiment — дводенний експеримент

Can

Ми використовуємо *can*, щоб описати здібність, уміння або можливість виконати дію.

Дієслово *can* не змінюється за особами і має однаковий вигляд з будь-якими займенниками. Після can іде дієслово в інфінітиві без частки to.

I can sing. — Я вмію співати.

He can play the piano. — Він уміє грати на піаніно.

- Щоб утворити заперечення, досить додати до *can* частку *not*.

I cannot (=can't) swim. — Я не вмію плавати.

He cannot (=can't) draw. — Він не вміє малювати.

- Щоб поставити запитання, ми ставимо *can* перед підметом.

Can you help me? — Ти можеш мені допомогти?

Can she draw? — Вона вміє малювати?
What can I do? — Що я можу зробити?

- *Can I ...?, Can we ...?* або *Can you ...?* часто використовується, к`оли ми хочемо попросити щось або отримати дозвіл на щось.

Can I have an apple? — Можна мені взяти яблуко?

Can we come here tomorrow? — Можна нам прийти сюди завтра?

Can you help me? — Можеш мені допомогти?

Скорочення *can't* в британському варіанті читається як [kɑ:nt], з довгим гортанним [ɑ:]. Якщо ви не впевнені, що можете вимовити цей звук правильно, кажіть повну форму цього заперечення — cannot [ˊkænət] — або вимовляйте скорочення, як американці: [kænt], але в жодному разі не кажіть просте українське «кант». Це груба лайка в англійській мові!

- Коротку відповідь на запитання.

Can you swim? — *Yes, I can.* Ти вмієш плавати? — Так, я вмію.
Can she sing? — *No, she can't.* Вона вміє співати? — Ні, вона не вміє.

How can I get there?

Щоб дізнатися дорогу в незнайомому місті, вам знадобляться ось ці фрази:
How can I get to ... ? — Як дістатися до ...

Do you know where ... is? — Ви знаєте, де знаходиться …?
Is there a ... near here? — Тут є поблизу …?
Walk / Go straight ahead — Ідіть прямо
Walk / Go as far as ... — Ідіть до …
Walk / Go past the ... / Pass the ... — Ідіть повз …
At the ... turn right / left — Біля … поверніть направо / наліво
Take the first / second / third / fourth (turning) right / left — На першому / другому / третьому / четвертому повороті поверніть направо / наліво
On your right / left — Праворуч / Ліворуч від вас
Follow ... Street — Ідіть (їдьте) по … вулиці
Turn into ... Street — Поверніть на … вулицю
round the corner — за рогом
You can't miss it. — Ви його / її не пропустите.

Зверніть увагу, що дієслово *go* може означати як «ідіть», так і «їдьте».

Замість трикрапок вам досить підставити назви об'єктів або вулиць. Наприклад:

How can I get to the Opera House? — Як дістатися до оперного театру?
Is there a bank near here? — Тут поблизу є банк?
Turn into King Street. — Поверніть на Кінг Стріт.
Follow Mark Twain Street. — Ідіть вулицею Марка Твена.
Go as far as the chemist's. — Ідіть до аптеки.
At the cinema turn left. — Біля кінотеатру поверніть наліво.
Walk past the railway station. — Пройдіть повз залізничного вокзалу.

Grammar practice

1. *Write what these people can do well.* (Напишіть, що добре вміють робити ці люди.)

Example: Alice / swim *Alice can swim well.*

1) This girl / dance ______________________
2) Tom / sing ______________________
3) Sam / paint ______________________
4) My sister / read ______________________
5) Luke's mother / cook ______________________
6) Tim and Liz / draw ______________________
7) Dave / play piano ______________________

2. *Translate into English.*

1) Я вмію плавати. ______________________
2) Брат Сема вміє добре малювати. ______________________
3) Птахи вміють літати. ______________________
4) Собаки можуть плавати. ______________________

5) Моя мама вміє добре готувати. ______________________________
6) Він вміє грати на піаніно. ______________________________
7) Я вмію танцювати. ______________________________
8) Мій шурин вміє добре співати. ______________________________
9) Дора вміє добре читати. ______________________________
10) Я вмію швидко бігати. ______________________________

3. Write what these people can't do at all and what they can do, but not well. (Напишіть, чого ці люди або тварини зовсім не вміють робити, а що вміють, але погано.)

Example: I *can't jump well.* (jump / добре)
He *can't dance at all.* (dance / зовсім)

1) Some cats ______________________________ (swim / зовсім)
2) You ______________________________ (sing / зовсім)
3) Ostriches (*страуси*) ______________________________ (fly / зовсім)
4) They ______________________________ (play the trumpet / добре)
5) My neighbour ______________________________ (swim / добре)
6) Sara's little brother ______________________________ (count / зовсім)
7) My sister ______________________________ (read / добре)
8) They ______________________________ (draw / зовсім)

4. *Fill in the blanks with can't, haven't, hasn't.*

Example: Deryl *hasn't* got a sister.

1) We __________ got a pen.
2) Mary __________ dance.
3) Has George got a bike? — No, he __________ .
4) We __________ go to the cinema.
5) They __________ got a car.
6) Sam and Pat __________ got skates.
7) Dogs __________ climb trees.
8) My sister __________ read well.
9) You __________ sing well.

5. *Translate into English.*

1) Він не вміє літати. ______________________________
2) Вона не вміє читати. ______________________________
3) Ми не вміємо добре плавати. ______________________________
4) Вони не вміють добре малювати. ______________________________
5) Я не вмію співати. ______________________________
6) Ти не вмієш рахувати. ______________________________
7) Собака Тома не може стрибати. ______________________________
8) Кішки не можуть гавкати. ______________________________
9) Кейт не вміє грати на гітарі. ______________________________
10) Вони зовсім не вміють готувати. ______________________________
____
11) Я зовсім не вмію грати в футбол. ______________________________
____

6. *Make questions.*

Example: you / cook *Can you cook?*

1) fish / fly ______
2) birds / sing ______
3) Sam / play the violin ______
4) lions / swim ______
5) your sister / ski ______
6) bears / climb trees ______
7) Tina / skate ______

7. *Write short answers to these questions.* (Напишіть короткі відповіді на ці запитання.)

Example: Can bears run? — *Yes, they can.*

1) Can you sing? — ______
2) Can cats bark? — ______
3) Can elephants swim? — ______
4) Can his brother speak English? — No, ______
5) Can you play the guitar? — ______
6) Can parrots swim? — ______
7) Can you skate? — ______
8) Can we climb that tree? — No, ______
9) Can Jacob's sister dance? — Yes, ______
10) Can your mom play the piano? — ______

8. *Translate into English.*

1) Ти вмієш лазити по деревах? ______
2) Він добре вміє співати? ______
3) Вона вміє грати на скрипці? ______
4) Страуси вміють літати? ______
5) Ти вмієш кататися на лижах? ______
6) Твоя сестра вміє читати? ______
7) Тигри вміють плавати? ______
8) Твій чоловік вміє малювати? ______
9) Ти вмієш грати в теніс? ______
10) Мама Тіма вміє розмовляти німецькою? ______
______
11) Його жінка вміє водити машину? ______
12) Ти можеш передати (*pass*) мені сіль? ______

9. *Translate into English.*

1) п'ятихвилинна ходьба / п'ять хвилин пішки ______
2) півгодинний фільм ______

3) тригодинна дискусія ____________________
4) двотижнева поїздка ____________________
5) тижнева відпустка ____________________
6) місячна перерва ____________________
7) триденні вихідні (*leave*) ____________________
8) чотиригодинний політ (*flight*) ____________________
9) 10-годинний марафон (*marathon*) ____________________
10) годинна розмова ____________________
11) півгодинні збори (*meeting*) ____________________

10. *Fill in the blanks with* *What* *or* *Which*.

1) ____________ colour is your car?
2) ____________ picture is yours, the one on the left or on the right?
3) ____________ foreign languages does your brother speak?
4) ____________ language does your mother teach: French or Spanish?
5) ____________ students in your group can sing?
6) ____________ hobbies do you have?
7) ____________ film is your favourite?
8) ____________ country is she from?
9) ____________ country is she from: Portugal or Spain?
10) ____________ juice do you prefer: orange juice or apple juice?

11. Поставте уточнюючі запитання до виділених слів, припускаючи, що ми маємо вибір.

Example: They want to visit **a museum**. *Which museum do they want to visit?*

1) Lily wants to buy **a dress**. ____________________
2) They can sing **a song**. ____________________
3) He visits a lot of **towns** of this region every year. ____________________
____
4) We want to give her **a book**. ____________________
5) Mr Smith wants to talk to some **students**. ____________________
____
6) I want to buy some **ice cream**. ____________________

РОЗШИРЕННЯ СЛОВНИКОВОГО ЗАПАСУ

1. *Say and write in English.*

How can I get to ....

1) Як (мені) дістатися до театру? ____________________
2) Як (нам) дістатися до вокзалу? ____________________

3) Як (нам) дістатися до «Квіткової» вулиці? ____________________
4) Як (мені) дістатися до басейну? ____________________
5) Як (нам) дістатися до банку? ____________________
6) Як (нам) дістатися до італійського ресторану? ____________________
____
7) Як (мені) дістатися до м'ясного магазину? ____________________
____

2. *Say and write in English.*

Is there a ... near here?

1) Тут є поблизу банк? ____________________
2) Тут є поблизу супермаркет? ____________________
3) Тут є поблизу басейн? ____________________
4) Тут є поблизу ресторан східної кухні? ____________________
____
5) Тут є поблизу зупинка автобуса? ____________________
____
6) Тут є поблизу квітковий магазин? ____________________
____

3. *Say and write in English.*

Go as far as the ...

1) Ідіть до перехрестя. ____________________
2) Ідіть до світлофора. ____________________
3) Ідіть до залізничного вокзалу. ____________________
4) Ідіть до кінотеатру. ____________________
5) Ідіть до церкви. ____________________
6) Ідіть до автобусної зупинки. ____________________

4. *Say and write in English.*

Pass the ...
Turn right / left at the ...
Walk along ... Street.
Turn into ... Street.
Take the first / second / third turning left / right.

1) Пройдіть повз булочної (*baker's*). ____________________
2) Пройдіть повз банку. ____________________
3) Пройдіть повз ресторану. ____________________
4) Пройдіть повз квіткового магазину. ____________________
5) Пройдіть повз перукарні. ____________________

6) Біля ресторану поверніть наліво. ______________________

7) Біля світлофора поверніть направо. ______________________

8) На перехресті поверніть наліво. ______________________

9) Біля кінотеатру поверніть направо. ______________________

10) Ідіть цією вулицею. ______________________

11) Ідіть по «Квітковій» вулиці. ______________________

12) Ідіть по «Королівській» вулиці. ______________________

13) Поверніть на «Булочну» вулицю. ______________________

14) Поверніть на «Королівську» вулицю. ______________________

15) Поверніть на другому повороті наліво. ______________________

16) Поверніть на першому повороті направо. ______________________

17) Поверніть на третьому повороті направо. ______________________

Revision exercise. Translate into English.

1) Тигри вміють плавати? — Так. ______________________

2) Ідіть до того сірого будинку. ______________________

3) Тут поблизу є булочна? ______________________

4) Я зовсім не вмію малювати. ______________________

5) Якій кухні ти віддаєш перевагу — східній чи європейській? ______________________

6) Поверніть на вулицю Конана Дойля. ______________________

7) Це коротка півгодинна поїздка. ______________________

8) Пройдіть повз великої червоної будівлі. ______________________

9) Який костюм тобі подобається більш за все? — Білий. Але червоний теж непоганий. ______________________

10) Я гадки не маю, де він живе.

11) Перукарня знаходиться між м'ясною лавкою і аптекою. Ви не пропустите її. ______________________

12) Не сумуйте! ______________________

13) Де знаходиться найближча зупинка автобуса? ______________________

14) Це далеко звідси? — Двадцять хвилин пішки. ______________________

15) Чиє це пальто? ______________________

16) Ідіть прямо до світлофора. ______________________

17) Не спізнюйтеся на урок! ______________________

УРОК 20

Спілкування. *Likes and Dislikes (Що подобається і не подобається).*

Граматика. *Дієслова з –ing. Like / hate / love doing something.*

20.1

— I'm an archaeologist I'm very interested in the History of the Ancient World, and though I am very busy, I still find time for my hobbies.
— What are they?
— Well, I like swimming and skiing, but my true love is music.
— Oh, I like music, too. What kind of music do you like?
— I prefer classical music.
— Me too. Who is your favourite composer?
— Well, I haven't really got a favourite. I like Bach, Beethoven, Tchaikovsky.
— Do you like jogging?
— Oh, no! I hate jogging. Especially in the mornings.

— Я археолог. Я дуже цікавлюся історією Стародавнього світу. І хоча я дуже зайнята, я все ж знаходжу час для хобі.
— Які у вас хобі?
— Ну, мені подобається плавання і катання на лижах, але моя справжня любов — це музика.
— О, я теж люблю музику. Яка музика (дослівно: Який тип музики) вам подобається?
— Я віддаю перевагу класичній музиці.
— Я теж. Хто ваш улюблений композитор?
— Ну, в мене насправді немає улюбленця. Мені подобається Бах, Бетховен, Чайковський.
— А вам подобається біг підтюпцем?
— О, ні! Я ненавиджу бігати підтюпцем. Особливо вранці.

Hello! My name is Mike Cowston. I come from Canada. People say I have a weird hobby — ghost hunting. I have a regular job, I am an accountant. But in my free time I hunt ghosts. Hunting for ghosts is not difficult at all. I don't go hunting alone. There are normally about five people in our group and we use special electronic equipment. Usually it consists of film or digital cameras, digital voice recorders, video cameras, and sometimes more exotic equipment.

Вітаю! Мене звати Майк Коустон. Я родом з Канади. Люди кажуть, у мене дивне хобі — полювання на привидів. У мене є постійна робота, я бухгалтер. Але у вільний час я полюю на привидів. Полювати на привидів зовсім не складно. Я не ходжу на полювання один. Зазвичай у групі біля п'яти осіб, і ми використовуємо електронне обладнання. Зазвичай воно складається з плівкових або цифрових камер, цифрових рекордерів голосу, відеокамер та іноді більш екзотичного обладнання.

If you want to take up this hobby and shake off boredom, join our Ghost Hunters Society!

Якщо ви хочете зайнятися цим хобі і розвіяти (досл. «струснути») нудьгу, приєднуйтеся до Суспільства мисливців на привидів.

Hi! My name's Doctor Crown. George Crown. I think I have a very rare hobby. I collect the last words of my patients.

Привіт! Мене звати доктор Краун. Джордж Краун. Гадаю, у мене дуже рідке хобі. Я колекціоную останні слова моїх пацієнтів.

Hello! I'm Jack. I like collecting broken and unwanted pens. I also collect strange and ugly pens. My parents don't like my hobby and my friends think that I'm a bit weird. But I don't think so. My collection is really great and exciting.

Вітаю! Я — Джек. Мені подобається збирати зламані і нікому не потрібні (досл: небажані) ручки. Я також колекціоную дивні і потворні ручки. Моїм батькам не подобається моє хобі, а мої друзі вважають, що я трохи дивний. Але я так не вважаю. Моя колекція дійсно чудова і захоплююча.

Hi! I'm Sue. I live in California. I have a real passion for boxes and other containers. I keep them in my room and use them for holding stuff. I also pick up paperclips, screws, ribbons, and other stuff like that off the floor. Sometimes they come in very handy!

Привіт! Я Сью. Я живу в Каліфорнії. Я маю справжню пристрасть до коробок й інших контейнерів. Я зберігаю їх в своїй кімнаті і використовую для того, щоб тримати в них різноманітні речі. Я також підбираю з підлоги скріпки для паперу, гвинтики, стрічки та інші подібні речі. Іноді вони можуть бути дуже корисними (можуть стати в пригоді).

ЛЕКСИЧНІ ПОЯСНЕННЯ ДО ТЕКСТУ

Take up something — *зайнятися чимось*

Однією з особливостей англійської мови є так звані прийменникові дієслова, тобто дієслова, після яких іде прийменник, що змінює значення цих дієслів. Таких дієслів в англійській дуже багато. Поступово ми будемо знайомитися з ними.

Одним з таких прийменникових дієслів є *take up* — зайнятися чимось, наприклад:

take up sport — зайнятися спортом

take up skiing — зайнятися лижним спортом

take up music — зайнятися музикою

take up acting — зайнятися акторською майстерністю, почати грати на сцені

If you want to be fit, take up sport. — Якщо ви хочете бути у формі, займіться (почніть заніматися) спортом.

come in (very) handy — *стати в пригоді, бути корисним*

Дуже корисний вираз, що часто використовується. Він означає «стати в пригоді», «бути корисним», наприклад:

Don't throw this carpet away — it may come in very handy one day. — Не викидай цей килим — колись він може стати у вклекій пригоді.

Let Lucy come to France with us. She knows French, so she may come in handy. — Нехай Люсі поїде з нами до Франції. Вона знає французьку, тому вона може нам бути корисною.

You never know when it may come in handy. — Ніколи не знаєш, коли це може стати в пригоді.

be interested in smth — *цікавитися чимось*

be interested in something означає «цікавитися чимось», або дослівно «бути зацікавленим у чомусь».

Не плутайте цей вираз із звичайним прикметником *interesting* — цікавий. Порівняйте:

*My sister is interest**ed** in music.* — Моя сестра цікавиться музикою.
*I am not interest**ed** in football at all.* — Я зовсім не цікавлюся футболом.
*They are not very much interest**ed** in History.* — Вони не дуже цікавляться історією.
*My uncle is a very interest**ing** man.* — Мій дядько дуже цікава людина.
*This book is very interest**ing**.* — Ця книга дуже цікава.

РОБОТА З ТЕКСТОМ

1. *Find the English equivalents of these words and expressions in the text.*

1) віддавати перевагу ____________
2) улюбленець ____________
3) особливо ____________
4) Я теж. ____________
5) бухгалтер ____________
6) захоплюючий ____________
7) стати в пригоді ____________
8) Я дуже цікавлюся історією. ____________
9) час для хобі ____________
10) твій улюблений композитор ____________
11) дивне хобі ____________
12) зовсім не складний ____________
13) біля п'яти осіб ____________
14) Я так не думаю. ____________
15) один, наодинці ____________
16) потворний ____________
17) використовувати ____________
18) поламаний ____________
19) рідкий ____________
20) дійсно ____________
21) все ж таки ____________
22) історія Стародавнього світу ____________
23) справжня любов ____________
24) полювання на привидів ____________
25) постійна робота ____________
26) зазвичай / нормально ____________
27) струснути нудьгу ____________
28) колекціонувати ____________
29) більш екзотичний ____________
30) справжня пристрасть ____________

31) спеціальне електронне обладнання ____________________
32) воно складається з цифрової камери ____________________
33) Приєднуйтесь до нашого суспільства! ____________________
34) непотрібний / небажаний ____________________
35) трохи дивний ____________________
36) останні слова моїх пацієнтів ____________________
37) мати пристрасть до ____________________
38) підбирати щось з підлоги ____________________

GRAMMAR

Дієслова із закінченням –ing

У тексті нам декілька разів зустрілися дієслова із закінченням *–ing*. Дієслово в такій формі часто виступає в ролі віддієслівного іменника, тобто іменника, утвореного від дієслова (писати — написання; кататися на лижах — катання на лижах; плавати — плавання і таке ін.):

Reading is very useful. — Читання дуже корисне.

У такій формі дієслова можна побачити на вивісках:

No smoking — Не палити. (досл. «Ні палінню»)

No parking — Не паркуватися. (досл. «Ні паркуванню»)

Дієслово + *ing* часто вживається після інших дієслів. Ці дієслова потрібно поступово запам'ятовувати.

*I **like** skiing.* — Мені подобається кататися на лижах (досл. «катання на лижах»).

*My brother **hates** cooking.* — Мій брат ненавидить готувати їжу (досл. «приготування їжі»).

*My parents **love** travelling.* — Мої батьки обожнюють подорожувати (досл. «подорожування»).

При додаванні закінчення *–ing* відбуваються деякі орфографічні зміни:

Кінцева буква або буквосполучення	Зміни при додаванні *–ing*	Приклади
–e	*–e* випадає	*skate — skat**ing*** *give — giv**ing***
приголосна + наголош. голосна + приголосна	кінцева приголосна подвоюється	*run — ru**nn**ing* *begin — begi**nn**ing*
–ie	*–ie* змінюється на *–y*	***lie** — lying* ***tie** — tying*
–l	кінцева *–l* подвоюється (тільки в британському варіанті англійської)	*trave**l** — trave**ll**ing* *американський варіант: trave**l**ing*
–y	*–y* не змінюється!	*pla**y** — playing* *cr**y** — crying*

1. Додайте закінчення *–ing* до цих дієслів.

Example: love *loving*

1) tie ______
2) dive ______
3) play ______
4) skate ______
5) ski ______
6) dry ______
7) smile ______
8) think ______
9) sing ______
10) make ______
11) cut ______
12) put ______
13) begin ______
14) travel ______
15) die ______
16) develop ______
17) swim ______
18) enter ______
19) lie ______

2. Напишіть, від яких дієслів утворені ці слова. Незнайомі слова перевірте у словнику.

Example: going *go*

1) dying ______
2) speaking ______
3) saying ______
4) taking ______
5) doing ______
6) killing ______
7) planning ______
8) filling ______
9) packing ______
10) putting ______
11) getting ______
12) sitting ______
13) skiing ______
14) robbing ______
15) coming ______
16) giving ______
17) teaching ______
18) having ______
19) hoping ______
20) hopping ______
21) beginning ______
22) tying ______
23) lying ______

3. Напишіть англійські дієслова, а поруч — іменники, що утворилися за допомогою *–ing*.

Example: думати *think — thinking*

1) планувати ______
2) робити ______
3) літати ______
4) ходити пішки ______
5) пірнати ______
6) готувати (їжу) ______
7) дякувати ______
8) стрибати ______
9) сміятися ______
10) відчувати ______

11) кататися на велосипеді ______________________
12) класти ______________________
13) різати ______________________
14) зупинятися ______________________
15) діставатися, отримувати ______________________
16) лежати ______________________
17) зав'язувати ______________________
18) вмирати ______________________
19) починати ______________________

4. Напишіть інструкції, чого не можна робити.

Example: talk on the phone *No talking on the phone!*

1) sled on the hill ______________________
2) climb trees ______________________
3) dive ______________________
4) fish ______________________
5) litter (*смітити*) ______________________
6) shout ______________________
7) feed the animals ______________________
8) draw on the walls ______________________

5. Напишіть про себе, чи любите ви виконувати ці дії. Використовуйте дієслова *like, love, hate*. Не забудьте додати закінчення *–ing* до запропонованих дієслів.

Example: swim *I like swimming.*

1) skate ______________________
2) fish ______________________
3) play tennis ______________________
4) play computer games ______________________
5) do homework ______________________
6) walk in the park ______________________
7) learn English ______________________
8) watch TV ______________________

6. *Translate into English.*

1) Макс ненавидить кататися на лижах. ______________________
2) Кевін любить грати в комп'ютерні ігри. ______________________
3) Мої друзі обожнюють ходити в кіно. ______________________
4) Сюзі ненавидить плавати в морі. ______________________
5) Мій брат любить дивитися телевізор. ______________________
6) Еліс обожнює читати. ______________________
7) Я ненавиджу загоряти. ______________________

VOCABULARY ENRICHMENT

1. *Translate into English using words and expressions from this lesson.*

1) Це старовинний замок (*castle*). ________________________________
2) Я не можу знайти час для хобі. ________________________________
3) Я люблю пити каву, особливо вранці. ________________________________
4) Він не любить дивитися телевізор, особливо вечорами. ________________________________
5) Джек любить грати зі своїм сином, особливо у неділю. ________________________________
6) Її справжня любов — це природа. ________________________________
7) Я дуже люблю кататися на лижах. — Я теж. ________________________________
8) У неї дуже дивне хобі: вона полює на привидів. ________________________________
9) Він не любить полювати на тигрів. ________________________________
10) Я ненавиджу полювання на звірів. ________________________________
11) У тебе є постійна робота? ________________________________
12) На жаль, у нього немає постійної роботи. ________________________________
13) Він завжди проводить відпустку наодинці. ________________________________
14) Моя мама не медсестра, вона бухгалтер. ________________________________
15) Її дядько працює бухгалтером? ________________________________
16) Я ненавиджу нудьгу. ________________________________
17) Давай струснемо нудьгу! ________________________________
18) Зазвичай (нормально) у команді 4 особи. ________________________________
19) У кімнаті біля двадцяти стільців. ________________________________
20) Мені потрібно біля ста доларів. ________________________________
21) Нам потрібно спеціальне обладнання. ________________________________
22) Я люблю екзотичних тварин. ________________________________
23) Її друг трохи дивний: він колекціонує непотрібні речі і поламане обладнання. ________________________________
24) Мені подобається колекціонувати потворні іграшки. ________________________________
25) Це захоплюючий фільм? ________________________________

26) Я не пам'ятаю його останніх слів. ______________________________
27) У неї рідка пристрасть. ______________________________
28) У неї справжня пристрасть до книжок. ______________________________
29) Не використовуй це обладнання. ______________________________
30) Вони завжди використовують екзотичне обладнання. ______________________________

31) Він так не вважає. ______________________________
32) Вони так не вважають. ______________________________
33) Це моє останнє слово. ______________________________
34) Цей пацієнт має справжню пристрасть до ліків (*medicine*). ______________________________

2. *Say and write in English.*

be interested in smth — цікавитися чимось

1) Ми цікавимося спортом. ______________________________
2) Він не цікавиться детективами. ______________________________
3) Мої друзі зовсім не цікавляться музикою. ______________________________

4) Марк не дуже цікавиться історією Стародавнього світу. ______________________________

5) Вона зовсім не цікавиться релігією (*religion*). ______________________________

6) Моя сестра, на жаль, зовсім не цікавиться літературою. ______________________________

7) Вони дуже цікавляться політичними новинами. ______________________________

8) Його, на жаль, не цікавить результат. ______________________________

3. *Say and write in English.*

prefer doing something — вважати за краще зробити щось

1) Я вважаю за краще позагоряти. ______________________________
2) Вони вважають за краще поїхати на море. ______________________________
3) Де ви вважаєте за краще проводити відпустку? ______________________________
4) Що ти вважаєш за краще — читати або дивитися телевізор? ______________________________

5) Що твоя дочка вважає за краще — кататися на санчатах або на ковзанах? ______________________________

6) Ви вважаєте за краще обідати наодинці? ______________________________

7) Вона вважає за краще збрехати? ______________________________

4. *Say and write in English.*

join somebody / something

1) Приєднуйтесь до нашої команди! ____________________
2) Приєднуйтесь до нас. ____________________
3) Приєднуйтесь до них. ____________________
4) Давайте приєднаємося до цієї групи. ____________________
5) Давайте приєднаємося до неї. ____________________
6) Давайте приєднаємося до їхніх друзів. ____________________

5. *Say and write in English.*

favourite — улюблений, улюбленець

1) Хто твій улюблений письменник? ____________________
2) Хто її улюблений актор? ____________________
3) Хто його улюблений співак? ____________________
4) У нього немає улюбленої акторки. ____________________
5) У них немає улюбленого композитора. ____________________

6. *Say and write in English.*

consist of — складатися з

1) Наша група складається з п'яти осіб. ____________________
2) Цей набір (*set*) складається з трьох предметів (*item*). ____________________
3) Футбольна команда складається з 11 гравців. ____________________
4) Ця страва (*dish*) складається з рису й овочів. ____________________
5) Сніданок у цьому готелі складається з тостів (*toasts*), джему і кави або чаю. ____________________
6) Мій обід зазвичай складається з фруктів і чаю. ____________________

7. *Say and write in English.*

still — все ж, все ж таки, все ще, все одно

1) Він все ж таки любить її. ____________________
2) Моя бабуся все ще знаходить час для хобі. ____________________
3) Я все одно хочу піти туди. ____________________
4) Він все ж таки хоче купити цю машину. ____________________
5) Хоча (*Though*) в місті галасно і брудно, люди все одно переїжджають (*move*) у великі міста. ____________________

8. *Say and write in English.*

take up smth — зайнятися чимось

1) Давай займемося тенісом.______________________________
2) Займися плаванням, це дуже корисно для здоров'я (*healthy*). ____________
____
3) Якщо хочеш зайнятися спортом, приєднуйся до нашого клубу.__________
____
4) Якщо він хоче зайнятися полюванням на привидів, йому потрібно спеціальне електронне обладнання.______________________________
____

9. *Say and write in English.*

pick up smth — піднімати, збирати (напр., гриби, ягоди)

1) Підніми цю ручку з підлоги.______________________________
2) Я люблю збирати гриби (*mushrooms*). __________________________
____
3) Ти любиш збирати гриби? _________________________________
4) Я ніколи нічого не піднімаю з підлоги. _________________________
____
5) Він ніколи не збирає гриби. _______________________________

10. *Say and write in English.*

at all — зовсім (у запереченнях)

1) Це зовсім не складно. ___________________________________
2) Я зовсім цього не люблю. _________________________________
3) Я зовсім не хочу туди йти. ________________________________
4) Я зовсім не голодний. ___________________________________
5) Я зовсім не хочу пити.___________________________________
6) Мені зовсім не потрібна його допомога. _______________________

11. *Say and write in English.*

come in (very) handy — стати у (великій) пригоді, припасти до речі

1) Його допомога може припасти до речі.__________________________
____
2) Старий одяг мого брата іноді стає у великій пригоді. ______________
____
3) Це нам може стати в пригоді. ______________________________
4) Іноді старе обладнання стає у великій пригоді. _________________
____
5) Його здібності (*abilities*) можуть припасти до речі. _______________
____

УРОК 21

Спілкування. *У ресторані. За обіднім столом.*

Граматика. *Звороти would like / feel like / I'd rather.*

21.1

At the restaurant	У ресторані
Leila I'm hungry. How about going to a restaurant?	***Ліла*** Я голодна. Як щодо того, щоб піти в ресторан?
Anna I don't feel like going anywhere. I'd rather stay at the hotel and watch TV.	***Анна*** Щось мені не дуже хочеться нікуди йти. Я б краще залишилась у готелі і подивилася телевізор.
Leila Come on, don't be a couch potato. There's a nice Japanese restaurant round the corner. They serve wonderful sushi there.	***Ліла*** Та годі тобі, не будь лежнем. Тут за рогом є миленький японський ресторанчик. Там подають відмінні суші.
Anna I hate sushi. I'd rather eat a good steak.	***Анна*** Я ненавиджу суші. Я б краще з'їла біфштекс.
Leila Well, Ok, if you hate sushi, you can order something else. Come on, keep me company!	***Ліла*** Ну, гаразд, якщо не любиш суші, можеш замовити щось інше. Ну ж бо, давай, склади мені компанію!
Anna Only if we go to a restaurant with European cuisine.	***Анна*** Тільки якщо ми підемо в ресторан з європейською кухнею.
Leila Ok, then. There's a nice little French restaurant just two blocks away.	***Ліла*** Ну, добре. Всього за два квартали звідси є милий французький ресторанчик.
(in the restaurant)	*(у ресторані)*
Leila Could we have the menu, please?	***Ліла*** Можна нам, будь ласка, меню?
Waiter Here you are, madam. ...	***Офіціант*** Ось, будь ласка, мадам.
(some time later)	*(трохи пізніше)*
Waiter Are you ready to order?	***Офіціант*** Ви готові замовляти?
Leila Yes. I'd like a prawn cocktail as a starter. Then a beefsteak with vegetables as a main dish.	***Ліла*** Так, із закусок я візьму коктейль з креветок. Потім, на основну страву, біфштекс з овочами.
Waiter How would you like you steak — rare, medium or, perhaps, well-done?	***Офіціант*** Як ви хочете, щоб був приготовлений біфштекс — з кров'ю, середньо прожарений або, можливо, добре прожарений?
Leila Well-done, please. I don't like undercooked meat.	***Ліла*** Добре прожарений. Я не люблю напівсирого м'яса.
Waiter Which vegetables would you like — cauliflower, spinach or potato?	***Офіціант*** Які ви хочете овочі — кольорову капусту, шпинат або картоплю?
Leila French fries, please.	***Ліла*** Картоплю фрі, будь ласка.
Waiter What would you like for dessert?	***Офіціант*** Що б ви хотіли на десерт?

Leila What would you recommend?	***Ліла*** А що б ви порекомендували?
Waiter We have a delicious trifle.	***Офіціант*** У нас дуже смачний трайфл (десерт з фруктів із заварним кремом, фруктовим желе, іноді зі збитими вершками; основою десерту є бісквітне печиво, змочене хересом або вином).
Leila Then, one trifle, please. And a lemon tea.	***Ліла*** Тоді, один трайфл, будь ласка. І один чай з лимоном.
Waiter And you, ma'am?	***Офіціант*** А ви, мем?
Anna I'll have caviar to start with. Then shrimps in garlic sauce. For the main course I'd like grilled trout with mashed potatoes.	***Анна*** Для початку я візьму ікру. Потім креветки в часниковому соусі. На основну страву я б хотіла форель на грилі з картопляним пюре.
Waiter And for dessert?	***Офіціант*** А на десерт?
Anna I'd like an apple pie with cream and chocolate fudge cake and white coffee. Though... no, it's awfully fattening. Could I just have decaf black coffee and ice cream, please?	***Анна*** Я б хотіла яблучний пиріг з вершками і шоколадне тістечко з вершковою помадкою і каву з молоком. Хоча… ні, це страшенно повнить. Можна мені просто чорну каву без кофеїну і морозиво, будь ласка.
Waiter Which flavour — strawberry, vanilla, raspberry, pineapple or chocolate?	***Офіціант*** З яким смаком — полуничним, ванільним, малиновим, ананасовим чи шоколадним?
Anna Strawberry, please.	***Анна*** Полуничним, будь ласка.
Waiter Thank you very much.	***Офіціант*** Щиро дякую.

РОБОТА З ТЕКСТОМ

1. *Find the English equivalents of these words and expressions in the text.*

1) Не будь лежнем! ______________________________
2) за рогом ______________
3) подавати (їжу)______________
4) біфштекс ______________
5) замовляти ______________
6) щось ще / щось інше ______________________________
7) Склади мені компанію! ______________________________
8) усього за два квартали звідси ______________________________
9) Ось, будь ласка.______________
10) Ви готові зробити замовлення? ______________
11) основна страва ______________________________
12) з кров'ю (про м'ясо) ______________
13) середньої прожарки ______________
14) добре прожарений______________
15) сирувате м'ясо______________
16) кольорова капуста ______________
17) шпинат ______________
18) картопля фрі ______________
19) ікра ______________
20) для початку______________
21) на десерт ______________
22) Що б ви порекомендували?______________________________
23) чай з лимоном ______________
24) часниковий соус______________
25) креветки (дрібні) ______________
26) картопляне пюре ______________________________
27) на основну страву ______________________________

28) креветки (великі) ____________
29) форель ____________
30) форель на грилі ____________
31) яблучний пиріг ____________
32) кава з молоком ____________
____
33) аромат / смак ____________
34) полуниця ____________
35) чорна кава без кофеїну ____________
____
36) дуже смачний ____________
37) Це страшенно повнить. ____________
____
38) ананас ____________
39) ваніль ____________
40) малина ____________

ЛЕКСИЧНІ ПОЯСНЕННЯ ДО ТЕКСТУ

Come on

Цей вираз уживається для підбадьорення, заохочування до дії, якщо людина не дуже хоче щось робити:

Come on, you can do it! — Ну-бо, давай, ти можеш це зробити!

Come on, hurry up! — Ну-бо, давай, поквапся!

Ви також можете вжити ці вирази, якщо вважаєте, що хтось поводиться безглуздо і нерозсудливо:

Come on, stop thinking about it. It was two months ago. — Та годі тобі, перестань уже про це думати, це було два місяці тому.

I'll have

Дослівно це означає «Я буду мати». За значенням це «Я візьму». Граматично це майбутній простий час (*the Future Simple Tense*). Ми не будемо детально зупинятися на ньому в цьому уроці. Зараз вам досить просто запам'ятати цей вираз.

I'll have a cake. — Я візьму тістечко.

I'll have two pizzas, please. — Я візьму дві піци. (Слово «будь ласка» в українському варіанті звучало б дивно, але в англійській тут воно цілком доречно.)

Ma'am

Досить поширене скорочення від *madam* — ввічливе звертання до жінки, яке вживається в багатьох американських штатах. У британському англійському таке звертання, як правило, використовується у відношенні до жінки-офіцера, старшої за званням, а також у відношенні до жінок з королівської сім'ї.

Here you are

Вираз, що означає «Ось, будь ласка, візьміть». Вживається, коли ви подаєте щось комусь у відповідь на його прохання.

GRAMMAR

I don't feel like doing something

Дослівно це вираз означає «Я не почуваюся, як зробити щось», або більш літературний варіант — «Мені не дуже хочеться щось робити».

Причому зверніть увагу, що слово *like* в цьому виразі не має ніякого відношення до значення «подобатися». Тут його вжито в зовсім іншому своєму значенні — «як».

I don't feel like eating here. — Мені не дуже хочеться тут їсти.
I don't feel like going for a walk. — Мені не дуже хочеться йти на прогулянку.
I don't feel like taking a taxi. — Мені не дуже хочеться брати таксі.

Ми також можемо вжити цей вираз у стверджувальному реченні:
I feel like doing something — Щось мені захотілося щось зробити.
I feel like eating something. — Щось мені захотілося що-небудь з'їсти.
I feel like going to bed. — Щось мені захотілося піти поспати.

I'd rather (not) do something

Вираз *I'd rather (not) do something* перекладається буквально дослівно: «Я б скоріше / краще зробила (не робила) щось». Воно вживається, коли вам пропонують щось, чого ви не дуже хочете робити, а тому робите пропозицію у відповідь або прозоро натякаєте, що ви із задоволенням зробили б замість запропонованого.

Would you like some juice? — No, I'd rather have coffee. — Ти хочеш соку? — Ні, я б краще випила кави.

Would you like to join us for a walk? — No, I'd rather stay at home. — Ти підеш з нами погуляти (досл: Ти б хотів приєднатися до нас для прогулянки)? — Ні, я краще залишуся вдома.

У виразі *I'd rather 'd'* — є скороченням від *would*, яке означає «б», і повністю цей вираз звучав би як *I would rather.* Але в такому вигляді цей вираз практично ніколи не вживається, вживається зазвичай його скорочена форма.

За допомогою цього виразу ми можемо будувати фрази не тільки про себе:

They'd rather go for a walk. — Вони б краще пішли прогулятися.
We'd rather not take part in that. — Ми б краще не приймали участь у цьому.
He'd rather not say anything. — Він би вважав за краще помовчати (нічого не говорити).

a lemon tea

Чай з лимоном. Здавалося б, «чай» — це необчислювальний іменник. Звідки ж тоді тут береться неозначений артикль? Справа в тому, що тут артикль перетворює необчислювальний «чай» на «чашку чаю». Тобто, вираз *I'll have a lemon tea* означає «Я візьму чашку чаю з лимоном».

Ще приклади:
I'll have a black coffee, please. — Я візьму чашку чорної кави.
До речі, «кава з молоком» англійською — це *white coffee*, тобто «біла кава».

Напої можуть також вживатися і у множині:
Two beers, please. — Два пива (=келиха пива), будь ласка.

Could we have the menu, please?

Поширена форма ввічливого прохання, яке дослівно означає «Могли б ми мати меню, будь ласка?». Ця фраза відповідає українській «Не могли б ви нам дати меню, будь ласка?». Ось ще декілька прикладів:

Could I have vanilla ice cream, please? — Можна мені, будь ласка, ванільного морозива? (наприклад, звертаючись до продавця морозива)

Could I have a bag, please? — Можна мені пакетик? (наприклад, у супермаркеті)

Could також може вживатися у ввічливому проханні, що звернено до другої особи:

Could you pass me the salt, please? — Не могли б ви мені передати сіль, будь ласка?

Could you help me? — Не могли б ви мені допомогти?

Зверніть увагу, що в подібних проханнях українською ми вживаємо питально-заперечну форму — Не могли б ви…. В англійській мові вживається звичайна питальна форма — *Could you* ...

Якщо ми розмовляємо з друзями або дітьми, замість *could* ми можемо використовувати *can*. Це робить прохання менш офіційним:

Can I borrow your dictionary? — Можна я позичу твій словник?
Can you tell me the time? — Можеш сказати мені, котра година?

I would like = I'd like

«Я б хотів / хотіла», «Мені б хотілося».

Ми вже зустрічалися зі словом *would*, або його скороченою формою *'d* у виразі *I'd rather*. Взагалі слово *would* відповідає українській частці «б». З його допомогою можна побудувати будь-яке умовне речення:

I'd (I would) play chess. — Я б пограв у шахи.
He'd (He would) eat something. — Він би щось з'їв.
We'd (We would) go for a walk. — Ми б пішли погуляти.
They would never do that. — Вони б цього ніколи не зробили.
They'd like to order something. — Вони б хотіли щось замовити.

Не плутайте звичайне слово *like* — «подобається» і вираз *would like* — «хотілося б». Зверніть увагу на різницю граматичних структур:

	like	**would like**
Ствердження	*He likes swimming.* — Йому подобається плавати.	*He'd like to swim now.* — Він би хотів зараз поплавати.
Заперечення	*He doesn't like jogging.* — Йому не подобається бігати.	*He wouldn't like to jog every morning.* — Він би не хотів ходити на пробіжки щоранку.
Запитання	*Do you like watching TV?* — Тобі подобається дивитися телевізор?	*Would you like to watch TV with us?* — Ти б хотів подивитись з нами телевізор?
Короткі відповіді	*Do you like ...? — Yes, I do. / No I don't.*	*Would you like ...? — Yes, I would. / No I wouldn't.*

З прикладів ви, напевно, здогадалися, що *like* вживається, коли ми говоримо про те, що нам подобається або не подобається робити зовсім. *Would like* вживається, коли йдеться про бажання щось зробити (або чогось не робити) в якийсь певний час або в якомусь певному місці.

I don't like swimming in cold water. — Я не люблю плавати в холодній воді. (Йдеться в принципі про будь-яку холодну воду.)

I wouldn't like to swim in this cold water. — Я б не хотів купатися в цій холодній воді. (Йдеться про моє небажання в цей момент залазити в цю конкретну холодну воду.)

Ви можете також зустріти вираз *I'd love ...*, яке означає «Я б із задоволенням». Як правило, воно вживається у відповідь на якусь пропозицію, наприклад:

Would you like some juice? — Yes, please. I'd love some.

Ти хочеш (трохи) соку? — Так, будь ласка. Із задоволенням.

Would you like to join us? — I'd love to. (*to* додається тоді, коли мається на увазі виконання якоїсь дії. В цьому випадку: «Я б із задоволенням приєднався до вас», тобто *I'd love to join you.*)

Grammar practice

1. *Make questions with would using the words given.*

Example: what / you / say *What would you say?*

1) where / you / stay ______________________

2) what / he / do ______________________

3) how many books / they / buy ______________________

4) where / she / go ______________________

5) he / accept (*приймати*)/ this offer (*цю пропозицію*) ______________________

____

6) you / stay / in this hotel ______________________

2. Джек розповідає, чого йому хотілося б (✓), а чого ні (✗). Складіть речення, використовуючи підказки. У ствердженнях використовуйте скорочену форму *He'd like...*

Example: be famous (✗) *He wouldn't like to be famous.*

1) know Japanese (✓) ____________________
2) meet a film star (✓) ____________________
3) go to the space (✗) ____________________
4) have a dog (✓) ____________________
5) live in New Zealand (✓) ____________________
6) be younger (✗) ____________________
7) become a doctor (✗) ____________________

3. *Make sentences with would ('d) using the words given.*

Example: I'm hungry. *I'd eat something.*

go on holiday	have a drink	have some ice cream
~~eat something~~	stay here longer (*довше*)	drink some hot tea

1) I'm cold. ____________________
2) I'm exhausted. ____________________
3) I'm thirsty. ____________________
4) I'm awfully hot. ____________________
5) I like it here very much. ____________________

4. *Translate the sentences into English.*

1) Я б цього не робив. ____________________
2) Він би ніколи не прийняв цю пропозицію. ____________________
____
3) Ми б ніколи не пішли з ними. ____________________
4) Я б з'їв зараз щось смачне. ____________________
5) Ти б купила цю сукню? ____________________
6) Я б подивився цей фільм. ____________________
7) Ти б взяв участь у цьому змаганні? ____________________
____
8) Я б не ходив туди один. ____________________
9) Скільки морозива ти б з'їв? ____________________
10) Цього було б досить. ____________________

5. *Write the correct questions — Would you like...? or Do you like...? , using the words in brackets and the answers given.*

Example: (coffee) *Would you like some coffee?* — No, thank you.
(swim) *Do you like swimming?* — Yes, especially in the sea.

1) (play chess) ____________________ —Yes, with pleasure.
2) (apples) ____________________ —Yes, I like all fruits.

3) (a sandwich) ______________________________ — No, thanks, I am not hungry.
4) (watch TV) ____
—Yes, sometimes, especially talk shows.
5) (see the photos) ____________________________________ — Yes, I'd love to.

6. *Complete these requests with* *Can/Could I ...* *or* *Can/Could you ...?* (Доповніть ці прохання виразами *Can/Could I ...* або *Can/Could you ...?*)

1) ________________________ have a cheese sandwich, please?
2) ________________________ tell me the answer, please?
3) ________________________ take me to the station, please?
4) ________________________ borrow (*позичити, взяти*) your pen, please?
5) ________________________ see the menu, please?
6) ________________________ lend (*позичити, дати*) me some money, please?
7) ________________________ help me with my homework, please?

7. *Translate into English. Don't forget to use an article, if necessary!*

1) чашка чорного чаю ____
2) три чашки чаю з лимоном ____
3) одна кава з молоком ____
4) дві чорних кави ____
5) один келих пива ____
6) стакан апельсинового соку ____

8. *Translate into English using* *How about doing something?*

1) Як щодо того, щоб піти в кіно? ______________________________________
____
2) Як щодо того, щоб пограти у футбол?__________________________________
____
3) Як щодо того, щоб піти погуляти?_____________________________________
____
4) Як щодо того, щоб поїхати до Франції? ________________________________
____
5) Як щодо того, щоб провести відпустку в Туреччині? ______________________
____
6) Як щодо того, щоб обговорити (*discuss*) це завтра?_______________________
____
7) Як щодо того, щоб зробити це зараз? _________________________________
____

9. *Translate into English using* *I feel like doing something* (Щось мені захотілося щось зробити).

Example: з'їсти бутерброд — *I feel like having a sandwich.*

1) піти погуляти ____

2) з'їсти щось солоденьке ______________________________
3) подивитись телевізор ______________________________
4) сходити до театру ______________________________
5) поплавати ______________________________
6) випити трохи кави ______________________________

10. *Translate into English using* *<u>I don't feel like doing something</u>* (Мені не дуже хочеться щось робити).

Example: іти в кіно *<u>I don't feel like going to the cinema.</u>*

1) іти до театру ______________________________
2) мити посуд ______________________________
3) їхати за місто ______________________________
4) читати цю статтю ______________________________
5) купувати цю сукню ______________________________
6) співати ______________________________
7) їсти м'ясо ______________________________
8) готувати (їжу) ______________________________
9) пекти торт ______________________________

11. *Translate into English using* *<u>I'd rather (not) do something</u>* (Я б краще зробила / не робила …) .

Example: їсти рибу (✓) *<u>I'd rather have fish.</u>*
пити вино (✗) *<u>I'd rather not drink wine.</u>*

1) купувати ці черевики (✗) ______________________________
2) їсти креветки (✓) ______________________________
3) замовляти десерт (✗) ______________________________
4) випити каву з молоком (✓) ______________________________
5) загоряти (✗) ______________________________
6) вести машину (✗) ______________________________
7) приготувати щось смачненьке (✓) ______________________________
____
8) залишатися в готелі (✓) ______________________________
9) іти на цю вечірку (✗) ______________________________
10) зробити домашнє завдання (✓) ______________________________

VOCABULARY ENRICHMENT

1. *Say and write in English.*

I'll have… — Я візьму …

Use the words from the text and from the list below. (Використовуйте слова з тексту та з нижченаведеного списку.)

orange / apple / cherry juice — апельсиновий / яблучний / вишневий сік
sparkling / fizzy water — газована вода
still water — негазована вода
wine — вино
rice — рис
cheese — сир

1) Я візьму трайфл. ____________________
2) Я візьму два пива. ____________________
3) Я візьму чай з лимоном. ____________________
4) Я візьму каву з молоком. ____________________
5) Я візьму яблучний пиріг на десерт. ____________________
6) Я візьму добре прожарений біфштекс на основну страву. ____________________
____
7) Для початку я візьму креветковий коктейль. ____________________
____
8) Я візьму форель на грилі з картопляним пюре. ____________________
____
9) Я візьму картоплю фрі. ____________________
10) Я візьму полуничне морозиво на десерт. ____________________
____
11) Я візьму рис. ____________________
12) Ми візьмемо два яблучних сока. ____________________
13) Ми візьмемо пляшку негазованої води. ____________________
____
14) Я візьму стакан газованої води. ____________________
____
15) Ми візьмемо дві пляшки червоного вина. ____________________
____
16) Я візьму креветки в сирному соусі. ____________________

2. *Match the questions and the responses.* (Поєднайте запитання з підходящими відповідями.)

1) Would you like some more cake?
2) Could I have a glass of water, please?
3) Does anybody want more wine?
4) Do you want help with the washing-up?
5) Could you pass the salt, please?
6) How would you like your coffee?
7) This is delicious! Can you give me the recipe?

a) Yes, please. I'd love some.
b) Yes, of course. Here you are.
c) Do you want sparkling or still?
d) Yes, it's delicious.
e) White, no sugar, please.
f) Yes, of course. I'm glad you like it.
g) No, of course not. We have a dishwasher.

3. *Translate into English using the words and expressions from this lesson.*

1) Ти голодний? ______________________________
2) Він справжній лежень. ______________________________
3) Якщо хочеш тримати себе у формі, займися спортом і не будь лежнем. ______________________________
4) За рогом є квітковий магазин. ______________________________
5) За рогом немає ніякого ресторану. ______________________________
6) Там подають дуже смачні страви (*dishes*). ______________________________
7) За три квартали звідси є китайський ресторан. ______________________________
8) Усього за квартал звідси є м'ясна лавка. ______________________________
9) Я б замовила ікру. ______________________________
10) Що б ти замовив — ікру чи креветки? ______________________________
11) Я б з'їла щось інше. ______________________________
12) Можна нам меню? — Ось, прошу. ______________________________
13) Можна мені чаю, будь ласка? — Ось, прошу. ______________________________
14) Я віддаю перевагу європейській кухні. ______________________________
15) Твій друг готовий? ______________________________
16) Вона готова говорити? ______________________________
17) Вони готові робити замовлення? ______________________________
18) Яким овочам ви віддаєте перевагу — кольоровій капусті, шпинату чи картоплі? ______________________________
19) Як вам подати стейк — з кров'ю, середньої прожарки чи добре прожарений? ______________________________
20) Ці овочі недоварені. ______________________________
21) Він не любить напівсирого м'яса. ______________________________
22) У якому вигляді ви б хотіли картоплю — пюре чи фрі? ______________________________
23) Що б ви порекомендували — ванільне чи шоколадне морозиво? ______________________________
24) Якій каві ви віддаєте перевагу — чорній чи з молоком? ______________________________
25) Я не люблю креветки в часнику. ______________________________
26) Мій улюблений десерт — яблучний пиріг. ______________________________

27) Я ніколи не п'ю кави без кофеїну. ______________________
28) Ця форель на грилі дуже смачна. ______________________
29) Усі ці десерти сильно повнять. ______________________
30) Я не їм морозива, воно сильно повнить. ______________________
____
31) Я віддаю перевагу малиновому смаку. ______________________
32) Якому смаку ви віддаєте перевагу — ананасовому чи ванільному? ______
____
33) Яку вам воду — газовану чи ні? ______________________
____

Revision exercise. Translate into English.

1) Як щодо того, щоб відпочити цього літа на морі? ______________
____
2) Я б краще пішла погуляти замість того, щоб дивитися телевізор. ________
____
3) Я б випила газованої води. ______________________
4) Я б не говорила цього. ______________________
5) Я візьму яблучний пиріг. ______________________
6) Я б краще не ходила в кіно. ______________________
7) Я б хотіла помандрувати навколо світу. ______________________
____
8) Я люблю подорожувати. ______________________
9) Щось мені не хочеться спати. ______________________

Speaking practice

1. *Read these dialogues and then make your own conversations with these words:* a hot dog / Coke / coffee / ice-cream / apple juice / lemon tea / beer / a tuna sandwich*

A. Would you like some fish 'n' chips**?
B. No, thanks.
A. Don't you like fish 'n' chips?
B. Yes, I do. But I don't want any now. I'm not hungry.

A. Do you like orange juice?
B. Yes, I do.
A. Would you like some now?
B. No, thanks. I'm not thirsty.

* *a tuna sandwich — бутерброд з тунцем. Досить популярний тип бутербродів, що продається практично в кожному супермаркеті.*

***fish 'n' chips — Дослівно «Риба і чіпси». ('n' — поширене скорочення слова and у мовленні, вимовляється як «ен»).*

Supplementary reading

21.2

The kind of food we eat depends on what country we live in. And even if two people live in the same country but in different parts of it, their eating traditions may be different, too. For example, in the south of China they eat rice, but in the north they prefer noodles. In Scandinavia, they eat a lot of herrings, and the Portuguese love sardines. It's quite natural because people in these countries live near the sea. But in Central Europe, away from the sea, people don't eat so much fish, they eat more meat and sausages. In Austria, Germany, and Poland there are hundreds of different kinds of sausages.

In North America, Australia, and Europe people traditionally have two or more courses to every meal and they eat with knives and forks. In China there is only one course, they put all the food together on the table, and people eat with chopsticks. In India and the Middle East people usually use their fingers and bread to pick up the food.

Nowadays it is possible to transport food easily from one part of the world to the other. We can eat what we like, when we like, at any time of the year. Bananas arrive from the Caribbean or Africa; rice comes from India or the USA; strawberries arrive from Chile or Spain. Food is very big and profitable business. In rich countries people eat too much and often become fat. On the other hand, people in poor countries, on the contrary, are still hungry.

1. *Answer the questions.*

1) In what part of China do people eat rice and in what part do they prefer noodles?
2) What do people in different parts of the world eat with?
3) Why nowadays can we eat what we like and when we like?
4) Where do people eat a lot of fish? Why?
5) Where do people prefer meat and sausages? Why?
6) What countries are the main exporters of rice?
7) Where do bananas come from?
8) Where do strawberries come from?
9) What is the today's problem in the rich countries?

УРОК 22

Спілкування. *Плани на майбутнє.*

Граматика. *Зворот be going to. Обставина мети. (I am going to London to meet the Queen).*

22.1

— This summer I'm going to London.	— Цього літа я їду (=збираюся поїхати) до Лондона.
— What are you going to do there?	— Що ти збираєшся там робити?
— I'm going to meet the Queen. I have an appointment with her.	— Я збираюся зустрітися з королевою. У мене з нею призначена зустріч.
— So, you are going to London to meet the queen. Really? You must be kidding!	— Так ти їдеш до Лондона, щоб зустрітися з королевою? Дійсно? Ти, напевно, жартуєш!
— Of course, I'm kidding. I just want to see the sights of London, walk its streets, visit the world-famous museums and fly on the London Eye. I am also going to do some shopping.	— Звичайно, жартую. Я просто хочу подивитися визначні пам'ятки Лондона, погуляти його вулицями, відвідати всесвітньо відомі музеї і прокотитися на «Лондонському оці». Я також збираюся зайнятися шопінгом.
Sam is going to the café round the corner to see his friends.	Сем збирається (=іде) до кав'ярні за рогом, аби побачитися зі своїми друзями.
Lola is going to bake a cake to treat her guests.	Лола збирається спекти торт, щоб пригостити своїх гостей.
I go to the gym to keep fit.	Я ходжу до спортзалу, щоб тримати себе у формі.
We read to know more about everything.	Ми читаємо, щоб більше знати про все.
Colin learns foreign languages to travel around the world.	Колін вивчає іноземні мови, щоб подорожувати навколо світу.

ЛЕКСИЧНИЙ КОМЕНТАР

You must be kidding!

«Ти, напевно, жартуєш!» дуже поширений розмовний вираз. За допомогою слова *kidding* можна побудувати також стверджувальне і заперечне речення:

I'm just kidding. — Я просто жартую.
He's not kidding. — Він не жартує.
Are you kidding? — Ти жартуєш?

РОБОТА З ТЕКСТОМ

1. *Find the English equivalents of these words and expressions in the text.*

1) зустрітися з королевою ______________________
2) зустріч, що призначена ______________________
3) Ви, напевно, жартуєте. ______________________
4) визначні пам'ятки ______________________
5) прогулятися його вулицями ______________________
6) всесвітньо відомий ______________________
7) прокотитися на «Лондонському оці» ______________________
8) пройтися по магазинах ______________________
9) спекти торт ______________________
10) пригостити ______________________
11) пригостити її гостей ______________________
12) спортзал ______________________
13) тримати себе у формі ______________________
14) про все ______________________
15) більше знати ______________________
16) іноземна мова ______________________
17) подорожувати навколо світу ______________________
18) просто, тільки ______________________

GRAMMAR

Зворот be going to do something

Зворот *be going to* вживається, коли ми говоримо про плани на майбутнє.

Дослівно ця конструкція перекладається як «я йду, щоб ...», «я піду (зроблю щось)». Як правило, ця конструкція передається в українській мові за допомогою слова «збиратися» або звичайним майбутнім часом.

I am going to watch TV. — Я збираюся подивитися телевізор. (=Я піду подивлюся телевізор.)

I am going to eat. — Я збираюся поїсти. (Я піду поїм.)

Ми також вживаємо конструкцію *be going to*, коли знаємо, що щось обов'язково трапиться.

Look! He is going to fall! — Дивись! Він зараз упаде! (Наприклад, коли ми бачимо людину, що балансує на жердині, яка сильно хитається.)

Look at the sky! It's going to rain. — Подивися на небо! Збирається дощ.

It's 9 o'clock already! I'm going to be late. — Зараз уже 9-та година! Я спізнююся. (Я напевно спізнюся.)

Якщо в ролі смислового дієслова вживається дієслово *go*, то його можна опустити.

I am going to the country. = I am going to go to the country. — Я збираюся за місто. (Я збираюся поїхати за місто.)

- **Заперечення:**

Так само, як і в будь-якому реченні з дієсловом *to be*, щоб побудувати заперечення нам досить поставити частку *not* після особової форми дієслова *be*:

We are __not__ (=aren't) going to take part in it. — Ми не збираємось у цьому приймати участь.

My friend is __not__ (=isn't) going to fly to London. — Мій друг не збирається летіти до Лондона.

- **Запитання:**

Щоб утворити запитання, досить поставити особову форму дієслова *to be* перед підметом:

Are you going to watch TV tonight? — Ти збираєшся сьогодні ввечері дивитися телевізор?

Where is she going to spend her holiday? — Де вона збирається провести свою відпустку?

Обставина мети

Обставини мети відповідають на запитання «Для чого?», «З якою метою?».

В українській мові такі обставини вводяться словами «аби», «щоб» або «для того щоб». В англійській мові в таких випадках, як правило, досить вжити інфінітив з часткою *to*:

I do it __to help__ you. — Я роблю це, щоб допомогти тобі.

Подивіться ще раз уважно на ці речення з тексту уроку:

Sam is going to the café round the corner __to see__ his friends. — Сем збирається (=іде) до кав'ярні за рогом, щоб побачитися зі своїми друзями.

Lola is going to bake a cake __to treat__ her guests. — Лола збирається спекти торт, щоб пригостити своїх гостей.

I go to the gym __to keep__ fit. — Я ходжу до спортзалу, щоб тримати себе у формі.

We read __to know__ more about everything. — Ми читаємо, щоб більш знати про все.

Colin learns foreign languages __to travel__ around the world. — Колін вивчає іноземні мови, щоб подорожувати навколо світу.

Grammar practice

1. *Fill in the blanks with the given verbs using them in the correct form.* (Заповніть пропуски запропонованими дієсловами в правильній формі.)

~~buy~~ visit play swim rain listen to read

Example: We have no bread. I am going ___*to buy*___ some bread.

1) It's a very interesting story. I am going ______________________________ it.

2) Tom is on the beach. He is going ______________________________ in the sea.

3) We are on holiday. We are going ________________ a lot of interesting places.
4) The clouds are very dark. It is going ________________________________.
5) Alice is at the concert. She is going ______________________________ music.
6) Nick and Tim are at the stadium. They are going ________________________.

2. *Write what these people and animals are going to do.*

Example: Eli (sing) *is going to sing.*

1) The cat (jump) ______________________________
2) The boy (sleep) ______________________________
3) Mary (ski) ______________________________
4) We (cook) ______________________________
5) I (do my homework) ______________________________
6) They (get ready for the exam) ______________________________
7) The birds (fly away) ______________________________

3. *What is going to happen? Write sentences using the verbs given.*

have a baby win kiss dive ~~rain~~ be late bump into a tree get married have a sore throat

1. It *is going to rain.*

2. He ________________

3. You ________________

4. She ________________

5. We ________________

6. They ________________

Ted

7. Ted ________________

8. She ________________

9. We ________________

4. *Fill in the blanks with be going to + one of the verbs given.* (Заповніть пропуски зворотом *be going to* + одне із запропонованих дієслів).

visit wear meet rain talk dance walk help write

Example: We *are going to walk* to the bus stop.

1) Kate ______________ her granny on Sunday.
2) I ______________ my friends in a café.
3) Lucy ______________ that beautiful dress.
4) They ______________ to their teacher tomorrow.
5) It ______________ tonight.
6) I ______________ an assay tonight.
7) We ______________ you with this exercise.
8) Ria ______________ at the disco.

5. *Translate into English.*

1) Я збираюся грати в цю гру. ______________
2) Вона збирається навести порядок у своїй кімнаті. ______________
3) Ми збираємося подивитися цей фільм. ______________
4) Вони збираються написати листа завтра. ______________
5) Джек збирається летіти до Лондона. ______________
6) Я збираюся провідати свою бабусю в суботу. ______________
7) Ми збираємося поплавати в морі. ______________

6. *Write what these people or animals are not going to do.*

cook drink fly sing wait wear bark

Example: The kids (fly) *aren't going to fly* the kite.

1) Kelly ______________ this dress.
2) Jimmy ______________ the milk.
3) I ______________ dinner.
4) They ______________ to Paris.
5) The dogs ______________ .
6) The birds ______________ .
7) We ______________ for him.

7. Складіть стверджувальні (✓) або заперечні (✗) речення зі зворотом *be going to.*

Example: (he / play) (✗) *He isn't going to play.*

1) (we / fly a kite) (✗) ______________

2) (Derek / play football) (✓) ______________________________
3) (your friends / help you) (✓) ______________________________
4) (Vicky / learn this poem) (✗) ______________________________
5) (I / eat that) (✗) ______________________________
6) (they / wash up) (✓) ______________________________

8. *Translate into English.*

1) Він не збирається їсти це. ______________________________
2) Джим не збирається розмовляти з тобою. ______________________________
____
3) Вони не збираються пірнати. ______________________________
4) Я не збираюся слухати цю музику. ______________________________
____

9. *Make questions with* <u>*be going to*</u> *using the words given.*

Example: (Alex / learn French) *Is Alex going to learn French?*

1) (you / join us) ______________________________
2) (she / read this novel) ______________________________
3) (they / wash up) ______________________________
4) (Tom / play chess) ______________________________
5) (Liz / draw your portrait) ______________________________
6) (you / learn German) ______________________________
7) (we / swim in this cold water) ______________________________
8) (the bird / fly) ______________________________

10. *Write short answers.*

Example: Are you going to watch TV? — No, *I am not* .

1) Is she going to dive? — Yes, ______________________________ .
2) Are they going to walk? — No, ______________________________ .
3) Is the cat going to catch the bird? — Yes, ______________________________ .
4) Is the lion going to eat? — No, ______________________________ .
5) Are you going to fly your kite? — Yes, ______________________________ .
6) Are we going to help them? — Yes, ______________________________ .
7) Are you going to do learn this poem? — No, ______________________________ .
8) Is Jack going to play tennis? — No, ______________________________ .

11. *Translate into English paying attention to the adverbial modifiers of purpose.*
(Перекладіт`ь англійською мовою, звертаючи увагу на обставини мети.)

1) Я ходжу туди, щоб зустрічатися з друзями. ______________________________
____
2) Я переглядаю інтернет, щоб знати новини. ______________________________
____

3) Він вивчає іноземні мови, щоб подорожувати навколо світу. ____________
____

4) Ти вивчаєш японську, щоб поїхати до Японії? ____________________
____

5) Джек старанно навчається (*study hard*), щоб добре скласти іспит (*pass the exam*).
____

6) Я збираюся поїхати за місто, щоб відсвяткувати (*celebrate*) свій день народження.
____

7) Ми їдемо до Лондона, щоб зустрітися з королевою.__________________
____

8) Ми йдемо до парку, щоб покататися там на велосипеді. _______________
____

9) Мій друг багато читає, щоб знати більше про все. __________________
____

10) Моя сусідка збирається спекти пиріг, щоб пригостити (*treat*) мене. ______
____

11) Мої подруги ходять до спортзалу, щоб тримати себе у формі. __________
____

12) Вона ходить до басейну (*the swimming pool*), щоб тримати себе у формі?
____

13) Я не їм нездорову їжу (*junk food*), щоб тримати себе у формі.___________
____

VOCABULARY ENRICHMENT

- **have an appointment with somebody** — *мати з кимось призначену зустріч.*

I have an appointment with doctor Smith. — У мене призначена зустріч з доктором Смітом.
Do you have an appointment? — У вас призначена зустріч?
He doesn't have an appointment with Mr Brown. — У нього не призначена зустріч з містером Брауном.

1. *Say and write in English.*

1) У мене зустріч з містером Джонсом. ____________________
2) У вас призначена зустріч з директором?____________________
3) У мене не призначена зустріч. ____________________
4) У нього призначена зустріч? ____________________
5) У Стіва призначена зустріч з його стоматологом. ______________
____
6) У нас не призначена зустріч з місіс Алексіс. ______________
____

- **keep fit —** *тримати себе у формі*

She likes keeping fit / to keep fit. — Їй подобається тримати себе у формі.

You can go to the swimming pool to keep fit. — Ти можеш ходити до басейну, щоб тримати себе у формі.

If you want to keep fit, do / take up some sport. — Якщо хочеш тримати себе у формі, займайся / займися якимось спортом.

2. *Say and write in English.*

1) Мені подобається тримати себе у формі. ____________________
2) Їй подобається тримати себе у формі. ____________________
3) Тобі подобається тримати себе у формі?____________________
4) Вам легко тримати себе у формі?____________________
5) Що ти робиш, аби тримати себе у формі?____________________
____
6) Вони бігають щоранку, щоб тримати себе у формі.____________________
____
7) Я б краще пішов до басейну, щоб тримати себе у формі. ____________________
____
8) Ти можеш бігати щоранку, щоб тримати себе у формі. ____________________
____
9) Якщо ти хочеш тримати себе у формі, займись якимось спортом.__________
____
10) Якщо вона хоче тримати себе у формі, вона може ходити з нами до басейну.
____
11) Ти не можеш тримати себе у формі, якщо їси так багато нездорової їжі.
____

- *кататися на чомусь*

В англійській мові не існує аналога українському слову «кататися». Воно перекладається англійською мовою у залежності від значення:

to fly on the London Eye — покататися на «Лондонському оці»
to ski / to go skiing — кататися на лижах
to skate / to go skating — кататися на ковзанах
to ride a horse — кататися на коні

3. *Say and write in English.*

1) Джек влітку катається на коні. ____________________
2) Ми взимку катаємося на лижах і ковзанах. ____________________
____
3) Ти катаєшся влітку на коні?____________________
____
4) Я їду до Лондона, щоб покататися на «Лондонському оці». __________
____
5) Твій друг катається взимку на лижах? ____________________

6) Ти добре катаєшся на ковзанах? ___________________________
7) Я їду до Індії, щоб покататися на слоні.___________________________

____

8) Том їде до Єгипту, щоб покататися на верблюді (*a camel*). ___________

____

9) Твоя сестра їде до Єгипту, щоб покататися на верблюді? ___________

____

10) Ти їдеш до Індії, щоб покататися на слоні? ___________________________

____

- **to go shopping, to do some shopping** — *ходити за покупками*

Обидва ці вирази можуть перекладатися українською мовою однаково. Проте, вони трохи відрізняються за стилістикою вживання, тобто можуть вживатися в різних ситуаціях, але за значенням мало чим відрізняються одне від одного.

Let's go shopping! — Давай пройдемося по магазинах!

She's going to do some shopping in New York. — Вона збирається зайнятися шопінгом у Нью Йорку.

We go shopping every weekend. — Ми ходимо за покупками щовікенду.

Кожного разу, коли вам зустрічаються ці вирази, звертайте увагу на ситуації, в яких вони вживаються.

До речі, є ще один вислів про покупки: ***to do the shopping***. Воно трохи відрізняється за змістом від попередніх двох і означає «ходити за продуктами на регулярній основі».

Who does the shopping in your family? — Хто у вашій сім'ї ходить за продуктами?

4. *Say and write in English.*

1) Давай в Лондоні пройдемося по магазинах! ___________________________

____

2) Я зазвичай ходжу за покупками у неділю. ___________________________

____

3) Вона ніколи не ходить за покупками у понеділок. ___________________

____

4) Я б хотіла піти за покупками цього вікенду. ___________________________

____

5) Ви ходите за покупками щовікенду? ___________________________

____

6) Коли ти ходиш за покупками? ___________________________

5. *Translate these sentences using the words and expressions from the text.*

1) Я хочу зустрітися з королевою. ___________________________
2) Я б хотіла спекти торт на десерт. ___________________________
3) Яку іноземну мову ти вивчаєш — німецьку чи французьку?

____

4) Він завжди про все запитує. ________________________________
5) Я б хотіла ввечері пройтися по магазинах. ____________________
____
6) Ти б хотіла прокотитися на «Лондонському оці»? ______________
____
7) Я збираюся спекти пиріг, щоб пригостити своїх гостей.__________
____
8) Я збираюся піти до спортзалу, щоб тримати себе у формі.________
____
9) Я хочу більше дізнатися про історію Стародавнього світу.________
____
10) Я люблю гуляти вулицями свого міста. ____________________
____
11) Я їду до Парижа, щоб побачити його визначні пам'ятки. ________
____
12) Скільки іноземних мов ти знаєш? _________________________
____
13) Я їду до Лондона, щоб відвідати всесвітньо відомі музеї.________
____

Speaking practice

1. *Imagine that you are going to spend your next holiday in one of these places. How would you explain why you are going there?*

Example: *I'm going to Egypt to see the Pyramids.*

A	B
Holland	see the Pyramids
Paris	visit the Taj Mahal
Spain	see a bullfight (*бій биків, корида*)
London	visit the rainforest (*тропічні ліси*)
India	go on a safari and take pictures of the lions
Brazil	fly over the Grand Canyon
China	see the famous Opera house in Sydney
Kenya	visit the beautiful Venice [ˈvenɪs]
Egypt	admire (*милуватися*) the tulips
Italy	walk along the Great Wall
Australia	climb the Eiffel [ˈaɪfel] Tower
Nepal	see the Big Ben
Alaska	watch whales
Hawaii	go surfing
the Great Barrier Reef	go scuba-diving (*підводне плавання з аквалангом*)
the USA	climb Mount Everest

УРОК 23

Спілкування. *Говоримо про те, чим займаємося наразі. Говоримо про почуття і настрій. Ввічливо приймаємо запрошення.*

Граматика. *Present Continuous (Теперішній тривалий час).*

23.1

Planning a night out

Neil Roberto, what are you doing?
Roberto Nothing special.
Neil What's the matter with you? You look so sad. Or are you just tired?
Roberto Oh, it's nothing. I'm OK. I'm just wondering what my wife and my kids are doing at the moment. I miss them so much.
Neil These things happen. Cheer up! By the way, what do you think they are doing?
Roberto I'm not sure. My wife is probably playing with the kids. Or, perhaps she is watching TV and my son Charlie is climbing trees in the orchard. He likes climbing trees. He always climbs trees when he is in the orchard.
Neil Terrific! He's a real boy! I could climb trees, too, when I was a child. And what about your daughter? What is she doing? Is she climbing trees, too?
Roberto Are you kidding? She never climbs trees. She is probably playing the piano. She usually plays the piano at this time.
Neil Great! And I am going for a walk to breathe in some fresh air. Would you like to join me?
Roberto I'd love to. Thank you for the invitation.

Планування вечора поза домом

Ніл Роберт, що ти зараз робиш?
Роберт Нічого особливого.
Ніл Що з тобою? Ти виглядаєш таким сумним. Чи ти просто втомився?
Роберт А, нічого особливого. Я в порядку. Мені просто цікаво, чим зараз займаються мої жінка і діти. Я так (сильно) за ними скучаю.
Ніл Таке трапляється. Не журися! До речі, як ти вважаєш, що вони зараз роблять?
Роберт Я не впевнений. Моя жінка, напевно, грає з дітьми. Або, можливо, вона дивиться телевізор, а мій син Чарлі лазить по деревах у фруктовому саду. Він любить лазити по деревах. Він завжди лазить по деревах, коли гуляє у фруктовому саду.
Ніл Класно! Він справжній хлопчисько! Я теж умів лазити по деревах, коли був дитиною. А щодо твоєї дочки? Що вона робить? Вона теж лазить по деревах?
Роберт Ти жартуєш? Вона ніколи не лазить по деревах. Вона, напевно, грає на піаніно. Вона зазвичай грає на піаніно в цей час.
Ніл Здорово! А я йду на прогулянку, щоб подихати свіжим повітрям. Хочеш приєднатися до мене?
Роберт Із задоволенням. Дякую за запрошення.

РОБОТА З ТЕКСТОМ

1. *Find the English equivalents of these words and expressions in the text.*

1) нічого особливого ____________________
2) Що з тобою трапилося? ____________________
3) Мені просто цікаво. ____________________
4) Нічого страшного. ____________________
5) Я не впевнений. ____________________
6) напевно ____________________
7) лазити по деревах ____________________
8) до речі ____________________
9) скучити за кимось / чимось ____________________
10) фруктовий сад ____________________
11) можливо ____________________
12) Ти жартуєш? ____________________
13) іти на прогулянку ____________________
14) Таке трапляється. ____________________
15) Не журися! ____________________
16) Дякую за запрошення. ____________________
17) дихати ____________________
18) вдихати ____________________
19) свіже повітря ____________________
20) подихати свіжим повітрям ____________________
21) із задоволенням ____________________
22) так сильно ____________________
23) Класно! ____________________
24) Здорово! ____________________

GRAMMAR

The Present Continuous Tense. *Ствердження*

The Present Continuous Tense — теперішній тривалий час — вживається, коли йдеться про дії, що виконуються в цей момент. Цей час утворюється за допомогою додавання до дієслова *to be* у відповідній формі смислового дієслова із закінченням *–ing*.

I	am	дієслово + *ing*
he/she/it	is	
we/you/they	are	

She is crying. — Вона плаче. (Дія виконується зараз.)
I am playing the piano (now). — Я зараз граю на піаніно.

В англійському реченні не обов'язково вживати слово *now* («зараз»), сам по собі теперішній тривалий час уже дає нам зрозуміти, що дія відбувається саме зараз.

Present Continuous також вживається зі словами *today* (сьогодні), *this week* (цього тижня), *this month* (цього місяця), щоб підкреслити, що сьогодні (або цього тижня, цього місяця) щось відбувається не так, як зазвичай:

Usually she wears trousers, but today she's wearing a dress. — Зазвичай вона носить штани, але сьогодні вона одягнена в сукню.

▪ Деякі дієслова не вживаються в *Present Continuous*. Запам'ятайте найбільш поширені з них:

hear (чути) *hate* (ненавидіти) *understand* (розуміти)
see (бачити) *want* (хотіти) *remember* (пам'ятати)
love (любити) *wish* (бажати) *forget* (забувати)
like (любити) *know* (знати) *mean* (мати на увазі)

The Present Continuous Tense.
Заперечення, запитання, короткі відповіді

▪ Запитання і заперечення в *Present Continuous* утворюються так само, як і в будь-яких реченнях з дієсловом *to be*: в запитанні досить просто поставити відповідну форму дієслова *to be* перед підметом, а в запереченні — додати до дієслова *to be* частку *not*.

Is he swimming? — Він (зараз) пливе?
Are they working? — Вони (зараз) працюють?

▪ У розмовній мові в запереченнях вживаються, як правило, вже добре знайомі нам скорочення:

I am not watching TV. = I'm not watching TV. — Я зараз не дивлюся телевізор.
She is not eating. = She isn't eating. = She's not eating. — Вона зараз не їсть.
We are not arguing. = We aren't arguing. = We're not arguing. — Ми зараз не сперечаємося.
Jim and Jack are not playing football. = Jim and Jack aren't playing football. — Джим і Джек зараз не грають у футбол.

▪ Коротка відповідь на запитання звучить так само, як і в простих запитаннях з дієсловом *to be*.

Are you crying? — Ти плачеш?
Yes, I am. — Так, я плачу.
No, I am not. — Ні, я не плачу.

▪ Якщо ми хочемо поставити запитання зі словами *Where?* («Де?», «Куди?»), *What?* («Що?»), *Why?* («Чому?») тощо, то питальне слово ставиться на перше місце, після нього йде відповідна форма дієслова *to be*, після цього підмет, смислове дієслово із закінченням *–ing* і далі — все інше:

Why are you drinking cold milk? — Чому ти п'єш холодне молоко?
What is he doing? — Що він зараз робить?
Where are Sam and Paul going? — Куди Сем і Пол ідуть?

▪ *Як і в Present Simple* (та в будь-якому іншому часі англійської мови), в запитаннях до підмета і його означення зберігається прямий порядок слів:

Who is sitting next to you? — Хто сидить поруч з вами?
Whose dress is hanging in the wardrobe? — Чия сукня висить у шафі?

Grammar practice

1. *Write sentences in Present Continuous using the short form of the verb to be.* (Напишіть речення в *Present Continuous* з короткою формою дієслова *to be*.)

Example: (I / drive) *I'm driving.*

1) (it / climb a tree) ____________________
2) (we / do our homework) ____________________
3) (they / ski in the mountains) ____________________
4) (Liam / read a book) ____________________
5) (My mom / browse the Internet) ____________________
6) (you / talk very loudly) ____________________
7) (she / wash up) ____________________
8) (Tony / brush his teeth) ____________________

2. *Simon is looking at the picture and writing down what is depicted there. Restore his notes.* (Саймон розглядає картинку і записує, що на ній зображено. Відновіть його запис.)

Example: Some children (eat) *are eating* ice cream.

1) The birds (sing) ____________________ .
2) A little boy (build) ____________________ a sand castle.
3) Some boys (play) ____________________ volleyball.
4) A woman (sunbathe) ____________________ .
5) Some people (swim) ____________________ in the sea.
6) A woman (sell) ____________________ ice cream.
7) A man (read) ____________________ a book.
8) The sun (shine) ____________________ .

3. *Make sentences following the example.* (Складіть речення за зразком.)

Example: (Marta not sit, lie) *Marta isn't sitting, she's lying.*

1) (we not shout, sing) ____________________
2) (we not sleep, sunbathe) ____________________
3) (I not cry, laugh) ____________________
4) (they not drink, eat) ____________________
5) (you not swim, sink) ____________________
6) (Tom not play, study) ____________________
7) (I not run, walk) ____________________

4. *Translate into English.*

1) Нік зараз робить домашнє завдання. ____________________
____
2) Я зараз розмовляю по телефону. ____________________
____
3) Він зараз слухає радіо. ____________________

4) Ми зараз гуляємо в парку. ____________________
5) Сабіна зараз їсть сандвіч. ____________________
6) Ян зараз допомагає своїй мамі. ____________________
7) Вони зараз катаються на лижах. ____________________
8) Мої друзі зараз плавають. ____________________
9) Його сестра зараз миє посуд. ____________________
10) Він зараз веде машину. ____________________

5. *Write negative sentences in Present Continuous. Use the short form of the verb to be where possible.* (Напишіть заперечні речення в *Present Continuous*, вживаючи, де це можливо, коротку форму дієслова *to be*.)

Example: (Zach / think) *Zach isn't thinking.*

1) (My friends / sing) ____________________
2) (we / sleep) ____________________
3) (I / paint) ____________________
4) (His dad / work) ____________________
5) (Her mom / cook) ____________________
6) (they / travel) ____________________
7) (you / listen) ____________________
8) (I / sunbathe) ____________________

6. *Translate into English.*

1) Я не сміюся. ____________________
2) Він зараз не їсть піцу. ____________________
3) Ми зараз не дивимося телевізор. ____________________
4) Ти зараз не граєш на гітарі. ____________________
5) Ці птахи зараз не співають. ____________________
6) Ті собаки зараз не гавкають. ____________________

7. *Make questions in Present Continuous.*

Example: (Liz / brush her teeth) *Is Liz brushing her teeth?*

1) (he / play the violin) ____________________
2) (I / read too loudly) ____________________
3) (you / write a report) ____________________
4) (they / laugh) ____________________
5) (Don / cut bread) ____________________
6) (our friends / watch TV) ____________________
7) (she / wear a red dress) ____________________

8. *Give a short answer to the questions: affirmative (✓) or negative (✗).*

Example: Is she reading? (✓) *Yes, she is.*

1) Is George riding a bike? (✓) ____________________
2) Is he playing tennis? (✗) ____________________

3) Are they staying at home? (✓) ____________________
4) Is Mary cooking? (✗) ____________________
5) Are your friends playing? (✗) ____________________
6) Are you doing your homework? (✓) ____________________
7) Are Jack and Alan drawing? (✗) ____________________

9. *Translate into English.*

1) Вона зараз готується до іспиту? — Так. ____________________
____
2) Твій друг зараз читає? — Ні. ____________________
3) Його сестра зараз плаче? — Так. ____________________
4) Я голосно розмовляю? — Ні. ____________________
5) Дана зараз катається на велосипеді? — Ні. ____________________
____
6) Вони зараз готують їсти? — Так. ____________________
7) Ти зараз дивишся на мене? — Так. ____________________
____
8) Ви зараз малюєте? — Ні. ____________________

10. *Make sentences in Present Continuous.*

Example: (Tim / watch TV) (✗) *Tim isn't watching TV.*

1) (we / sunbathe) (✗) ____________________
2) (I / eat) (✗) ____________________
3) (you / chat with your friend) (?) ____________________
4) (your brother / scuba-dive) (?) ____________________
5) (Leo / talk on the phone) (?) ____________________
6) (your friends / wash up) (✗) ____________________
7) (Mike / listen to music) (?) ____________________

11. *Use the correct form of the verb in brackets — Present Simple* або *Present Continuous.* (Вживіть правильну форму дієслова в дужках — *Present Simple* або *Present Continuous.*)

Present Simple	Present Continuous
He is a driver. He drives a car. — Він водій. Він водить машину (взагалі).	*He is driving a car.* — Він веде машину (наразі).

Example: Richy *swims* (swim) every day.

1) My sister ____________________ (get up) now.
2) Ian ____________________ (skate) now.
3) Dolly ____________________ (play) the piano every evening.
4) We ____________________ (play) chess now.
5) My parents ____________________ (travel) a lot.
6) His aunt ____________________ (travel) now.

7) Dora ________________________________ (read) an interesting book.
8) She _________________________________ (read) a lot.
9) My brother ___________________________ (speak) several languages.
10) She ________________________________ (speak) Chinese now.
11) Sam always _________________________ (help) his Mom.
12) I can't help you, I ____________________ (do) my homework.
13) You never ___________________________ (go) for a walk! It's unhealthy.
14) I __________________________________ (get up) very early.
15) I am tired. I _________________________ (go) to bed.
16) Usually my dad ______________________ (work) till 5 p.m., but
this week he _________________________ (work) late.
17) They _______________________________ (watch) a good film.
18) My friend often ______________________ (watch) good films.

12. *Translate into English.*

1) Я зараз не граю на піаніно. ______________________________________
2) Він зараз миє посуд? ____
3) Твоя сестра зараз робить домашнє завдання? ______________________
____
4) Вона зараз не співає. ____
5) Моя мама зараз не працює. ______________________________________
6) Ти спиш? ____
7) Я зараз не пишу, я читаю. _______________________________________

13. *Complete the sentences about these people.* (Доповніть речення про цих людей.)

Example: Eddie is a singer. He ___*sings*___ (sing) at concerts. But now he ___*is working*___ (work) in the garden.

1) My parents are engineers. They ______________________ (build) bridges. But now they ___________________________ (travel).
2) Luke is a car mechanic. He ______________ (fix) cars. But now he ____________ ________________ (watch) TV.
3) Clara is a doctor. She _________________________ (work) in a hospital. But now she ________________________ (swim).
4) Gary and Gavin are sportsmen. They ___________________ (do) sport every day. But now they ______________________ (cook) dinner.
5) Sara is a pianist. She ____________________________ (play) the piano. But now she ___________________________ (walk) in the park.
6) I am a student. I ______________ (go) to school. But now I _________________ ______________ (skate).
7) We are bus drivers. We ______________________________ (drive) buses. But now we ____________________________ (fly) in a plane.

14. *Fill in the blanks with the correct negation — with the verb be or do.* (Заповніть пропуски правильним запереченням — з дієсловом *be* або *do*.)

Present Simple	Present Continuous
He doesn't live in London. *I don't go to school.*	*He isn't eating.* *I am not reading.*

Example: They *aren't* watching TV.
Jack *doesn't* do sports.

1) She ____________ like cucumbers.
2) She ____________ feeding the fish.
3) I ____________ reading.
4) His dad ____________ working this week.
5) We ____________ go to school on Saturday.
6) We ____________ talking.
7) They ____________ go skiing in winter.

15. *Put the verbs in brackets in the correct negative form.* (Поставте дієслова в правильну заперечну форму.)

Example: I *am not playing* (not / play) now.
He *doesn't usually get up* (not / usually / get up) late.

1) Steve ______________________________ (not /study) now.
2) I am at home now. I ______________________________ (not / walk).
3) We ______________________________ (not / draw) at the moment.
4) They ______________________________ (not / eat) vegetables every day.
5) They ______________________________ (not /smile) now.
6) I ______________________________ (not / often / go) to the cinema.
7) My brother ______________________________ (not / study) German at school.

16. *Put the verbs in brackets in the correct form depending on their meaning.* (Поставте дієслова в дужках у правильну форму в залежності від їхнього значення.)

Не можуть вживатися в Present Continuous	Можуть вживатися в Present Continuous
Do you have a brother? = Have you got a brother? — У тебе є брат? (*have* ужито у значенні «володіти»)	*Are you having (= eating) dinner?* — Ти вечеряєш? (*have* ужито не в значенні «володіти»)
I think you are right. — Гадаю, ти правий. (*think* ужито в значенні «вважати»)	*I am thinking about my holidays.* — Я думаю про свої канікули. (*think* ужито в значенні «розмірковувати»)

1) They ______________________________ (think) about their next trip now.
2) He ______________________________ (think) you are mistaken.
3) We ______________________________ (have) a party now.

4) My grandfather ________________________ (have) a truck.
5) I ________________________ (have) breakfast at the moment.
6) Jerry ________________________ (have) a lot of toys.
7) Why are you silent? — I ________________________ (think).
8) Oliver ________________________ (think) that he knows everything.

17. *Translate into English.*

1) Я зараз не граю в теніс. ________________________
2) Ми зараз ідемо до театру. ________________________
3) Він не ходить до школи. ________________________
4) Вони не ходять до кав'ярні у неділю. ________________________
____
5) Я зараз не встаю. ________________________
6) Він зараз не снідає. ________________________
7) Він ніколи не снідає наодинці. ________________________
8) Моя мама не готує вранці. ________________________

18. *Put the verbs in the correct negative form. Use Present Continuous where it's possible.*

Example: I ___*understand*___ (understand) that rule.
I ___*am trying*___ (try) to understand that rule now.

1) She ________________________ (know) a lot of people here.
2) He ________________________ (like) ice cream.
3) I ________________________ (hear) a lovely music.
4) I ________________________ (listen) to music now.
5) We ________________________ (see) beautiful white clouds in the sky.
6) We ________________________ (look) at the sky now.

19. *Complete these questions using the correct auxiliary verb — do or be.* (Доповніть ці запитання правильним допоміжним дієсловом — *do* або *be*.)

Example: ___*Do*___ you remember his face?

1) ____________ he understand Chinese?
2) ____________ you looking at the blackboard?
3) ____________ you having a party?
4) ____________ I talking too loudly?
5) ____________ Donna often forget things?
6) ____________ you going to the disco?
7) ____________ he remember me?
8) ____________ Olivia know that rule?
9) ____________ she wearing a white blouse?
10) ____________ they want to visit us?
11) ____________ you going to the sea this summer?
12) ____________ your brother travel a lot?

13) ____________ your cat sleeping?
14) ____________ you agree with me?
15) ____________ you angry with your brother?
16) ____________ it smell good?

20. *Translate into English.*

1) Він тебе не пам'ятає. ______________________________
2) Я не знаю цього хлопчика. ______________________________
3) Ти хочеш піти до театру? ______________________________
4) Я дивлюся на картину. ______________________________
5) Я не бачу ніякої картини. ______________________________
6) Ти мене чуєш? ______________________________
7) Він слухає пісню. ______________________________
8) Він ненавидить гучну музику. ______________________________

21. *Make these sentences negative. Use the auxiliary verbs do or be.* (Перетворіть ці речення на заперечні. Використовуйте допоміжні дієслова *do* або *be*.)

Example: She ___*isn't*___ looking at the blackboard.

1) I ____________ thinking about my trip.
2) This shirt ____________ look dirty.
3) I ____________ think Mary can do it.
4) David ____________ look strong.
5) Alice ____________ looking at them.
6) My friends ____________ having fun at the camp.
7) Tim ____________ have many friends.

22. *Translate into English.*

1) У мене зараз вечірка. ______________________________
2) Ви зараз обідаєте? ______________________________
3) Вони зараз п'ють каву. ______________________________
4) Я вважаю, він правий. ______________________________
5) Я думаю, як відповісти на твоє запитання. ______________________________

23. *Ask questions using the question words given.* (Поставте запитання, використовуючи запропоновані питальні слова.)

Example: Jack always gets up at … . (О котрій годині?) ___*What time does Jack get up?*___

1) Somebody is running. (Хто?) ______________________________
2) We are drawing a picture. (Яку картину?) ______________________________
____
3) He's reading a book. (Яку книгу?)______________________________
4) They usually spend their holiday … (Де?)______________________________
____
5) I am sitting … (Де?) ______________________________

6) Somebody always helps us. (Хто?) ______________________________
7) I usually go to bed at ... (О котрій годині?) ______________________

VOCABULARY ENRICHMENT

1. *Translate these sentences using the words and expressions from the text.*

1) Я так сильно цього хочу. ______________________________
2) Я йду в сад, щоб подихати свіжим повітрям. ______________________________
____
3) Здорово! Мені це дуже подобається. ______________________________
____
4) До речі, ти б не хотіла приєднатися до нас? ______________________________
____
5) Хочеш піти прогулятися? — Із задоволенням! ______________________________
____
6) Я люблю гуляти у фруктовому саду. ______________________________
____
7) Я б хотіла прогулятися у фруктовому саду. ______________________________
____
8) Він справжній чоловік. ______________________________
9) Тут важко дихати. ______________________________

2. *Translate into English.*

Щоб виконати це завдання, потрібно повторити (чи вивчити?) деякі слова, що позначають почуття й настрій.

- ***mad (at smb)*** — Сильно розсерджений (на когось)
  Lucy is always mad at the whole world. — Люсі завжди сильно розсерджена на весь світ.
- ***happy (with smth / smb)*** — щасливий, дуже задоволений (чимось / кимось)
  The teacher is happy with your test. — Учитель дуже задоволений твоїм тестом.
- ***pleased (with smth / smb)*** — задоволений (чимось / кимось)
  I'm pleased with your answer. — Я задоволений твоєю відповіддю.
  You are never pleased with anything! — Ти ніколи нічим не задоволений!
- ***tired (of smth / smb)*** — втомлений (від чогось / когось)
  The little girl is tired of walking. — Маленька дівчинка втомилася йти.
- ***hurt*** — ображений
  He feels very hurt. — Він почувається дуже ображеним.
- ***angry (with smth / smb for smth)*** — сердитий, розсерджений (на щось / когось за щось)
  Why are you so angry with her for that? — Чому ти такий сердитий на неї за це?
- ***sad / blue*** — сумний, печальний
  I always feel sad / blue when autumn comes. — Мені завжди сумно, коли приходить осінь.

- ***sick and tired (of smth / smb)*** — до смерті втомився (від чогось / когось)
I'm sick and tied of your lies! — Я до смерті втомилася від твоєї брехні! (=Мені остогидла твоя брехня!)

1) Я не сердита на весь світ, я сердита тільки на тебе. ____________________
____
2) Не злися так сильно на нього. ____________________
3) Чому ти відчуваєш себе такою ображеною? ____________________
____
4) Мері до смерті втомилася від своєї роботи. Вона хоче її змінити. __________
____
5) Я не злюся на тебе за твої слова. ____________________
6) Я почуваюся дуже сумним, тому що сильно скучаю за своєю родиною. ____________________
7) Мені так остогидла ця жахлива погода! ____________________
____
8) Він не образився (= Він не відчуває себе ображеним). ____________________
____
9) Я втомилася пояснювати це тобі. ____________________
10) Ти не втомився від неробства (= «нічого не робіння»)? ____________________
____
11) Марк дуже вдоволений своїми канікулами. ____________________
____
12) Учитель не задоволений моєю роботою. ____________________

3. *Say and write in English.*

Thank you for something — Дякую тобі за щось

1) Дякую вам за торт. ____________________
2) Дякую вам за допомогу. ____________________
3) Дякую тобі за цю книгу. ____________________
4) Дякую тобі за твою доброту. ____________________
5) Дякую тобі за чесну відповідь. ____________________

4. *Say and write in English.*

be sure — бути впевненим

1) Ви впевнені? ____________________
2) Я абсолютно впевнений. ____________________
3) Я не зовсім упевнена. ____________________
4) Ми не зовсім упевнені, де він живе. ____________________
5) Вона впевнена, що права? ____________________

6) Ви впевнені, що це дійсно так? ______________________________

____

7) Твій брат упевнений, що може це зробити? ______________________

____

8) Він не зовсім упевнений. ______________________________

5. *Say and write in English.*

miss somebody — скучити / сумувати за кимось / чимось

1) Я сумую за своїми батьками. ______________________________
2) Ти сумуєш за своїм рідним містом?______________________________

____

3) Майк не сумує за школою. ______________________________
4) Я сумую за своїм дитинством. ______________________________
5) Вона скучила за своїм братом?______________________________
6) Ми не сумуємо одне за одним. ______________________________

6. *Say and write in English.*

be kidding — жартувати

1) Я не жартую. ______________________________
2) Ти жартуєш?______________________________
3) Він, напевно, жартує. ______________________________
4) Я лише жартую. ______________________________
5) Вона жартує? ______________________________
6) Ви, напевно, жартуєте. ______________________________

▪ What's the matter with ...?

«Що трапилося з ...?» вживається, якщо ви вважаєте, що у когось виникла якась проблема:

You look sad. What's the matter? — Ти виглядаєш зажуреною. Що трапилося?

What's the matter with your little sister? She cries so often. — Що трапилося з твоєю молодшою (=маленькою) сестрою? Вона так часто плаче.

7. *Say and write in English.*

1) Що з тобою трапилося? ______________________________
2) Що з ним трапилося? ______________________________
3) Що трапилося з твоїм дядьком?______________________________
4) Що трапилося з твоєю тіткою?______________________________
5) Що трапилося з твоєю вчителькою? ______________________________

▪ look sad

«виглядати сумним». Українською з дієсловом «виглядати» ми можемо вживати як прикметник, так і прислівник: «Ти виглядаєш **втомленим**» або «Вона **добре** виглядає». Англійською з дієсловом *look* завжди вживається прикметник:

You look _tired._ *She looks* _good._

8. *Say and write in English.*

1) Ти виглядаєш таким сумним. ______________________
2) Ти виглядаєш добре. ______________________
3) Він погано виглядає. ______________________
4) Ви виглядаєте молодо. ______________________
5) Ти не виглядаєш втомленою. ______________________
6) Він не виглядає щасливим. ______________________
7) Цей будинок не виглядає старим. ______________________
8) Ці діти виглядають хворими. ______________________

What about your daughter?

«Як щодо твоєї дочки?»

В одному з попередніх уроків нам зустрічалася фраза *How about doing something?* — Як щодо того, щоб щось зробити?

Якщо ж нас цікавить не дія, а предмет або жива істота, ми використовуємо питальне слово *What*.

What about my offer? — Як щодо моєї пропозиції?

What about a cup of coffee? — Як щодо чашечки кави?

9. *Say and write in English.*

1) Як щодо твого брата? ______________________
2) А як щодо твоїх батьків? ______________________
3) Як щодо твоїх тестів? ______________________
4) Як щодо нашої відпустки? ______________________
5) Як щодо чашечки кави? ______________________
6) Як щодо твоєї роботи? ______________________
7) Як щодо склянки соку? ______________________

I wonder

«Мені цікаво». Англійською, якщо нам цікаво щось дізнатися, ми не вживаємо слово *interesting*. Для цих цілей існує дієслово *wonder* — цікавитися.

I'm just wondering. — Мені просто цікаво.

I wonder why she's so sad. — Цікаво, чому вона така сумна.

10. *Say and write in English.*

1) Йому цікаво (взагалі) … ______________________
2) Йому просто цікаво (у цей момент) … ______________________
____
3) Мені просто цікаво (у цей момент) … ______________________
4) Моїй сестрі цікаво (взагалі) … ______________________
5) Моїм друзям цікаво (у цей момент) … ______________________
____
6) Марку цікаво (взагалі) … ______________________
____

УРОК 24

Спілкування. *Розмова про проведення часу, відпустку тощо.*

Граматика. *Past Simple (Минулий простий час) дієслова be. What is it like? / What was it like?*

24.1

Joe Hi, Herb. Where were you in January?	***Джо*** Привіт, Герб! Де ти був у січні?
Herbert Hi, Joe. I was on vacation.	***Герберт*** Привіт, Джо! Я був у відпустці.
Joe Really? But you were on vacation in September.	***Джо*** Дійсно? Але ти ж був у відпустці у вересні.
Herbert Yes. I was in Cyprus in September and in January I was in Florida.	***Герберт*** Так, я був на Кіпрі у вересні, а в січні я був у Флориді.
Joe That's fantastic! What was it like?	***Джо*** Це фантастика! Ну і як це було?
Herbert Terrific! Just terrific!	***Герберт*** Класно, просто класно!
Joe What was the weather like?	***Джо*** Яка була погода?
Herbert The weather was absolutely fantastic and the ocean was very warm.	***Герберт*** Погода була просто фантастична, а океан був дуже теплий.
Joe What was the hotel like?	***Джо*** Яким був готель?
Herbert Excellent! It was a five-star hotel. There was a swimming pool and a private beach. And there were three restaurants and four bars.	***Герберт*** Відмінний! Це був п'ятизірковий готель. Там був басейн і приватний пляж. Там було три ресторани і чотири бари.
Joe What were the people like?	***Джо*** А як там люди?
Herbert They were very friendly and helpful.	***Герберт*** Вони були дуже доброзичливими і завжди були готові допомогти.
Joe Was your wife with you?	***Джо*** Твоя жінка була з тобою?
Herbert Yes, she loves the sun.	***Герберт*** Так, вона обожнює сонце.
Joe What about your children? Were they with you?	***Джо*** А як щодо дітей? Вони були з вами?
Herbert No, they weren't. They were at home with their grandparents.	***Герберт*** Ні, вони були вдома з бабусею і дідусем.

РОБОТА З ТЕКСТОМ

1. *Find the English equivalents of these words and expressions in the text.*

1) Де ти був? ____________________
2) у відпустці ____________________
3) Дійсно? ____________________
4) на Кіпрі ____________________
5) (просто) класно ____________________
6) Це фантастика! ____________________
7) Ну, і як це було? ____________________
____

8) Яка була погода? ______________
____
9) Яким був готель? ______________
____
10) доброзичливий ______________
11) Якими були люди? ____________
____
12) приватний пляж______________
13) дідусь-бабуся________________
14) Як щодо твоїх дітей? __________
____
15) п'ятизірковий готель __________
____
16) готовий допомогти __________

ЛЕКСИЧНІ ПОЯСНЕННЯ ДО ТЕКСТУ

vacation or holiday?

Ці два слова означають абсолютно одне й те саме — відпустка. *Vacation* — це більш американський варіант, *holiday* — британський.

Зверніть увагу на усталені вирази:

to go on holiday / on vacation — поїхати у відпустку

to be on holiday / on vacation — знаходитися у відпустці

GRAMMAR

Past Simple *(Минулий простий час) дієслова* **be**

У минулому простому часі дієслово *to be* має тільки дві форми: *was* (однина) і *were* (множина).

He was at the park in the evening. — Він був у парку ввечері.

They were at home on Saturday. — Вони були вдома в суботу.

Заперечення, запитання і короткі відповіді утворюються за тими ж самими правилами, що і для теперішнього часу, тобто у запитаннях *was / were* ставляться перед підметом, а в запереченнях до них додається частка *not*:

Were they at the party yesterday? — Yes, they were.

Вони були вчора на вечірці? — Так.

Was Mark at school last week? — No, he wasn't.

Марк був у школі минулого тижня? — Ні.

Were you late yesterday? — No, I wasn't.

Ти спізнився вчора? — Ні, не спізнився.

Зведена таблиця форм дієслова *to be* в Past Simple.

Ствердження	Заперечення		Запитання
	Повна форма	Коротка форма	
I **was**	I **was not**	I **wasn't**	**Was** I …?
He / She / It **was**	He / She / It **was not**	He / She / It **wasn't**	**Was** he / she / it …?
We **were**	We **were not**	We **weren't**	**Were** we …?
You **were**	You **were not**	You **weren't**	**Were** you …?
They **were**	They **were not**	They **weren't**	**Were** they …?

What is it like?

В уроці 21 на с. 189 уже пояснювалися речення, в яких слово *like* не мало ніякого відношення до «подобатися»: *I don't feel like watching TV* або *I feel like eating something.*

У запитанні *What is it like?* слово *like* також не має ніякого відношення до «подобатися». В реченнях такого типу *like* вживається у значенні «як», «якого типу». На українську мову такі запитання перекладаються як «Яке воно?» «Що воно являє з себе?», або дослівно «Як що воно?». Ставимо ми такі запитання, коли цікавимося якостями якогось предмета, просимо його описати. Наприклад:

What is Japan like? — It's a modern country, a bit weird for a European.

Що з себе являє Японія? (якими якостями ви б могли її охарактеризувати?) — Це сучасна країна, трохи дивнувата для європейця.

А що трапиться, якщо ми «забудемо» поставити наприкінці цього запитання слово *like*? Наше запитання повністю змінить значення:

What is Japan? — Що таке Японія?

Таке запитання може поставити, наприклад, дитина, яка вперше почула це слово і просить пояснити, що воно означає. Можливо, ми дамо таку відповідь на це запитання:

It's a country in Asia where they produce Toyotas and Mitsubishis. — Це країна в Азії, де виробляють Тойоти і Мітсубісі.

Давайте розглянемо ще декілька прикладів:

What is Kate like? — She is pretty and nice, and very friendly. She's always eager to help.

Яка Кейт? (за характером і, можливо, за зовнішністю). — Вона симпатична, мила і дуже доброзичлива. Вона завжди намагається допомогти.

What is Kate? — She is a nurse. (Хто за професією Кейт? — Вона медсестра.)

У минулому часі (*Past Simple*) ми змінюємо *is* на *was*, а *are* на *were*:

We were in Greece this summer. — And what was the sea like? — It was warm and very clean.

Ми були в Греції цього літа. — І яким було море? — Воно було теплим і дуже чистим.

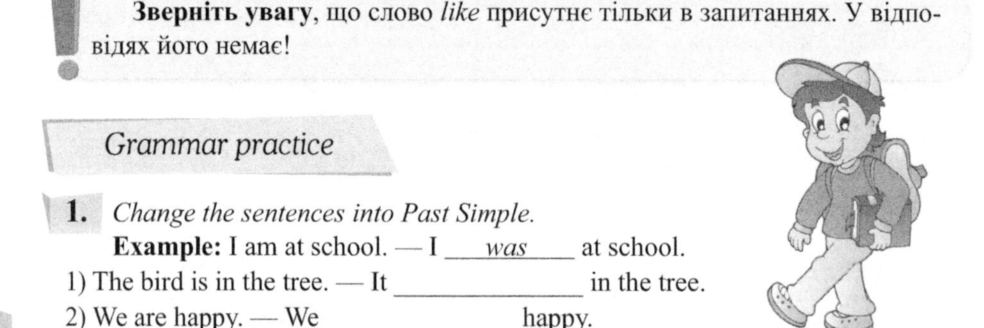

Зверніть увагу, що слово *like* присутнє тільки в запитаннях. У відповідях його немає!

Grammar practice

1. *Change the sentences into Past Simple.*

Example: I am at school. — I ___*was*___ at school.

1) The bird is in the tree. — It ______________ in the tree.

2) We are happy. — We ______________ happy.

3) I am tired. — I ______________ tired.
4) They are friends. — They ______________ friends.
5) Mary is a student. — Mary ______________ a student.
6) You are angry. — You ______________ angry.
7) It's terrific. — It ______________ terrific.

2. *Fill in the blanks with wasn't or weren't.*
Example: They *weren't* at the party.

1) She ______________ hungry.
2) I ______________ thirsty.
3) You ______________ in the park.
4) The kite ______________ green.
5) My friends ______________ in Cyprus last summer.
6) My children ______________ at home.
7) They ______________ at the theatre.

3. *Make questions in Past Simple using the words in brackets.*
Example: (Mike / at home) *Was Mike at home?*

1) (you / in the camp) ______________________________
2) (it / a private beach) ______________________________
3) (they / on vacation in June) ______________________________
4) (your boss / angry) ______________________________
5) (we / alone) ______________________________
6) (it / sunny yesterday) ______________________________
7) (your wife / cold) ______________________________
8) (your friends / ill) ______________________________
9) (the people / friendly) ______________________________
10) (you / late) ______________________________

4. *Translate into English.*
1) Сем був учора в школі? ______________________________
2) Ви були на вечірці? ______________________________
3) Мій брат не був голодним. ______________________________
4) Вони були у відпустці в серпні? ______________________________
5) Я не був з ним у парку. ______________________________
6) Вона не була милою. ______________________________
7) Батьки Тома були здивовані? ______________________________
8) Твій кіт був чорним? ______________________________
9) Її машина не була новою. ______________________________
10) Море не було брудним. ______________________________
11) Мої батьки не були за кордоном (*abroad*) цього літа. ______________
____

VOCABULARY ENRICHMENT

1. *Say and write in English.*

What was it like?

1) Яким було море? — Воно було теплим і чистим. ____________________
____
2) Якими були люди? — Вони були доброзичливими і завжди готові були допомогти. ____________________
____
3) Якою була погода? — Вона була жахливою (*nasty*). ____________________
____
4) Що з себе являє брат Лізи? — Він милий і доброзичливий.____________________
____
5) Який ваш новий учитель? — Він добрий і добре все пояснює. ____________________
____
6) Яким була дискусія? — Досить гаряча (*heated*). ____________________
____
7) Яка зараз погода? — Дощова і холодна. ____________________
____

2. *Translate into English. Sometimes you need to use like, sometimes you don't.*
(Перекладіть англійською мовою. Іноді вам потрібно вживати *like*, а іноді — ні.)

1) Хто ти за професією? ____________________
2) Що з себе являють італійці? ____________________
3) Що таке «погода»?____________________
4) Яка була погода вчора? ____________________
5) Що з себе являє будинок Пітера?____________________
6) Яка Антарктида? ____________________
7) Що таке Антарктида? ____________________
8) Якою була ваша остання відпустка? ____________________
9) Що таке відпустка? ____________________

3. *Translate these sentences using the words and expressions from the text.*

1) Де були твої друзі вчора? ____________________
2) Мої батьки були влітку на Кіпрі. — Це просто здорово! І як це було? Якою була погода? ____________________
____
3) Ми були в Туреччині в п'ятизірковому готелі. — Яким він був? — Дуже чистим, поруч з морем і їжа там була фантастичною. ____________________
____
____

4) Я був у відпустці в серпні. ______________________________

5) Люди в цьому місті дуже доброзичливі і завжди готові допомогти. ________

____

6) Я віддаю перевагу приватним пляжам. Вони завжди чисті. ______________

____

7) Мої дідусь-бабуся були в Іспанії минулої зими. __________________

____

Revision exercise. Translate into English.

1) Він, напевно, жартує. ______________________________

2) Я б краще залишився дома замість того, щоб іти в кіно. ______________

____

3) Я не люблю каву. Я візьму апельсиновий сік замість нього. ____________

____

4) Ти впевнений, що можеш це зробити? ______________________

5) Моя жінка сумує за своїм рідним містом (*hometown*). ______________

____

6) О котрій годині у вас зустріч з вашим доктором? __________________

____

7) Займіться спортом, якщо хочете тримати себе у формі. ______________

____

8) Я збираюся купити цю сукню, щоб надіти її на вечірку. ______________

____

9) Чому ти питаєш? — Мені просто цікаво. ______________________

____

10) Цікаво, скільки йому років. ______________________________

11) Твій брат виглядає дуже стомленим. ______________________

12) Я їду до Лондона, щоб побачити королеву. ______________________

____

13) Я б хотів покататися на коні. ______________________________

14) Хочеш морозива? — Ні, дякую, я не люблю морозива. Я віддаю перевагу печиву. ______________________________

____

15) Яке зараз небо? — Хмарне. ______________________________

16) Хто твій улюблений співак? ______________________________

17) Приєднуйтесь до нашої групи! ______________________________

18) Я не цікавлюся старовинними замками. ______________________

19) Як дістатися до автовокзалу? ______________________________

20) Чи є тут поблизу італійський ресторан? ______________________

____

21) Він віддає перевагу східній кухні. ______________________________

УРОК 25

Спілкування. *Розмова про вміння в минулому. Спогади про дитинство.*

Граматика. *Past Simple (Минулий простий час) дієслів can, have. Ствердження, заперечення, запитання. Дати, порядкові числівники.*

25.1

Incredibly talented

Joss Stone

Joss was born in Devon in the South of England on 11 April 1987 *(the eleventh of April, nineteen eighty seven)*. She is an English singer, songwriter and actress. In late 2003, when she was only 16, she was already famous. At that time she was a shy teenager with a fantastic voice.

Joss was dyslexic, so she couldn't read or write well, but she could sing wonderfully. Her parents couldn't believe it because nobody in the family could sing.

Christopher Paolini

Christopher Paolini was born in Los Angeles, California, on November 17, 1983 *(November the seventeenth, nineteen eighty three)*. Christopher and his younger sister were home-schooled. Christopher loves language and he loves books.

It's really surprising because when he was very young, he couldn't read very well. Then one day — it was magic — he could suddenly read and he could see the characters. He had people, conversations and stories in his head.

His first book was a fantasy called *Eragon*. It was the first book of the Inheritance Cycle which consists of four books.

Неймовірно талановиті

Джосс Стоун

Джосс народилася в Девоні на півдні Англії 11 квітня 1987 року. Вона англійська співачка, авторка пісень і акторка. Наприкінці 2003 року, коли їй було всього 16 років, вона вже була знаменитою. В той час вона була сором'язливим підлітком з фантастичним голосом.

У Джосс була дислексія, тому вона не вміла добре читати і писати, але вона вміла чудово співати. Її батьки не могли в це повірити, тому що ніхто в родині не вмів співати.

Крістофер Паоліні

Крістофер Паоліні народився в Лос-Анджелесі, Каліфорнія, 17 листопада 1983 р. Крістофер і його молодша сестра отримали освіту вдома. Крістофер любить мову і любить книги.

Це дійсно дивовижно, тому що, коли він був дуже юним, він не дуже добре вмів читати. Потім, одного дня — це було чарівно (чаклунство) — несподівано він умів читати і міг бачити персонажів. У нього в голові були люди, діалоги й історії.

Його першою книжкою була фентезі під назвою «Ерагон». Це була перша книга з циклу «Спадщина», що складається з чотирьох книжок.

Eragon was published for the first time in 2002 by Paolini International LLC, Christopher's parents' publishing company. At the moment Paolini is working on a science fiction novel and plans to return to the Inheritance Cycle and write the fifth book in it.	«Ерагон» був уперше опублікований у 2002 р. Паоліні Інтернешнл LLC, видавництвом батьків Крістофера. Наразі Паоліні працює над науково-фантастичним романом і планує повернутися до циклу «Спадщина» і написати п'яту книгу в ньому.

РОБОТА З ТЕКСТОМ

1. *Find the English equivalents of these words and expressions in the text.*

1) Їй було тільки 16. ______________
____
2) знаменитий ______________
3) у той час ______________
4) сором'язливий ______________
5) підліток ______________
6) фантастичний голос ______________
____
7) не могли повірити ______________
____
8) на домашній освіті ______________
____
9) несподівано ______________
10) бесіда ______________
11) Це дійсно дивовижно. ______________
____
12) спадщина ______________
13) Потім, одного дня ______________
____
14) чудово ______________
15) видавництво ______________
16) фентезі ______________
17) наукова фантастика ______________
18) роман ______________
19) працювати над чимось ______________
____
20) (зараз) працює над романом ______________
____
21) повернутися до ______________
22) чаклунство ______________
23) уперше ______________
24) несподівано ______________

GRAMMAR

Дати

Дати записуються по-різному в британському і в американському варіантах англійської мови.

В британському варіанті (рівно як і в усіх інших варіантах — канадському, австралійському, новозеландському тощо) дати записуються у звичному для нас порядку: число, місяць, рік. В американському варіанті на перше місце виноситься місяць, за ним іде число і рік.

Інакше кажучи, якщо ви бачите дату 09/26/2012, ви чітко розумієте, що це американський варіант, і її треба читати як 26 вересня 2012 року.

Гірше, якщо перед вами дата, що написана ось так:

03/05/2012.

В американців це буде п'яте березня, а у британців — третє травня.

Саме тому, щоб уникнути непорозумінь, у діловій кореспонденції місяць завжди пишеться словами:

03 May 2012 (британський варіант) або *May 03, 2012 (американський варіант).*

Для вимови дат також існують два варіанти:

*The third of May, (of) two thousand and twelve (*або *twenty twelve) (Британія та інші англомовні країни, крім США).*

*May the third, two thousand and twelve (*або *twenty twelve) (США)*

Зверніть увагу, що при написанні дат цифрами ми не пишемо ані артикля *the*, ані прийменника *of*, але це зовсім не означає, що їх можна опускати при читанні дат.

Варіант англійської мови	Як пишеться	Як вимовляється	Цифрами
британський	*(on) 5 August 2009*	*(on) the fifth of August of two thousand and nine*	5/8/09 або 5-8-09
американський	*(on) August 5, 2009*	*(on) August the fifth of two thousand nine*	8/5/09 або 8-5-09

Якщо ми вказуємо дату, коли щось відбулося, ми вживаємо прийменник *on*:

I was born on 15 October 1986 (on the fifteenth of October (of) nineteen eighty-six).

Запам'ятайте!

on *Monday* — в понеділок

in *the morning* — вранці

at *night* — вночі

in *September* — у вересні

in *the afternoon* — удень

in *1999* — у 1999 році

Числівники

Ви, напевно, помітили, що при читанні дат в англійській мові, так само, як і в українській, вживаються порядкові числівники (перший, п'ятий, десятий). В англійській мові вони утворюються дуже просто — досить додати суфікс *–th* до кількісного числівника:

seven — the seventh.

Винятки складають числівники 1, 2 і 3. А числівники «п'ятий» і «дев'ятий» при додаванні *–th* гублять німе *–e-*.

Кількісні числівники		Порядкові числівники	
0	oh, zero	—	zero
1	one	1st	**first**
2	two	2nd	**second**
3	three	3rd	**third**
4	four	4th	fourth
5	five	5th	**fifth**
6	six	6th	sixth
7	seven	7th	seventh
8	eight	8th	**eighth**
9	nine	9th	**ninth** [naɪnθ]
10	ten	10th	tenth
11	eleven	11th	eleventh
12	twelve	12th	twelfth
13	thirteen	13th	thirteenth
14	fourteen	14th	fourteenth
15	fifteen	15th	fifteenth
16	sixteen	16th	sixteenth
17	seventeen	17th	seventeenth
18	eighteen	18th	eighteenth
19	nineteen	19th	nineteenth
20	twenty	20th	twentieth
21	twenty-one	21st	twenty-first
22	twenty-two	22nd	twenty-second
23	twenty-three	23d	twenty-third
24	twenty-four	24th	twenty-fourth
30	thirty	30th	thirt**ie**th
40	forty	40th	fort**ie**th
50	fifty	50th	fift**ie**th
60	sixty	60th	sixt**ie**th

70	seventy	70th	sevent**ie**th
80	eighty	80th	eight**ie**th
90	ninety	90th	ninet**ie**th
100	a / one hundred	100th	hundredth

Кількісні числівники	
493	four hundred and ninety-three
1 000	a / one thousand
10 000	ten thousand
1 000 000	a / one million
1 000 000 000	a / one billion
1 567 235	one million five hundred and sixty-seven thousand two hundred and thirty-five

Зверніть увагу, що порядкові числівники вживаються з означеним артиклем або з іншим визначальним словом.

Рік	**Як вимовляється**
1900	nineteen hundred
1985	nineteen eighty-five
2000	the year two thousand
2005	two thousand (and) five
2010	two thousand and ten *або* twenty ten
2019	two thousand (and) nineteen *або* twenty nineteen

Could

Дієслово can в *Past Simple* має форму *could*. Заперечення і запитання утворюються так само, як і в теперішньому часі з дієсловом *can*:

Could you swim when you were 5? — No, I couldn't.

Ти вмів плавати, коли тобі було 5 років? — Ні.

I couldn't help him because I was busy. — Я не міг йому допомогти, тому що я був зайнятий.

- *Could* також може вживатися у ввічливих проханнях:

Could you switch on the light, please? — Ви не могли б увімкнути світло, будь ласка?

Had

Дієслово *have (has)* і вираз *have got (has got)* в *Past Simple* мають однакову форму — *had.*

I have got / have a car. → *I* _had_ *a car.*

He has got / has an idea. → *He* _had_ *an idea.*

Заперечення: *didn't have*; **запитання**: *Did ... have ?*

They *didn't have* time to talk. — Вони не мали часу на розмови.

Did you have enough money for that? — У вас для того було достатньо грошей?

Grammar practice

1. *Write which of these actions you could do when you were five and which you couldn't do.*

~~read~~ ~~write~~ dance swim ride a bike
sing play the piano climb trees

Example: *I could read when I was five.*
I couldn't write when I was five.

1) ______________________
2) ______________________
3) ______________________
4) ______________________
5) ______________________
6) ______________________

2. *Make polite requests for these actions.* (Складіть ввічливі прохання з цими діями.)

open the door close the window ~~give me some milk~~
tell me this story fix my bike say that again

Example: *Could you give me some milk, please?*

1) ______________________
2) ______________________
3) ______________________
4) ______________________
5) ______________________

3. *Fill in the blanks with* _can_ *or* _could_.

Example: We _could_ go to the theatre yesterday.

1) Little Josh ______________ read and write when he was six.
2) I ______________ swim when I was 6.

3) Simon _______________ help you if you wish.
4) Doris _______________ come with us, but she didn't want to.
5) Arthur _______________ run very fast, he is the fastest runner in his class.
6) Agatha _______________ dance very well at school.
7) Mike and Judy _______________ sing very well. Let's ask them to sing at the concert!
8) My father _______________ drive.

4. *Fill in the blanks with* *can't* *or* *couldn't.*

Example: She *couldn't* sing when she was at school.

1) They _________________ go on holiday. They have a lot of work.
2) Nick _________________ drive three year ago.
3) I _________________ play now, I am busy.
4) We _________________ play tennis well two years ago.
5) Lola _________________ cook though she is a big girl.
6) Larry _________________ ski a year ago.

5. *Finish the short answers.*

Example: Could you write when you were five? — No, *I couldn't.*

1) Can he drive? — No, _________________
2) Can she knit? — No, _________________
3) Can you hold this book? — Yes, _________________
4) Could they understand me? — No, _________________
5) Can you hear me well? — No, _________________
6) Could he swim five years ago? — Yes, _________________

6. *Change* *had* *to* *have* *or* *has.*

Example: She had a wonderful voice. — She *has* a wonderful voice.

1) Our teacher had two weeks' holiday last year. — Our teacher _____________ two weeks' holiday this year.
2) We had a lot of work to do. — We _____________ a lot of work to do.
3) My parents had a car. — My parents _____________ a car.
4) My brother had a girlfriend. — My brother _____________ a girlfriend.

7. *Make questions with* *could.*

Example: I could play … (Уві що?) *What could you play?*

1) They could bring ... (Що?) ________________________________
2) She could draw ... (Кого?) ________________________________
3) They could help … (Кому?) ________________________________
4) She could knit … (Що?) ________________________________
5) He could talk to … (З ким?) ________________________________
6) Sara could play tennis (Наскільки добре?) ________________________________

____

7) Zoe could have dinner … (Де?) ________________________________

8) Luke could paint … (Що?) ______________________
9) Sam could ride … (На чому?) ______________________
10) I could run … (Наскільки швидко?) ______________________
11) They could swim across a river. (Через яку річку?) ______________________
____

8. *Change sentences into Past Simple.*

Example: We've got a lot of friends. — We ___*had*___ a lot of friends.

1) Jim doesn't have a bike. — Jim ______________ a bike.
2) Their friends haven't got any work to do. — Their friends ______________ any work to do.
3) He hasn't got any ideas. — He ______________ any ideas.
4) I've got a ball. — I ______________ a ball.
5) They haven't got a car. — They ______________ a car.
6) She has a bag. — She ______________ a bag.

9. *Change sentences into questions, preserving the tense.* (Перетворіть стверджувальні речення на питальні, зберігаючи час дієслова.)

Example: He has a problem. ___*Does he have*___ a problem?

1) Kyra has a sister. ______________________ a sister?
2) They've got a car. ______________________ a car?
3) I had a bike. ______________________ a bike?
4) Tom had a kite. ______________________ a kite?
5) They have got an idea. ______________________ an idea?

10. *Ask special questions (with a question word) to find out additional information.* (Поставте спеціальні запитання (з питальним словом) для отримання додаткової інформації.)

Example: Lana had a mistake. (Де?) ___*Where did she have a mistake?*___

1) Jim had a new job. (Яку роботу?) ______________________
2) We had something in our bag. (Що?) ______________________
3) Somebody had an idea. (Хто?) ______________________
4) They had a problem. (Яку проблему?) ______________________
5) Tina had some books. (Скільки книг?) ______________________
6) Tim had some money. (Скільки грошей?) ______________________
7) I had a truck. (Коли?) ______________________

11. *Translate into English.*

1) Том мав кота. ______________________
2) У тебе було багато помилок у тесті? ______________________
3) У мене не було повітряного змія. ______________________
4) Її батьки мали дві машини. ______________________
5) Сара не мала нової сукні. ______________________

6) Коли у нього була машина? ______________________________

7) Яка у неї була ідея? ______________________________

12. *Write these dates in words (the British variant).*

1) 1/7/1917 ______________________________
2) 5/9/1796 ______________________________
3) 29/12/1883 ______________________________
4) 12/11/1535 ______________________________
5) 9/8/2000 ______________________________
6) 11/6/2005 ______________________________

13. *Write these dates in words (the American variant).*

1) 9/11/1975 ______________________________
2) 5/7/1463 ______________________________
3) 1/4/1629 ______________________________
4) 2/10/1358 ______________________________
5) 3/2/2004 ______________________________
6) 10/9/2017 ______________________________

VOCABULARY ENRICHMENT

1. *Translate into English using the words and phrases from the text.*

1) Їй було всього шість років, коли вона стала (*became*) знаменитою. ______________________________
2) Це не було дивовижно. ______________________________
3) Це було дійсно дивовижно. ______________________________
4) У нас з ним була довга розмова (діалог). ______________________________
5) Він усього лише сором'язливий підліток. ______________________________
6) Він зараз працює над новим романом. ______________________________
7) Я не працюю (зараз) над науковою фантастикою. ______________________________
8) Ми збираємося повернутися до цієї розмови завтра. ______________________________
9) Давай повернемося до цієї теми (*topic*) в понеділок. ______________________________
10) Потім, одного дня, він несподівано вже вмів плавати. ______________________________
11) Це було просто чарівно. ______________________________

12) Ми не могли цьому повірити. ____________________________

13) У дитинстві я вміла чудово танцювати. ____________________________

____

14) У нього був фантастичний голос. ____________________________

15) Я роблю це вперше. ____________________________

16) Чиє це видавництво? ____________________________

17) Чий це роман? ____________________________

18) Чий це голос? ____________________________

2. *Say and write in English.*

consist of — складатися з

1) Їхня група складається з 6 осіб. ____________________________

2) Цей комплект (*set*) складається з двох книг, журналу й ручки. ____________________________

____

3) Цей житловий комплекс (*residential complex*) складається з 10 будинків, басейну, булочної і дитячого садка (*day care centre*). ____________________________

____

4) Наш обід складається з супу, біфштекса і чаю з лимоном. ____________________________

____

5) Доповідь мого брата складається з трьох частин. ____________________________

____

6) Наш курс складається з теоретичних уроків і практики. ____________________________

____

3. *Say and write in English. Write the dates in words.*

be born — народитися

Example: *I was born* ***in*** *nineteen ninety-six. I was born* ***on*** *the thirteenth of December, nineteen ninety-six.*

1) Коли народився твій чоловік? ____________________________

2) Коли ти народився? ____________________________

3) Я народилася 22 квітня 1978 року. ____________________________

4) Моя дочка народилася 16 березня, а мій син народився 29 січня. ____________________________

____

5) Ми народилися в один день, 3 грудня. ____________________________

____

6) Коли народилися Джек і Сем? ____________________________

7) Мій дід народився в 1946 році. ____________________________

8) Коли народилася сестра Теда? ____________________________

9) Коли народилася твоя бабуся? ____________________________

10) Ми народилися в квітні. ____________________________

11) Де він народився?____
12) Ви народилися в Британії? ___________________________________
13) Я народився не в США. _______________________________________
14) Я не вчора народився. _______________________________________

Supplementary reading

Task 1. *Read about these prodigy kids* (діти з неабиякими здібностями, вундеркінди). *Whose talent is the most striking* (найбільш вражаючий)?

Task 2. *Pretend* (зробіть вигляд) *that you are one of these people. Tell a story about yourself — what you could do when you were young. Use your imagination to add details* (Використовуйте уяву, щоб додати деталі).

25.2

Akiane Kramarik, half American, half Lithuanian girl. She was born in 1994 in Illinois, the USA. She was home-schooled and she is a self-taught painter. She could draw when she was four and she could paint when she was six. She could write poetry when she was seven. Her paintings *are sold** at *world-famous auctions***, *such as**** Christie's.

* *are sold — продаються*
** *world-famous auctions — всесвітньо відомі аукціони*
*** *such as — такий як / такі як*

Wolfgang Amadeus Mozart could play the harpsichord* when he was 3 and could read and play music *by the age*** of 4. He could compose simple *music**** when he was 5.

* *harpsichord — клавесин*
** *by the age — до віку*
*** *compose music — складати музику*

Akrit Jaswal

This kid, India's *youngest ever** university student and *physician***, could *perform operations**** when he was seven!

Akrit could walk and talk by the time he was 10 months old. He could read and write by two. And, he could read Shakespeare, in English, by the time he was five. Akrit is now working on *cure for cancer*****.

* *youngest ever — наймолодший за всю історію*
** *physician — лікар-терапевт*
*** *perform operations — робити операції*
**** *cure for cancer — лікування (ліки) від раку*

УРОК 26

Спілкування. *З'ясування інформації про минуле.*

Граматика. *Past Simple (Простий минулий час). Правильні і неправильні дієслова.*

26.1

Talking about travelling experie nces	**Розмова про враження від подорожей**
Some people are sitting in a restaurant talking about their travelling experiences.	Декілька людей сидить у ресторані та розмовляє про свої враження від подорожей.
Michael Where did you spend your last holiday, Angela?	***Майкл*** Де ти проводила свою останню відпустку, Енджела?
Angela I went to Acapulco. It's on the Pacific Ocean.	***Енджела*** Я їздила до Акапулько. Це на узбережжі Тихого океану.
Michael It's a heavenly spot. I often go there for a holiday.	***Майкл*** Це райський куточок. Я часто їжджу туди у відпустку.
Leila What did you do there, Angela?	***Ліла*** Що ти там робила, Енджела?
Angela I visited a lot of interesting places, lay in the sun and ate a lot of national Mexican food. I swam in the ocean and I learnt to surf.	***Енджела*** Я відвідала безліч цікавих місць, загоряла (досл. «лежала на сонці»), їла національну мексиканську їжу. Я плавала в океані і вчилася кататися на серфі.
Leila And my husband and I went to Italy last year. We toured the country by bus. We admired a lot of Italian cities. We ate spaghetti in Rome, drank coffee in Naples, went by boat to the fairy isle of Capri, and took a lot of photographs. The weather was wonderful. The sun shone every day.	***Ліла*** А ми з чоловіком у минулому році їздили до Італії. Ми помандрували по країні автобусом. Ми помилувалися багатьма італійськими містами. Ми їли спагеті в Римі, пили каву в Неаполі, їздили на човні на казковий острів Капрі і зробили багато світлин. Погода була чудова. Сонце світило щодня.
Anna As for me, I went to India this winter. I saw the Taj Mahal and rode on an elephant.	***Анна*** Щодо мене, я цієї зими їздила до Індії. Я бачила Тадж Махал і каталася на слоні.
Michael Did you send any postcards to your friends?	***Майкл*** Ти відправляла поштові картки своїм друзям?
Anna Sure, I wrote and sent postcards to all my friends.	***Анна*** Так, я написала і відправила картки всім своїм друзям.
Rodrigo My family flew to Kenya last spring. I went on a safari and saw a lot of wild animals.	***Родриго*** Моя сім'я літала до Кенії минулої осені. Я їздив на сафарі і бачив безліч диких тварин.
Iris That's great! I feel envious. Did you go hunting?	***Айріс*** Здорово! Я тобі заздрю. Ти їздив на полювання?

Rodrigo Hunting? Oh, no. I can't stand killing poor animals. I just watched them, took their photographs, and I even fed them. We met a lot of interesting people and bought lots of souvenirs. We brought those souvenirs back to Mexico and gave them to our friends as presents.

Родриго На полювання? О, ні. Я терпіти не можу вбивати бідних тварин. Я просто спостерігав за ними, фотографував їх, я навіть їх годував. Ми зустріли багато цікавих людей і купили безліч сувенірів. Ми привезли ці сувеніри до Мексики і роздарували їх своїм друзям.

РОБОТА З ТЕКСТОМ

1. *Find the English equivalents of these words and expressions in the text.*

1) Тихий океан ________________
2) райський куточок ________________
3) їздити туди у відпустку ________________
4) мексиканська їжа ________________
5) кататися на серфі ________________
6) милуватися ________________
7) чарівний, казковий ________________
8) ми проїхалися по країні ________________
9) минулого року________________
10) минулої осені ________________
11) щодо мене________________
12) Здорово! ________________
13) робити світлини ________________
14) сувенір________________
15) у якості подарунків ________________
16) цієї зими ________________
17) Я терпіти не можу ________________
18) Я терпіти не можу вбивати тварин. ________________
19) навіть________________
20) дикі тварини ________________
21) на сафарі ________________
22) Я заздрю. ________________
23) ходити на полювання ________________
24) загоряти ________________

ЛЕКСИЧНІ ПОЯСНЕННЯ ДО ТЕКСТУ

We toured the country

«Ми помандрували по країні» або «ми проїхалися по країні». Зверніть увагу на відсутність прийменника в цій фразі.

The Past Simple Tense

The Past Simple Tense вживається для передачі дії, що відбувалася в минулому — вчора (*yesterday*), позавчора (*the day before yesterday*), минулого тижня / минулого року (*last week/year*), декілька годин тому (*some hours ago*) тощо.

Утворення **the Past Simple Tense**.

- Щоб утворити минулий простий час, ми просто додаємо до дієслова закінчення *–ed* у будь-якій особі.

I watch TV every evening. And I watched it yesterday. — Я дивлюся телевізор щовечора. І я дивився його вчора.

- Якщо дієслово у неозначеній формі закінчується на *–e*, то в *Past Simple* додається просто *–d*.

He liked milk when he was a child. — Йому подобалося молоко, коли він був дитиною.

> **Зверніть увагу** на орфографію при додаванні закінчення *–ed*.
> *study — studied*, але: *play — played*.
>
> (Порівняйте з правилом утворення множини іменників:
> a copy — copies; a boy — boys.)

- Якщо дієслово закінчується на закритий наголошений склад з коротким голосним звуком, то кінцевий приголосний подвоюється: *drop — dropped*.

Це робиться для того, щоб не відкрити склад і зберегти читання останньої голосної в слові. Зверніть увагу, що кінцева буква *x* не подвоюється, оскільки вона сама дає два звуки — [ks], тому короткість голосної зберігається і без подвоєння кінцевої приголосної: *fix — fixed*.

Закінчення **–ed** *вимовляється як:*

- [t] — після глухих приголосних, крім *t* (*watched* [wɒtʃt]);
- [d] — після дзвінких приголосних і голосних, крім *d* (*smiled* [smaɪld]);
- [ɪd] — після *d* та *t* (*started* [ˈstɑːtɪd]).

Крім дієслів, які утворюють форму *Past Simple* за правилами, тобто правильних дієслів, існує ще досить багато неправильних дієслів, які утворюють форму *Past Simple* «як заманеться», тобто без будь-яких правил.

Наприклад:

drive — drove　　take — took　　give — gave

draw — drew sit — sat go — went

read [ri:d] — read [red] (на письмі нічого не змінюється, але вимова цих слів різна)

cut — cut (зовсім нічого не змінюється) тощо.

На жаль, дуже багато широковживаних дієслів в англійській мові є неправильними. Але з іншого боку, оскільки вживаються вони дійсно дуже часто, їх і запам'ятати легше.

Не лінуйтеся на перших порах перевіряти дієслова в словнику — адже ви поки що не знаєте, яке дієслово виявиться правильним, а яке ні!

На сторінках 292-294 цього підручника ви знайдете список найбільш уживаних неправильних дієслів англійської мови. В першому стовпчику подібних таблиць дається неозначена форма дієслова (інфінітив), у другому стовпчику — форма *Past Simple*, а в третьому — форма дієприкметника минулого часу, яка вживається в пасивному стані та в перфектних часах англійської мови. Через таке розташування в таблиці форми неправильних дієслів часто так і називають: перша, друга і третя.

Про заперечення і запитання в *Past Simple* ми детально поговоримо в наступному уроці.

Grammar practice

1. *Find the English equivalents of these verbs in the text and give their first and second forms.* (Знайдіть еквіваленти цих дієслів у тексті і напишіть їхню першу та другу форми.)

Example: проводити (час), витрачати (гроші) ____*spend — spent*____

1) їздити ____________________
2) відвідувати ____________________
3) плавати ____________________
4) їсти ____________________
5) учитися ____________________
6) брати, взяти ____________________
7) бачити ____________________
8) світити ____________________
9) милуватися ____________________
10) їздити верхи ____________________
11) пити ____________________
12) лежати ____________________
13) привезти / принести ____________________
____
14) літати ____________________
15) робити ____________________
16) почуватися ____________________
17) спостерігати ____________________
18) годувати ____________________
19) купувати ____________________
20) давати, дарити ____________________
21) проїхатися ____________________

2. *Write Past Simple of these regular (правильних) verbs.*

Example: hurry ____*hurried*____

1) like ____________________
2) hop ____________________
3) try ____________________
4) stay ____________________

5) cry ______________________
6) nod ______________________
7) clean ______________________
8) smile ______________________
9) spy ______________________
10) kick ______________________
11) clap ______________________
12) mix ______________________
13) rub ______________________
14) plan ______________________
15) knit ______________________
16) tidy ______________________
17) hurry ______________________
18) tap ______________________

3. *Write the beginnings of the sentences using the verbs from Exercise 1.* (Напишіть початки речень, використовуючи дієслова із завдання 1.)

1) ми поїхали ______________________
2) вони відвідали ______________________
3) я вчився ______________________
4) ви спостерігали ______________________
5) вони випили ______________________
6) ти з'їв ______________________
7) мій брат їздив верхи ______________________
8) моя тітка літала ______________________
9) тигри лежали ______________________
10) мій дядько фотографував ______________________
11) ми нагодували ______________________
12) мої друзі бачили ______________________
13) я почувався ______________________
14) мої батьки купили ______________________
15) мій чоловік подарував мені ______________________
16) учитель приніс ______________________
17) я загоряв ______________________
18) ми милувалися ______________________
19) вони плавали ______________________

4. *Fill in the blank spaces with the Past Simple form of the verbs given.* (Заповніть пропуски формою Past Simple нижченаведених дієслів.)

fly sing shoot write swim fall run
hurt hear get tell teach go break get

Example: My sister ___*got*___ married on April 26th, 1980.

1) David ________________ very well at the party.
2) He slipped on a banana skin and ________________ his leg.
3) Do you know who ________________ this book?
4) I was late, so I ________________ all the way.
5) He ________________ off a ladder and ________________ himself.
6) Ed is a keen (*завзятий*) hunter. He ________________ three hares last weekend.

7) My cousin ________________ for Great Britain in the Olympic games when he was only 16.
8) We ________________ to Spain last summer.
9) Who ________________ you to play the guitar?
10) I ________________ up very early this morning.
11) She ________________ home a few minutes ago.
12) He ________________ me an interesting story.
13) Suddenly I ________________ a loud voice.

5. *Fill in the blank spaces with the Past Simple form of the verbs given. You'll have to use some verbs more than once.* (Заповніть пропуски формою *Past Simple* нижченаведених дієслів. Вам потрібно буде використовувати деякі дієслова більш ніж один раз.)

last	visit	enjoy	spend	catch	camp	have	drive (2)
go	take	think	see (2)	stay	swim (2)	play (2)	cook

Last year the Browns ______________ (1) three Greek islands for their summer holidays. First they went to Crete where Tom ______________(2) very little because he ______________ (3) all his time sleeping! Sometimes he ______________ (4) fishing. He ______________ (5) an octopus, two starfishes and a lot of small fish. His wife ______________ (6) them for dinner once.

The children, Chris and Heather, ______________ (7) on the beach all day and ______________ (8) in the warm clean sea. On Milos the family ______________(9) at a lovely hotel. They ______________ (10) to some of the villages in the evenings and they ______________ (11) themselves at a village fair (*ярмарок*) one night.

After ten days on Milos the family ______________ (12) the ferry boat to Paros. The journey ______________ (13) 45 minutes. They ______________ (14) a lot of dolphins on the way. On Paros they ______________ (15) beside the sea in a tent.

Some people in another tent ______________ (16) a cat with them. The children ______________ (17) with it.

On Paros the family ______________ (18) in the sea a lot. They also often ______________ (19) around the island in a car. When they returned home they often ______________ (20) about their wonderful holiday.

6. *Read this true story about a bank robbery in the USA. Put the verbs in brackets into the Past Simple and then re-tell this story. Be careful: some of the verbs are regular and some — irregular.* (Прочитайте цю правдиву історію про пограбування банку в США. Поставте дієслова в дужках в *Past Simple*, а потім перекажіть цю історію. Будьте уважні: деякі дієслова правильні, а деякі — неправильні.)

In 1983 in Reno, Nevada a man (1) ______________ (decide) to rob a bank. He (2) ______________ (write) a message on the back of an envelope. The message (3) ______________ (say) 'Put the money into a bag and hand it over.' The man (4) _____________ (go) into a bank, (5) _____________ (wait) in line and then (6) _____________ (hand) the envelope to the cashier. The woman (7) _____________ (nod). She (8) _____________ (take) the money out of a drawer, (9) _____________ (put) it in a bag and (10) _____________ (give) it to the man. He (11) _____________ (walk) out of the bank and (12) _____________ (make) his escape (*утік*).

The robber (13) _____________ (feel) pleased. 'It (14) _____________ (be) easy,' he (15) _____________ (think). He (16) _____________ (not be sure) how much money he (17) _____________ (have) in the bag, but he (18) _____________ (hope) it (19) _____________ (be) a lot. But when he (20) _____________ (arrive) home, he (21) _____________ (get) a shock. He (22) _____________ (find) the police there. Unfortunately for the robber, his name and address (23) _____________ (be) on the other side of the envelope.

VOCABULARY ENRICHMENT

- **can't stand smth / doing something**

Цей вираз означає «Терпіти не могти чогось / щось робити».
She can't stand lies. — Вона терпіти не може брехні.
I can't stand queuing. — Я терпіти не можу стояти в чергах.
My dad can't stand talking about fashion. — Мій тато терпіти не може розмов про моду.

1. *Say and write in English.*

1) Я терпіти не можу фільмів жахів. _____________
2) Він терпіти не може їздити громадським транспортом. _____________
____
3) Я терпіти не можу читати дурні романи. _____________
____
4) Мій чоловік терпіти не може ходити по магазинах. _____________
____
5) Моя дочка терпіти не може наводити порядок у своїй кімнаті. _____________
____
6) Її діти терпіти не могли ходити до школи. _____________
____
7) У дитинстві вона терпіти не могла плавати. _____________
____
8) Ми терпіти не могли їсти в шкільній їдальні. _____________
____
9) Я терпіти не можу гуляти під дощем. _____________
____

- **give** — *дати, подарувати*
  lend — *дати на час, позичити*

Українському слову «подарувати» відповідає просте, давно знайоме вам слово *give*. Наприкінці речення ми можемо додати для ясності *as a present*.

My friend gave me this book as a birthday present / for my birthday. — Мій друг подарував мені цю книгу на день народження (=у якості подарунка до дня народження).

Who gave you this bag? — Хто тобі подарував цю сумку?

I am going to give this doll to my daughter as a New Year present. — Я збираюся подарувати цю ляльку своїй дочці на Новий рік (=у якості новорічного подарунка).

Необхідно пам'ятати, що звичайне українське «давати» у значенні «дати покористуватися» не передається в англійській мові дієсловом *give*. Для цього існує дієслово *lend* — давати в борг, позичати. Порівняйте:

Can you <u>lend</u> me your book? — Ти можеш мені позичити свою книгу?

Can you <u>give</u> me your book? — Ти можеш мені віддати (назавжди) / подарувати свою книгу?

2. *Say and write in English.*

1) Можеш мені дати свою ручку? ____________________
2) Їй батьки подарували чудову сукню на день народження. ____________________
3) Я можу тобі позичити трохи грошей. ____________________
4) Ти можеш мені позичити свою книгу? ____________________
5) Я не збираюся віддавати йому свої речі. ____________________
6) Ми збираємося подарувати їй мобільний телефон. ____________________
7) Я б хотіла подарувати сину велосипед на Новий рік. ____________________

- **lots of**

Те ж саме, що *й a lot of*. Так само, як і *a lot of*, може вживатися як із злічувальними, так і з незлічувальними іменниками. Вважається, що вираз *lots of* є більш розмовним.

She ate lots of chocolate yesterday. — Вона з'їла вчора купу шоколаду.

There are a lot of good players in our team. — В нашій команді багато хороших гравців.

3. *Say and write in English.*

1) Вона з'їла на вечірці купу солодощів. ____________________
2) Вони подарували мені купу подарунків. ____________________
3) Він з'їв купу шоколаду і випив багато соку. ____________________

4) У дитинстві я прочитав безліч книг. ______________________________

____

by bus

В уроці 10 ми вже стикалися з виразами, що описують вид транспорту, на якому ми кудись добираємося. Давайте пригадаємо ці вирази.

by bus — автобусом
by coach — на міжміському / туристичному автобусі (зазвичай у Британії)
by car — машиною / на машині
by train — поїздом
by sea — на кораблі / морем
by plane / *by air* — літаком / на літаку
by bike — на велосипеді
by Underground — на метро
on foot — пішки

В усіх цих виразах використовується прийменник *by* і не вживається артикль. Винятком з цього правила є вираз *on foot*, що вживається з прийменником *on*.

4. *Say and write in English.*

1) Давайте поїдемо до Лондона на машині! ______________________________

____

2) Ми збираємось у Німеччину на літаку. ______________________________

____

3) Давайте підемо туди пішки! ______________________________
4) Я не хочу їхати туди поїздом. ______________________________
5) Я не люблю подорожувати морем. У мене морська хвороба. ____________

____

6) Їдьте на метро! Це швидко і зручно (*convenient*). ______________________

____

7) Ми їздили до Польщі автобусом. ______________________________
8) Я вважаю за краще подорожувати на машині. ______________________
9) Не йди пішки, їдь на велосипеді. ______________________________

last year

У виразих типу *last year* (минулого року) прийменник не вживається! Ось ще декілька прикладів:
last month — минулого місяця
last week — минулого тижня

5. *Say and write in English.*

1) Минулого року ми були в Туреччині. ______________________________
2) На минулих вихідних (*weekend*) ми їздили кататися на лижах у горах. ___

____

3) Минулого четверга ми ходили в кіно. ______________________________

____

4) У нас були збори (*meeting*) минулого вівторка. _________________

____

6. *Translate into English using the words and phrases from the text.*

1) Ми проїхалися по Європі автобусом. __________________________

____

2) Я зробив багато світлин у тому місті. ________________________

____

3) Я б не хотів їхати на полювання, тому що терпіти не можу вбивати бідних тварин. ____

____

4) Цей острів (*island*) — райський куточок. ______________________

5) Минулого року ми їздили до Тихого океану і вчились там кататися на серфі. _

____

6) Ми ніколи не їздимо туди у відпустку. _________________________

7) Я провів свою останню відпустку на казковому острові в Тихому океані. _

____

8) Я терпіти не можу мексиканську їжу. __________________________

9) Щодо мене, я навіть з'їздив там на сафарі. _____________________

10) Минулого літа ми були в Африці і зробили безліч фотографій диких тварин.

____

____

11) Ми плавали в морі.____

12) Я заздрю (відчуваю заздрість), що ти провів свою останню відпустку в Індії. ____

____

13) Ми купили дуже багато сувенірів і подарували їх своїм друзям. ________

____

14) Минулої осені я вперше їв справжню італійську піцу і пив справжнє італійське вино. ____

____

15) Я подарував це йому у якості подарунка на день народження. _________

____

16) Я провів свою останню відпустку в Італії. ______________________

____

17) Минулого року ми їздили у Німеччину. Ми проїхалися по країні на машині. ____

____

18) Ми пили каву, їли місцеву (*local*) їжу і зробили багато фотографій. _____

____

УРОК 27

Спілкування. *Спогади про минуле.*

Граматика. *Past Simple (Простий минулий час). Заперечення, запитання, короткі відповіді.*

271

A story of a miraculous survival

Angela Where did you spend last summer, Herb?

Herb Do you really want to know?

Angela Why not? Is it something secret or awful?

Herb It's not a secret, but it's a bit frightening. Last summer I was testing a plane when it crashed in the Pacific Ocean. I spent six weeks in a rubber life-raft. I didn't have much water and I didn't have many things to eat. I only had a few cans of food and a few bottles of water. I also had a fishing line. So I caught some fish every day and ate them raw.

Angela Were you scared?

Herb You bet! I thought those were my last days.

Mike Did you see any sharks?

Herb Yep. I saw a few sharks but I was lucky they were not hungry. Or, maybe they didn't like me. Anyway, they didn't touch me. One night I thought I even saw a whale, but I'm not sure.

Angela Didn't any ship pass you?

Herb Two ships did. But it was very foggy then, so they didn't see me. Then one morning, after six weeks at sea, a fishing boat saw my life-raft and picked me up. I could hardly stand up and I could hardly walk. But I got over it very soon.

Angela So, all's well that ends well.

Herb Exactly.

Розповідь про чудесне виживання

Енджела Де ти провів минуле літо, Герб?

Герб Ти дійсно хочеш про це знати?

Енджела Чому б ні? Чи це дещо секретне чи жахливе?

Герб Це не секрет, але це трохи лякає. Минулого літа я випробував літак, коли він зазнав аварії та впав у Тихий океан. Я провів півтора місяця в гумовій рятувальній шлюпці. У мене було мало води і їжі. У мене було усього лише декілька консервних банок з їжею і декілька пляшок з водою. У мене також була вудка. Отже я ловив декілька рибин щодня і їв їх сирими.

Енджела Тобі було страшно?

Герб Ще б пак! Я думав, це були мої останні дні.

Майк Ти бачив акул?

Герб Так. Я бачив декількох акул, але мені поталанило, що вони були не голодні. Або, може бути, я їм не сподобався. В будь-якому випадку, вони мене не торкнули. Одного разу вночі мені навіть здалося, що я бачив кита, але я не впевнений.

Енджела Невже жоден корабель не пропливав повз тебе?

Герб Два кораблі пропливали. Але тоді був сильний туман, так що вони мене не помітили. Одного ранку, після півтора місяця перебування в морі, мою шлюпку помітив рибальський човен і підібрав мене. Я насилу міг стояти і пересуватися. Але я дуже скоро оправився.

Енджела Все добре, що добре закінчується.

Герб Точно.

РОБОТА З ТЕКСТОМ

1. *Find the English equivalents of these words and expressions in the text.*

1) чудесний ______
2) виживання ______
3) дійсно ______
4) щось ______
5) те, що трохи лякає ______
6) випробувати літак ______
7) гума ______
8) гумова рятувальна шлюпка ______
9) вудка ______
10) консервна банка ______
11) декілька консервних банок з їжею ______
12) декілька пляшок з водою ______
13) сирий ______
14) Ще б пак! ______
15) бути наляканим ______
16) ловив / ловити ______
17) акула ______
18) останні дні ______
19) мені поталанило ______
20) можливо ______
21) одного разу вночі ______
22) пропливати / проходити повз ______
23) туманний ______
24) оправитися ______
25) точно ______
26) рибальський човен ______
27) Все добре, що добре кінчається. ______
28) підібрати когось ______
29) підібрати щось ______
30) жахливий ______
31) зазнати аварії ______

ЛЕКСИЧНІ ПОЯСНЕННЯ ДО ТЕКСТУ

Yep / Nope

Yep і *Nope* — це розмовний, здебільшого американський варіант слів *Yes* і *No*.

GRAMMAR

Запитання в Past Simple

Якщо ви уважно читали текст попереднього уроку, то вже там ви мали помітити приклади запитань у *Past Simple*:

Where did you spend your last holiday, Angela?
What did you do there, Angela?
Did you go hunting?

У тексті цього уроку ми бачимо ще приклади:
Where did you spend last summer, Herb?
Did you see any sharks?

Гадаю, ви легко змогли здогадатися, як утворюються запитання в *Past Simple*. Ми просто використовуємо допоміжне дієслово *did*, яке ставиться перед підметом. Тобто запитання в *Present Simple* і *Past Simple* мають абсолютно однаковий принцип будування. В *Present Simple* ми використовуємо допоміжне дієслово *do*, а в *Past Simple* його минулу форму — *did*:

Present Simple	Past Simple
*When **do** you usually get up?*	*When **did** you get up today?*
***Do** you often see Nick?*	***Did** you see Nick yesterday?*

Як і в інших часах, запитання до підмета та його означення в *Past Simple* не потребують допоміжного дієслова:
Who brought this cake? — Хто приніс цей торт?

Порівняйте:

Who smiled at you? — Хто тобі посміхнувся? (запитання до підмета)
Who did you smile at? — Кому ти посміхнувся? (запитання до додатка)

Заперечення в **Past Simple**

Принцип будування заперечень у *Past Simple* також схожий на принцип будування заперечень у *Present Simple*:
Present Simple: *I don't know him.* — Я його не знаю.
Past Simple: *I didn't know him.* — Я його не знав.

Нагадаю, що в англійській мові, на відміну від української, відсутнє подвійне заперечення, тому в реченнях з *never* («ніколи») дієслово стоїть у стверджувальній формі:
His great grandpa didn't work at a factory. — Його прадід не працював на фабриці.
His great grandpa never worked at a factory. — Його прадід ніколи не працював на фабриці. (досл. «ніколи працював»)

Питально-заперечні речення

Із самої назви цього типу запитань можна здогадатися, що йдеться про речення, в яких присутнє і запитання, і заперечення.

У таких реченнях допоміжне дієслово із заперечною часткою *not* ставиться перед підметом. Причому використовується, як правило, коротка форма.

- Загальні (без питального слова) питально-заперечні речення мають відтінок подиву, сумніву. В українській мові такі речення починаються зі слів «невже», «хіба»:

Didn't any ship pass you? — Невже жоден корабель не пропливав повз тебе?
Can't you swim? — Невже ти не вмієш плавати?
Doesn't she work as a nurse? — Хіба вона працює не медсестрою?
Aren't you tired? — Невже ви не втомилися?

- Питально-заперечні речення з питальним словом перекладаються майже дослівно:

Why didn't he come? — Чому він не прийшов?
What didn't you see? — Що ти не бачив?
Why aren't they at school? — Чому вони не в школі?
Why can't you do it now? — Чому ти не можеш це зробити зараз?

hard — hardly

Слово ***hard*** може вживатися як прикметник (*It's <u>hard</u> work.* — Це <u>*важка*</u> праця.), так і як прислівник зі схожим значенням (*He works <u>hard</u>.* — Він <u>*важко / старанно*</u> працює.)

Hardly — це прислівник, який має зовсім інше значення. Він означає «насилу», «ледве». Як правило, цей прислівник уживається з дієсловом *can / could*. Порівняйте:

Lucy always <u>thinks hard</u> to solve a problem. — Люсі завжди напружено розмірковує, щоб розв'язати задачу.
I have a bad headache, I <u>can hardly think</u>. — У мене сильно болить голова. Я насилу можу думати.

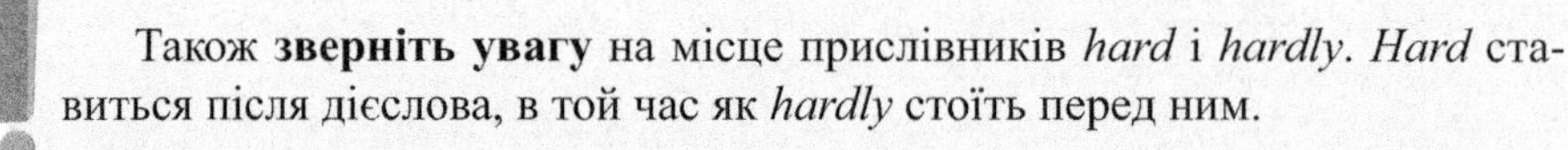

Також **зверніть увагу** на місце прислівників *hard* і *hardly*. *Hard* ставиться після дієслова, в той час як *hardly* стоїть перед ним.

Ось ще декілька прикладів зі словом *hardly*:
I could hardly stand up and I could hardly walk. — Я ледве міг стояти і пересуватися.
I can hardly see in this darkness. — Я ледве можу бачити в цій темряві.

I don't have many / much... — *У мене мало...*

Англійська мова набагато більш політкоректна, ніж українська. Тому в англійській мові дуже часто негативна властивість змінюється позитивною + *not much / not many / not very*. Наприклад, у тексті, замість того, щоб сказати *I had little water* (У мене було мало води), Херб каже *I didn't have much water.* (У мене не було багато води).

Звичайно, речення *I had little water* не буде помилкою, просто в англійській мові існує така тенденція — пом'якшувати заперечні властивості.

Наприклад, в англійській мові ці українські фрази скоріше будуть звучати ось так:

Це дурна гра. — *This game is not very clever.*

Їхній будиночок маленький. — *Their house is not very big.*

У цього співака мало шанувальників. — *This singer doesn't have very many fans.*

Grammar practice

1. Перетворіть ствердження на заперечення.

Example: Mary smiled. — Mary ___*didn't smile*___.

1) We planned our day. — We ______________________ our day.
2) Polly cried. — Polly ______________________.
3) I opened the book. — I ______________________ the book.
4) We flew to London last month. — We ______________________ to London last month.
5) My colleague rode his bike to work. — My colleague ______________________ his bike to work.
6) I tried to do it. — She ______________________ to do it.
7) We helped Tim. — We ______________________ Tim.
8) You carried my bag. — You ______________________ my bag.
9) He robbed the bank. — He ______________________ the bank.
10) I saw this film last year. — I ______________________ this film last year.

2. Перетворіть заперечення на ствердження.

Example: He didn't want to go. — He ___*wanted*___ to go.

1) I didn't look at them. — I ______________________ at them.
2) We didn't spend our holiday in Greece. — We ______________________ our holiday in Greece.
3) Colin didn't laugh at us. — Colin ______________________ at us.
4) I didn't stay at this hotel. — I ______________________ at this hotel.
5) I didn't think he was right. — I ______________________ he was right.
6) They didn't tell me the truth. — They ______________________ me the truth.
7) He didn't lie in the sun. — He ______________________ in the sun.
8) I didn't catch this fish. — I ______________________ this fish.

3. *Form the correct negation with never + the verb in brackets in Past Simple.* (Побудуйте заперечення з *never* + дієслово в дужках у *Past Simple.*)

Example: She ___*never smiled*___ (smile) at me.

1) We ______________________ (talk) about that at school.
2) My grandma ______________________ (work).
3) I ______________________ (jog) in the morning when I was at school.

4) Sally ________________________ (knit) in her childhood.
5) Robby ________________________ (play) football at school.
6) Her son ________________________ (ask) me for help.
7) Alice ________________________ (want) to buy that dress.

4. *Use the verbs in brackets in the correct form.*

1) We didn't __________________ (finish) work at 7 p.m.
2) She didn't __________________ (talk) loudly.
3) My sister never __________________ (climb) trees in her childhood.
4) Katie didn't __________________ (learn) French last year.
5) Sam didn't __________________ (need) our help.
6) Ellie never __________________ (cry) when she was a little.
7) He didn't __________________ (stop).
8) We never __________________ (call) him Bob at school.
9) I didn't __________________ (like) singing.
10) Rick never __________________ (tidy) his room when he was a teenager.
11) When they were at school, they never __________________ (argue) with their teachers.

5. *Turn the sentences into questions.* (Перетворіть речення на питальні.)

Example: I closed the door. ______*Did I close the door*______?

1) He touched his ear. ____?
2) She wanted to go there alone. ____?
3) They saw some sharks. ____?
4) Herb ate fish. ____?
5) Some ships passed him. ____?
6) They picked up the poor travellers. ____?
7) Her parents spent their holiday in Germany. ______________________________
____?
8) They travelled a lot. ____?
9) Denny failed his exam. ____?
10) They told me a lie. ____?

6. *Ask questions to get more information.*

Example: I finished my work … (Коли?) _*When did you finish your work?*_

1) We tidied ... (Що?) ____
2) They started … last week. (Що?) ____
3) Dolly cried because … (Чому?) ____
4) Zach believed … (Кому?) ____
5) We travelled … (Де?) ____
6) Jack and Jill agreed with … (З ким?) ____
7) He shouted because … (Чому?) ____

7. *Complete the sentences with the correct form of the verbs in brackets.* (Доповніть речення правильною формою дієслів у дужках.)

Example: His friend *didn't lie* (not lie) in the sun, he *swam* (swim).

1) Alice ____________ (not buy) that dress, she ____________ (buy) that skirt.
2) Sam ____________ (not work), he ____________ (watch) TV.
3) My sister ____________ (not go) there on foot, she ____________ (go) by bike.
4) You ____________ (not talk), you ____________ (shout).
5) Amie ____________ (not ask), she ____________ (order).
6) Her son ____________ (not study) Chinese, he ____________ (study) Japanese.

8. *Make affirmative (✓), negative (✗) or interrogative (?) sentences in Past Simple. Don't forget to put the verb in the correct form, if necessary!*

Example : (at that hotel / you / stay) (?) *Did you stay at that hotel?*

1) (play / they / tennis) (✗) ____________
2) (Pat / shout / loudly) (?) ____________
3) (want / there / we / to stay) (✗) ____________
4) (yesterday / it / rain) (?) ____________
5) (yesterday / he / arrive) (✓) ____________
6) (we / know the answer) (✓) ____________

9. *Complete the sentences with didn't, don't or doesn't.*

1) We ____________ watch TV yesterday.
2) Larry ____________ go to the sea last summer.
3) They ____________ come here every day.
4) Tom ____________ go to bed early on Sundays.
5) My friends ____________ come to see me last Saturday.
6) We ____________ travel much two years ago.
7) Jack ____________ learn French, he learns English.
8) They ____________ play the guitar, they play the piano.

10. *Complete the sentences with couldn't, didn't, wasn't or weren't.*

1) I ____________ ride a bike three years ago, but I can now.
2) Josh ____________ at home when I called him.
3) We ____________ call you last night, Sally did.
4) They ____________ on holiday last week.
5) My sister ____________ read last year, but she can now.
6) I ____________ laugh because it ____________ funny.
7) Jack ____________ happy because he ____________ get a present.
8) They ____________ write that letter, Mark did. (*Марк написав. Тут did замінює дієслово, що було вжито в першій частині речення.*)
9) We ____________ eat that food because we ____________ hungry.
10) I ____________ skate when I was little, but all my friends could.

11. *Make these sentences negative using the correct auxiliary verbs.* (Перетворіть речення на заперечні, використовуючи правильні допоміжні дієслова.)

Example: Sam plays the piano. Sam _doesn't play_ the piano.

1) We often have parties. We ______________________ parties.
2) He wanted to play that game. He ______________________ to play that game.
3) They run very fast. They ______________________ very fast.
4) We liked the film. We ______________________ the flm.
5) I usually get up early. I ______________________ early.
6) We could see the house. We ______________________ the house.
7) She looked at me. She ______________________ at me.
8) They stopped talking. They ______________________ talking.
9) She talks loudly. She ______________________ loudly.
10) He reads every day. He ______________________ every day.
11) They could dance. They ______________________.

12. *Turn these sentences into questions using the correct auxiliary verb — did, do or does.*

Example: They answered his question. _Did they answer_ his question?

1) Don writes a lot of letters. ______________________ many letters?
2) He draws nice pictures. ______________________ nice pictures?
3) We argue every day. ______________________ every day?
4) Dina carried a heavy bag. ______________________ a heavy bag?
5) Lenny often rides a bike. ______________________ a bike?
6) Jimmy nodded his head. ______________________ his head?
7) They bought nice presents. ______________________ nice presents?
8) She walked home. ______________________ walk home?

13. *Write the short answer.*

Example: Did you hear me? — Yes, _I did._

1) Did you take notes? — No, ________________ .
2) Does he like it? — Yes, ________________ .
3) Did you bring your sister? — No, ________________ .
4) Does she sing well? — No, ________________ .
5) Do they hope to win? — Yes, ________________ .
6) Did they lose their bag? — Yes. ________________ .
7) Do they have brothers? — No, ________________ .
8) Could she drive last year? — No, ________________ .
9) Does she know the answer? — Yes, ________________ .
10) Did you give them the book? — Yes, ________________ .
11) Were you with them? — Yes, ________________ .
12) Did they hear you? — No, ________________ .
13) Did you listen to me? — Yes, ________________ .

14) Was she in hospital? — No, ______________________________
15) Were they hungry? — Yes, ______________________________
16) Was he in London? — Yes, ______________________________
17) Could he come with his friends? — Yes, ______________________
18) Did Mary go to London last month? — No, ____________________

14. *Use the correct auxiliary verb — was, were, did or could.*

Example: ___*Were*___ you at the party on Saturday?

1) ____________ your grandpa an architect?
2) ____________ they talk on the phone?
3) ____________ she honest with you?
4) ____________ your friends in Paris last year?
5) ____________ you park your car in this street?
6) ____________ you swim when you were 10?
7) ____________ your friends work in the field?
8) ____________ you say 'No'?
9) ____________ he angry with you?
10) ____________ you agree to go there?
11) ____________ she watch TV yesterday?
12) ____________ your little sister read two years ago?

15. Склади уточнюючі запитання.

Example: I closed something. (Що?) ___*What did you close?*___
I could draw. (Що?) ___*What could you draw?*___

1) He was sad. (Чому?) ______________________________
2) I was angry. (Чому?) ______________________________
3) He opened a bottle. (Яку пляшку?) ______________________
4) Mary talked to the teacher. (Коли?) ____________________
5) Leo returned home late. (О котрій годині?) ______________
6) They were home alone. (Чому?) _______________________
7) They laughed. (Чому?) ______________________________
8) They started working. (Коли?) _______________________
9) I could speak Chinese. (Коли?) _______________________
10) Alice could play a musical instrument. (На якому музичному інструменті?)
____
11) Her brothers played football. (Коли?) __________________

16. Доповніть питально-заперечні речення в *Past Simple.*

Example: ___*Couldn't*___ you read that letter by yourself? — Yes, I could.

1) ______________ they angry with him?
2) ______________ she close the door? — Yes, she did.
3) ______________ he at the party?

4) _______________ drive three years ago? — Yes, I could.
5) _______________ there any water in this bottle?
6) _______________ there any mistakes in Sam's test?
7) _______________ you agree with your colleagues? — Yes, I did.

17. Складіть питально-заперечні речення за зразком.

Example: Tom played the guitar. (the piano) *Didn't he play the piano?*

1) They could play tennis. (football) _______________
2) Sally was at the cinema. (the theatre) _______________
3) There were apples on the plate. (any pears) _______________
4) Rick opened the door. (the window) _______________

18. *Make questions and give answers in Past Simple as shown in the example, using the prompts to help you.* (Поставте запитання і дайте відповіді в Простому минулому часі, як показано в прикладі, використовуючи надані підказки.)

Example: John/buy/town? *What did John buy in town?*
new suit *He bought a new suit.*
anything else? *Did he buy anything else?*

1) Tiffany/go? _______________
the cinema _______________
the theatre? _______________
2) Samuel/write? _______________
an assay _______________
a letter? _______________
3) Sara/drink? _______________
some water _______________
any milk? _______________
4) Leila/swim? _______________
in the river _______________
in the sea? _______________
5) Chris/catch? _______________
an octopus _______________
any fish? _______________
6) your parents/see? _______________
a lot of interesting places _______________
the fireworks? _______________
7) Albert/play? _______________
the violin _______________
the trumpet? _______________
8) your brother/spend his holiday? _______________
in Egypt _______________
in Turkey _______________

19. *Write the questions for the answers given.* (Напишіть запитання для наданих відповідей.)

Example: When *did Josh last go to London?*

Where *did Josh go in February?*

Who *last went to London in February?*

Josh last went to London in February.

1) How well ______________________________

What ______________________________

Who ______________________________

Our students understood the English film very well.

2) Where ______________________________

When ______________________________

I stayed in Hilton Hotel when I was in London.

3) Where ______________________________

When ______________________________

Who ______________________________

Kate saw me in the theatre last Wednesday.

4) When ______________________________

Who ______________________________

Where ______________________________

We lived in Canada ten years ago.

5) What ______________________________

Who ______________________________

When ______________________________

My colleagues began the discussion at ten sharp (*рівно о десятій*).

6) Where ______________________________

What ______________________________

I bought this book in the bookshop in Green Street.

7) When______________________________

We last had a meeting a week ago.

8) When ______________________________

Who ______________________________

Where ______________________________

My parents went to the country yesterday.

9) When ______________________________

Where ______________________________

We were at the party yesterday evening.

10) Why ______________________________

We didn't go to the restaurant because it was crowded.

11) Where ______________________________

When ______________________________

Who ______________________________

Tom was in Greece last year.

12. Where ____________________
Who (*Хто*) ____________________
Who (*Кого*) ____________________
I met Jane at the party.
13. Why ____________________
We stayed at home because it started raining.

20. *Re-tell the story in the past.* (Перекажіть розповідь у минулому.)

A London Fog.

It is very foggy in London. The fog is so thick that it is impossible to see more than a foot or so. Buses, cars and taxis are not able to run and are standing by the side of the road. People are trying to find their way about on foot but are losing their way in the fog. Mr Smith has a very important meeting at the House of Commons and has to get there but no-one can take him. He tries to walk there but finds he is quite lost. Suddenly he bumps into a stranger. The stranger asks if he can help him. Mr Smith says he wants to get to the Houses of Parliament. The stranger tells him he can take him there. Mr Smith thanks him and they start to walk there. The fog is getting thicker every minute but the stranger has no difficulty in finding the way. He goes along one street, turns down another, crosses a square and at last after about half an hour's walk they arrive at the Houses of Parliament. Mr Smith can't understand how the stranger finds his way. "It's wonderful", he says. "How do you find the way in this fog?"

"It's no trouble for me at all," says the stranger. "I'm blind."

21. *Make questions about the text above to match the answers given.* (Складіть запитання за вищенаведеним текстом так, щоб вони відповідали наданим відповідям.)

1) ____________________
Because the fog was very thick.
2) ____________________
In the House of Commons
3) ____________________
Because he had a very important meeting there.
4) ____________________
Into a stranger.
5) ____________________
Because he was blind.

VOCABULARY ENRICHMENT

1. *Translate into English using the words and phrases from the text.*

1) Це була історія про чудесне виживання. ____________________
____
2) Це історія, що лякає. ____________________

3) Це було дійсно трохи жахливо. ______________________________________
____
4) Скільки на цьому кораблі гумових рятувальних шлюпок? ______________
____
5) Ми не збираємося брати з собою багато їжі — тільки декілька консервних банок з їжею і декілька пляшок з мінеральною водою. _________________
____
____
6) Йому поталанило. ____
7) Боюся (*I'm afraid*), він не збирається нам допомагати. ______________
____
8) У цьому морі дуже багато акул. ______________________________________
9) Свої останні дні він провів у цьому маленькому будиночку. ___________
____
10) Ріку часто таланить? — Ще б пак! Минулого року в цьому озері він зловив на вудку 10 величезних щук. ____
____
11) Нам нічого було їсти, тому ми ловили рибу і їли її сирою. _____________
____
12) Можливо, він збирається провести відпустку в Ісландії. ______________
____
13) Повз нас пропливло три кораблі. ____________________________________
14) Мій молодший брат (*kid brother*) не скоро оправився від цього шоку. ____
____
15) Влітку ми збирали гриби в цьому лісі (*forest*). ____________________
____
16) Вони збираються цього літа перетнути Тихий океан на гумовій надувній шлюпці. ____
____
17) Ми забрали його по дорозі на вокзал. _________________________________
____
18) Мій брат льотчик. Він випробує літаки. _______________________________
____
19) Одного разу вночі ми почули дивний звук. _____________________________
____
20) Ми були сильно (=дуже) налякані. ____________________________________
21) Не торкайся до бездомних (*stray*) тварин! ___________________________
____
22) Мені поталанило, що ті акули були не голодні. _________________________
____
23) Твій син був наляканий? — Ще б пак! __________________________________
____

УРОК 28

Спілкування. *Говоримо про майбутнє.*

Граматика. *Future Simple (Майбутній простий час). Порівняння will та be going to.*

28.1

We got stuck!	**Ми застряглі!**
Angela and Michael decided to see London from the famous London eye. But there was some problem with electricity and they got stuck at the very top of the amusement.	Енджела і Майкл вирішили побачити Лондон зі знаменитого «Лондонського ока». Але трапилася якась проблема з електрикою і вони застрягли на самій вершині атракціону.
Angela Do you think everything will be all right, Mike?	***Енджела*** Як ти гадаєш, Майк, все буде добре?
Michael I'm sure it will. Uh, it's getting cold and the wind is blowing hard up here.	***Майкл*** Упевнений, що так. Ух, стає холодно, і вітер тут нагорі сильно дме.
Angela It's getting dark. And it seems to me it's going to rain.	***Енджела*** Стає темно. І по-моєму, збирається дощ.
Michael Forget about the rain. Look at the moon and the stars. They are so bright tonight.	***Майкл*** Забудь про дощ. Подивися на місяць і на зірки. Вони такі яскраві сьогодні увечері.
Angela I can't admire the moon or the stars from here — I'm too scared to think about the beauty of the night.	***Енджела*** Я не можу милуватися місяцем і зірками звідси — я занадто налякана, щоб думати про красу ночі.
Michael Let's talk about something pleasant. For example, what's your favourite dish?	***Майкл*** Давай поговоримо про щось приємне. Наприклад, яка твоя улюблена страва?
Angela Oh, Mike, I'm so hungry, I can't talk about food now.	***Енджела*** О, Майк, я така голодна, я не можу говорити зараз про їжу.
Michael OK, we won't talk about food... What will you do when you return from this trip?	***Майкл*** Добре, ми не будемо говорити про їжу… А що ти будеш робити, коли ти повернешся з цієї поїздки?
Angela I don't know. I might open another fashion shop, or I might set up my own fashion school. What about you? What will you do when you return home?	***Енджела*** Не знаю. Мабудь, відкрию ще один магазин моди, а може, відкрию свою власну школу мод. А ти? Що ти будеш робити, коли повернешся додому?
Michael I'll probably change my job.	***Майкл*** Я, напевно, зміню роботу.
Angela Why? Aren't you satisfied with your present one?	***Енджела*** Чому? Хіба ти невдоволений своєю теперішньою роботою?
Michael Not quite. It's not well-paid and it's not creative enough.	***Майкл*** Не зовсім. Вона не дуже добре оплачується і недостатньо творча.

Angela But it might be difficult to find a new job. What will you do if you can't find a better job?
Michael He who seeks, finds. So, let's hope for the best.
Angela Yes, hope is something we need most of all now.

Енджела Але, можливо, буде складно знайти нову роботу. Що ти будеш робити, якщо не зможеш знайти кращу роботу?
Майкл Хто шукає, той завжди знаходить. Тож будемо сподіватися на краще.
Енджела Так, надія — це те, що нам зараз потрібно більш за все.

РОБОТА З ТЕКСТОМ

1. *Find the English equivalents of these words and expressions in the text.*

1) Ми застрягли. ________________
2) атракціон ________________
3) на самій вершині ________________
____
4) Стає темно. ________________
____
5) Я не знаю. ________________
6) напевне ________________
7) милуватися ________________
____
8) Збирається дощ. ________________
9) Я занадто налякана. ________________
____
10) твоя улюблена страва ________________
____
11) повернутися з цієї поїздки ________________
____
12) творчий ________________
13) модний магазин ________________
14) ще один ________________
15) відкривати (засновувати) ________________
____
16) не зовсім ________________
17) мій власний ________________
18) Можливо, буде складно ________________
____
19) бути невдоволеним, незадоволеним чимось ________________
____
20) добре оплачуваний ________________
____
21) робота (місце роботи) ________________
22) Давайте сподіватися на краще. ________________
____
23) більш за все ________________
24) досить ________________
25) недостатньо творчий ________________
____
26) вітер сильно дме ________________
____
27) Мені здається ________________
28) наприклад ________________
29) Хто шукає, той завжди знаходить.
____

GRAMMAR

Future Simple

Майбутній простий час (*the Future Simple Tense*) вживається, коли ми констатуємо, що щось відбудеться в майбутньому.

My father travels a lot. He is in London now, and next week he will be in Paris. — Мій батько часто подорожує. Зараз він у Лондоні, а наступного тижня він буде в Парижі.

Ми також використовуємо *Future Simple*, коли даємо обіцянку або попереджаємо про щось.

We will go to the park on Sunday. — Ми підемо до парку в неділю. (обіцянка)

Don't eat that much, you will get fat. — Не їж так багато, погладшаєш. (попередження)

- Для утворення майбутнього простого часу використовується допоміжне слово *will* + смислове дієслово для всіх осіб. Допоміжне слово *will* ніяк не перекладається українською мовою, а просто слугує показником майбутнього часу.

I will buy this book. — Я куплю цю книгу.

> **Не плутайте!** В українській мові ми іноді вживаємо слово «буду» з іншим (смисловим) дієсловом для передачі майбутнього часу. В англійській мові ми ніколи цього не робимо:
>
> *Tom lives in Paris. But next year he will live in London.* — Том живе в Парижі. Але наступного року він буде жити в Лондоні.
>
> *I am a student. I will be a doctor.* — Я (є) студент. Я буду лікарем.

- У ствердженнях у розмові зазвичай використовується скорочена форма:

*I will = **I'll*** *He will = **He'll*** *We will = **We'll*** *You will = **You'll***

- Утворення заперечень, запитань і коротких відповідей.

Заперечення		
I We You They He She It	***will not*** (***won't***)	be. play. go.

Запитання		
Will	I we you they he she it	be? play? go?

Коротка відповідь		
Yes,	I we you they he she it	***will***.
No,		***won't***.

- Запитання з *will* часто використовуються у ввічливих проханнях.

Will you close the window? — Закрий, будь ласка, вікно.

Порівняйте: *Close the window, please!* — сприймається більш як наказ, ніж як прохання.

Прохання з *will* аналогічні проханням з *can*:

Will you pass me the salt, please? = Can you pass me the salt, please? — Передайте мені, будь ласка, сіль.

- Із займенниками *I* та *we* замість *will* можна використовувати ***shall***. Але в сучасній англійській мові *shall*, як правило, використовується тільки в запитаннях і тільки для того, щоб щось запропонувати.

Shall we play something? — Може, пограємо уві щось?

Shall I get you some water? — Тобі принести води? (Може, я принесу тобі води?)

Grammar practice

1. *Complete the sentences using the Future Simple of the verbs given.* (Заповніть пропуски запропонованими дієсловами у *Future Simple*).

stay go swim go visit show buy be visit

I think next year we ________________ (1) to Turkey on holiday. I hope we ________________ (2) the famous Pamukkale where we ________________ (3) in the pool with mineral water. Then we ________________ (4) to Istanbul. I think we ________________ (5) with our friends there. Our friends ________________ (6) us the city. We ________________ (7) the famous mosques and the bazaar. I hope my parents ________________ (8) me a souvenir there. I am sure it ________________ (9) an unforgettable trip.

2. *Make negations in Future Simple using contraction won't.* (Складіть заперечення у *Future Simple*, використовуючи скорочення *won't*).

Example: (she / come) *She won't come.*

1) (it / be cold) ________________
2) (we / play this game) ________________
3) (my friends / go to London on business) ________________
____
4) (they / swim in cold water) ________________
5) (my son / be a surgeon) ________________
6) (Lola / win this competition) ________________
7) (I / break it) ________________
8) (you / understand) ________________
9) (I / be angry) ________________
10) (I / say anything) ________________

3. *Complete the sentences using these verbs with will or won't.*

be tell miss pass call

1) Hurry up, or we ________________ the train.
2) 'Are you going to Jane's party?' — 'I'm not sure. I ________________ you later.'
3) I'm afraid we ________________ in time for the meeting.
4) I don't think Kyra ________________ the exam. She doesn't study at all.
5) I ________________ you anything. You can't keep secrets.

4. *Make questions in Future Simple.*

Example: (she / come) *Will she come?*

1) (your dad / fix the bike) ________________
2) (you / buy this dress) ________________

3) (they / take an exam soon) ______________________________
4) (she / help you) ______________________________
5) (Martha / make a report) ______________________________
6) (your friends / have a party) ______________________________

5. *Complete the short answers.*

1) Will you come tomorrow? — Yes, ______________________________.
2) Will she make a speech? — No, ______________________________.
3) Will they play with us? — No, ______________________________.
4) Will Sam go on business next month? — Yes, ______________________________.
5) Will your dad drive us home? — Yes, ______________________________.
6) Will she draw a picture here? — No, ______________________________.
7) Will you sing at the concert? — No, ______________________________.

6. *Translate into English using Fututre Simple.*

1) Завтра буде сонячно. ______________________________
2) Я туди не піду. ______________________________
3) Тобі буде холодно. ______________________________
4) Я куплю хліба по дорозі додому (*on my way home*). ______________________________
____
5) Ми відвідаємо цей музей. ______________________________
6) Ми не будемо робити цього завтра. ______________________________
7) Том погодився з нами. ______________________________
8) Твої батьки розлютяться. ______________________________
9) Твій брат захоче приєднатися до нас? ______________________________
____
10) Ви цього не забудете. ______________________________
11) Я не буду сміятися. ______________________________
12) Я нікому не розповім твій секрет. ______________________________
____
13) Ми не будемо дивитися на вас. ______________________________
14) Завтра не буде іти дощ. ______________________________
15) Завтра не буде вітряно. ______________________________
16) Тоні не зробить це сам. ______________________________
17) Я нічого не зламаю. ______________________________
18) Мої друзі не прийдуть. ______________________________
19) Ти розкажеш нам про свою поїздку? ______________________________
____
20) Хтось візьме слухавку (досл. «відповість телефону»)? ______________________________
____
21) Ти полагодиш (*fix*) завтра машину? — Так. ______________________________
____

22) Коли твоя сестра буде здавати іспити? ______________________________

____

23) Що ти скажеш? ____

24) Завтра буде холодно? — Ні. __________________________________

will *чи* be going to...

Future Simple	be going to
1) Рішення, прийняте в момент мовлення. — *There's no bread left.* — *Really? Ok, I'll buy.*	1) Рішення, прийняте до моменту мовлення, запланована дія. — *There's no bread left.* — *I know, I'm going to buy some on my way home.*
2) Передбачення, яке базується на особистій думці (часто зі словами *I think, I believe, I hope, I'm afraid*). *I hope Dorothy will pass the exam.*	2) Передбачення, яке базується на тому, що ми бачимо або чуємо, тобто ми робимо висновок з ситуації, що склалася. *Sheila is not studying at all. She's going to fail (неодмінно провалиться на) her exam.*
3) Констатація факту в майбутньому. *The sun will rise at 4.30 tomorrow.*	
4) Обіцянки, прохання, відмови, пропозиції, що стосуються майбутнього. *I'll help if you wish.*	

7. *Use the verbs in brackets with will or be going to ...* (Вживіть дієслова в дужках з *will* або *be going to*.)

1) — Why are you switching on your computer?
   — I ______________________ (check) my mail.
2) — I feel sleepy and I have so much work to do!
   — I ______________________ (get) you a cup of coffee.
3) — The phone is ringing.
   — Don't worry! I ______________________ (answer) it.
4) — It's my birthday in a week.
   — Where ________ you ______________________ (celebrate) it?
   — I ______________________ (book) the café round the corner.
   — What ________ you ______________ (do) if there are no places there?
   — We ______________________ (stay) at home then.
5) This summer we ______________________ (spend) our holiday in Spain. We've already got the air tickets.
6) Look at the dark clouds! It ______________________ (rain).
7) I feel terrible. I ______________________ (be) ill.
8) I ______________________ (visit) you tomorrow, I promise.
9) Wait! I ______________________ (hold) this door for you.
10) I don't think my friends ______________________ (like) this dish.

11) I'm afraid she ________________________ (say) 'No'.
12) — ________ you ______________________ (come) to the party on Sunday?
— I'm not sure.
— Come on! Jack _________________________ (be) there!
— Really? Then I _________________________ (come), too.
13) Mary: Oh, no ! There isn't any salt left!
John: Isn't there? It's OK. I ____________________ get some from the shop.
14) I think that Tom _________________________ (get) the job.
15) — Look! Our flat is burning!
— Good heavens! I __________________ (call) the fire-brigade immediately!
16) — Where are you going?
— I _________________________ shopping
17) — I can't figure out (*розібратися*) how to use it.
— It's very easy. I _________________________ (show) you.
18) Look at that man! He ____________________________ (fall).
19) I think that Ann _________________________ (come) at 8 o'clock.
20) — It's Jack's birthday tomorrow.
— Really? I didn't know. Oh, I _________________________ (give) him a book on Modern Art.
21) — It's Jack's birthday tomorrow.
— I know, I ______________________ (give) him a book on Ancient History.

8. *Fill in the blank spaces with the appropriate forms of the verb in brackets — Future Simple or be going to.* (Заповніть пропуски відповідною формою дієслова в дужках — майбутнім простим часом або зворотом *be going to.*)

In England there is the custom to make 'New Year resolutions' on January 1st. Sam and Judy are talking about their plans for the coming year.

Judy This year I (1) _____________________________ (take) much more care of my dog. I (2) _____________________________ (bath) her every week and I (3) ______________________ (take) her out for a walk in the morning and in the evening.

Sam Oh, I (4) ______________ (come) with you in the evening. We (5) _______ ________________ (go) to the park. I like walking in the park in the evenings.

Judy It will be great to walk together! And I (6) ________________________ (help) my dad wash the car at the weekends. I think I (7) _____________ _____________ (earn) extra pocket money this way.

Sam You're lucky! And I (8) ________________________ (take) lots of photos with my new camera.

Judy I (9) _____________________________ (make it up — *помиритися*) with my brother.

Sam That's a good idea. I (10) ____________________________ (do) the same. I'm sure our brothers (11) ____________________________ (be surprised)!

Judy And I (12) ________________________ (also do) my homework every day.
Sam I think I (13) ________________________ (do) that, too. And I (14) ________________________ (read) a lot of new books.
Judy Well, if we do all that, our parents (15) ________________________ (not believe) their eyes!

shall

Shall I ....?	Shall we ...?	Where shall we ... ? What shall I .... ?
Пропозиція щось зробити (дію буде виконувати той, що говорить): *Shall I open the door?* — Відчинити двері?	Пропозиція щось зробити разом: *Shall we go to the theatre tonight?* — Може, сходимо сьогодні ввечері до театру?	Уточнюємо інформацію: *Where shall I put it?* — Куди мені це покласти? *What shall we do?* — Що ми будемо робити?

9. *Offer to do something using Shall I ...?.* (Запропонуйте щось зробити, використовуючи *Shall I ...?*.)

Example: (get you some coffee) *Shall I get you some coffee?*

1) (pass you the salt) ________________________
2) (close the window) ________________________
3) (switch on the light) ________________________
4) (turn off the TV) ________________________
5) (get you some water) ________________________
6) (wear this dress) ________________________

10. *Suggest doing something together.* (Запропонуйте зробити щось разом.)

Example: (go there together) *Shall we go there together?*

1) (stay here longer) ________________________
2) (meet after school) ________________________
3) (discuss it later) ________________________
4) (go to the cinema) ________________________
5) (order a pizza) ________________________
6) (invite your sister) ________________________

11. *Make questions to get more information.*

Example: (Where exactly / we / meet) *Where exactly shall we meet?*

1) (What story / I / tell you) ________________________
2) (What / I / say) ________________________
3) (What book / we / choose) ________________________
4) (Which apples / we / buy) ________________________
5) (What food / I / bring) ________________________
6) (Which seats / we / take) ________________________
7) (Where exactly / I / find Joe) ________________________

12. *Translate into English using* *shall*.

1) Може, поїдемо до Греції на канікулах? ______________________________
____
2) Показати тобі світлини? ______________________________
3) Де саме нам сісти? ______________________________
4) Уві що б нам пограти? ______________________________
5) Може, зателефонуємо Кейт? ______________________________
6) Може, влаштуємо вечірку (*throw a party*) в суботу? ______________________________
____
7) Може, підемо погуляємо? ______________________________
8) Купити тобі морозиво? ______________________________
9) Може, спекти пиріг? ______________________________
10) Що саме мені змінити? ______________________________
11) Що ми замовимо? ______________________________
12) Який фільм ми подивимось? ______________________________
13) Що саме мені сказати? ______________________________

VOCABULARY ENRICHMENT

- **(not) creative enough —** *(не) досить творчий*

В англійському еквіваленті виразу «досить» + прикметник або прислівник слово *enough* ставиться після прикметника або прислівника:

You're old enough. — Ти досить дорослий.
This house isn't big enough. — Цей будинок недостатньо великий.
He spoke loudly enough. — Він говорив досить голосно.

> **!** **Зверніть увагу**, що заперечення приєднується до дієслова:
> *This tree didn't grow high enough.* — Це дерево виросло недостатньо високим.

1. *Say and write in English.*

1) Ця кімната недостатньо світла. ______________________________
2) Це ліжко недостатньо м'яке. ______________________________
3) Ти працював недостатньо старанно.______________________________
4) Я сказав це досить голосно.______________________________
5) Ця сукня досить гарна.______________________________
6) Доповідь Майка була недостатньо доброю.______________________________
____

- **my own —** *мій власний*

Англійське слово *own* завжди вживається з присвійним займенником або іменником у присвійному відмінку:

My brother has his own business. — У мого брата власний бізнес.
I have my own opinion about this. — У мене власна думка про це.
It's Tom's own money. — Це власні гроші Тома.

2. *Say and write in English.*

1) У нього був власний бізнес. ____
2) У батьків Сема власний готель на морі. ____

____
3) Я хотів би знати вашу власну думку (*opinion*). ____

____
4) Це власний магазин Джека. ____
5) Наведіть (Дайте) мені ваш власний приклад. ____

____

3. *Translate into English using the words and phrases from the text.*

1) Мої друзі застрягли в пробці (*traffic jam*). ____

____
2) У цьому парку дуже багато атракціонів. ____

____
3) Минулого літа ми їздили до Франції. Ми їли страви французької кухні, пили французьке вино, милувалися природою і старовинними замками. ______

____

____
4) Стає темно і збирається дощ. ____

____
5) Ми були на самій вершині гори. ____

____
6) Я не впевнена, що тобі сподобається цей фільм.____

____
7) Чи зараз сильно дме вітер? ____
8) Я занадто налякана. ____
9) Я знаю, що це твоя улюблена страва. ____

____
10) Коли Ліла (*Leila*) повернулася зі своєї останньої поїздки, вона відкрила власний модний магазин. ____

____
11) Я, напевно, почну свій власний бізнес. ____

____
12) Дайте мені, будь ласка, ще одне морозиво. ____

____
13) Я впевнений, що вони будуть невдоволені вашим рішенням (*decision*). __

____
14) У тебе добре оплачувана робота? — Не зовсім. ____

____
15) Що ти любиш робити більш за все? ____

____
16) Більш за все я люблю плавати в теплому морі. ____

____

УРОК 29

Спілкування. *Життя в місті і поза містом.*

Граматика. *Ступені порівняння прикметників.*

29.1

Which do you prefer?

Herb Were you born in Rio, Maria?

Maria No, I moved there when I was twenty.

Herb As for me, I don't like big cities very much. Seven years ago I lived in New York and I didn't like it.

Maria Why not?

Herb Well, there were too many people and there was too much noise.

Maria As for me I love crowds and I hate silence.

Herb Well, I don't like crowded and noisy streets. And I don't like pollution.

Maria What do you mean?

Herb There isn't enough fresh air in big cities. And the streets are much dirtier than in the country.

Maria But life in big cities is far more exciting. You can go to concerts and the ballet and...

Herb I never had enough money for that because the rent was too high.

Maria Why is that?

Herb Because there aren't enough apartments. In general, life in big cities is a lot more expensive than in the country.

Maria Well, I still prefer big cities.

Herb But why?

Maria You see, I was born in a very small town. It was too quiet and too dull.

Herb You were lucky.

Maria I don't think so. There wasn't much to do. Living there was much more boring than in a big city. That's why young people leave their homes and move to big cities.

Чому ви віддаєте перевагу?

Герб Марія, ти народилася в Ріо?

Марія Ні, я переїхала туди, коли мені було 20 років.

Герб Щодо мене, я не дуже люблю великі міста. Сім років тому я жив у Нью Йорку, і мені там не сподобалося.

Марія Чому?

Герб Ну, там було занадто багато людей і занадто багато шуму.

Марія А я люблю натовпи людей і ненавиджу тишу.

Герб Ну, а я не люблю людні й шумні вулиці. І мені не подобається забруднення.

Марія Що ти маєш на увазі?

Герб У великих містах недостатньо свіжого повітря. І вулиці набагато брудніші, ніж у сільській місцевості.

Марія Але життя у великих містах набагато більш захоплююче. Можна сходити на концерти або на балет…

Герб У мене ніколи не вистачало на це грошей, тому що плата за оренду квартири була занадто високою.

Марія Чому це?

Герб Тому що там недостатньо квартир. Взагалі, життя у великих містах набагато дорожче, ніж у селі.

Марія А я все ж віддаю перевагу великим містам.

Герб Але чому?

Марія Розумієш, я народилася в дуже маленькому містечку. Там було занадто тихо і занадто нудно.

Герб Тобі поталанило.

Марія Я так не вважаю. Там майже нічого було робити. Жити там було набагато нудніше, ніж у великому місті. Ось чому молодь залишає свої домівки і переїжджає до великих міст.

Kate But big cities are too expensive for young people. The country is a lot cheaper.

Maria They still go. There are more jobs in cities. And they want excitement.

Herb Well, I don't want excitement. I just want a quiet life. And life in the country is much quieter than in cities. So I prefer living in the country. I have a wonderful detached house in a pleasant suburb. There's a garden and a swimming-pool and a lot of fresh air.

Kate I prefer living in a suburb, too.

Maria But as far as I remember you work in a city. So you have to commute every day.

Kate Yes, I do. Almost all my neighbours commute to their offices in the city.

Maria How long does it take you to get to your job?

Kate That depends. If I go by car, it takes me about half an hour. If I go by bus, it takes me an hour and a half to get to work.

Кейт Але великі міста занадто дорогі для молоді. Сільська місцевість набагато дешевша.

Марія І все ж таки вони їдуть. У великих містах більше робочих місць. І вони хочуть розваг.

Герб А я не хочу розваг. Я лише хочу тихого життя. А життя за містом набагато спокійніше, ніж у великих містах. Тому я вважаю за краще жити за містом. У мене чудовий окремий будинок на милій околиці. Там є сад і басейн і багато свіжого повітря.

Кейт Я теж вважаю за краще жити на околиці.

Марія Але, наскільки я пам'ятаю, ти працюєш у місті. Тож тобі щодня доводиться їздити з дому в передмісті на роботу.

Кейт Так. Майже всі мої сусіди регулярно їздять з передмістя в свої офіси в місті.

Марія Скільки часу тобі потрібно, щоб дістатися до роботи?

Кейт Це залежить від обставин. Якщо я їду на машині, мені потрібно біля пів години. Якщо я їду автобусом, дорога на роботу займає у мене півтори години.

РОБОТА З ТЕКСТОМ

1. *Find the English equivalents of these words and expressions in the text.*

1) переїхати ____________________
2) щодо мене ____________________
____
3) сім років тому ____________________
4) забруднення ____________________
5) занадто нудний ____________________
____
6) плата за оренду квартири ____________
7) все ж таки ____________________
8) Тобі поталанило. ________________
9) свіже повітря ____________________
10) набагато дешевший ______________
____

11) занадто багато шуму ____________
____
12) занадто багато людей ___________
____
13) Що ти маєш на увазі? ___________
____
14) людні і шумні вулиці ___________
____
15) тихе життя ____________________
16) Це залежить від обставин. ________
____
17) наскільки я пам'ятаю ___________
____

18) Там майже нічого було робити. ______________________

19) тому, тож ______________________

20) окремий будинок ______________________

21) пів години ______________________

22) на милій околиці ______________________

23) півтори години ______________________

24) здійснювати регулярні поїздки з дому в передмісті на роботу ______________________

25) мені потрібно (про час) ______________________

26) у сільській місцевості ______________________

27) набагато більш захоплюючий ______________________

GRAMMAR

Ступені порівняння прикметників

▪ Односкладові прикметники (що складаються з одного складу) утворюють вищий та найвищий ступінь порівняння за допомогою суфіксів *–er* та *–est* (вимовляється як [ɪst]) відповідно.

short (короткий) — *shorter* (коротший) — *the shortest* (найкоротший)

При цьому, якщо прикметник закінчується на німу *–e*, то ця *–e* випадає:

nice — nicer — the nicest (милий — миліший — найміліший)

Увага! Якщо односкладовий прикметник закінчується на приголосну з попереднім коротким голосним звуком, то кінцева приголосна подвоюється. Це робиться для того, щоб зберегти закритість складу.

big — bigger — the biggest (якщо приголосну не подвоїти, склад відкриється, і буква *i* буде читатися за правилом відкритого складу, тобто слово *biger* ми повинні будемо прочитати як [ˈbaɪʤə] замість [ˈbɪgə].

Але: *clean — cleaner — the cleanest* (приголосна не подвоюється, оскільки їй передує довгий голосний звук і немає сенсу зберігати закритість складу.)

▪ Багатоскладові прикметники (що складаються з трьох та більше складів) утворюють вищий та найвищий ступені порівняння за допомогою слів *more* і *most* відповідно:

beautiful — more beautiful — most beautiful (вродливий — вродливіший — найвродливіший)

▪ Щодо двоскладових прикметників, то тут спосіб утворення ступенів порівняння залежить від того, на яку букву закінчується прикметник:

Якщо прикметник закінчується на *–y*, то у вищому та найвищому ступені додаються суфікси *–er / –est*. При цьому кінцева *–y* змінюється на *–i–*:

noisy — noisier — noisiest (шумний — шумніший — найшумніший)

У решті випадків двоскладові прикметники утворюють вищий та найвищий ступені порівняння за допомогою слів *more* і *most* [məʊst] відповідно:

boring — more boring — most boring (нудний — нудніший — найнудніший)

!

Деякі прикметники (наприклад, *clever, quiet, narrow*), що мають два склади і не закінчуються на *–y*, можуть утворювати ступені порівняння обома способами:

narrow — narrower / more narrow — the narrowest / the most narrow

- Коли ми порівнюємо речі або людей, ми обов'язково використовуємо слово *than* («ніж», «від»).

The Mediterranean is bigger than the Black Sea. — Середземне море більше від Чорного (= більше, ніж Чорне)

- Прикметники в найвищому ступені вживаються з артиклем *the*, якщо перед цим прикметником не стоїть інше визначальне слово:

Jenny is the tallest of us. — Дженні найвища з нас.

This is Robert's best work. — Це найкраща робота Роберта. (Артикль не вживається, оскільки перед прикметником *best* стоїть інше визначальне слово — *Robert's*.)

- Деякі прикметники утворюють ступені порівняння не за правилами.

Прикметник	**Вищий ступінь**	**Найвищий ступінь**	**Приклади**
good — хороший	*better* — кращий	*the best* — найкращий	*Jenny's work is better than Katie's, and Clair's work is the best.* — Робота Дженні краща, ніж робота Кейті, а робота Клер — найкраща.
bad — поганий	*worse* — гірший	*the worst* — найгірший	*This restaurant is worse than that one.* — Цей ресторан гірший ніж той. *This is the worst place in our city.* — Це найгірше місце в нашому місті.
little — маленький	*smaller* — менший	*the smallest* — найменший	*Washington is smaller than London.* — Вашингтон менший від Лондона. *Hum is the smallest town in the world.* — Хум — найменше місто в світі.

Grammar practice

1. Поставте ці прикметники у вищий та найвищий ступінь порівняння.

Example: busy *busier, the busiest*

1) narrow ____
2) tidy ____
3) jolly ____
4) funny ____
5) noisy ____
6) boring ____
7) expensive ____
8) exciting ____
9) high ____
10) fat ____
11) wise ____
12) nice ____
13) rude ____
14) uncozy ____
15) dangerous ____
16) wet ____
17) big ____
18) fast ____
19) bad ____
20) thin ____
21) good ____
22) quick ____
23) hot ____
24) healthy ____
25) unhealthy ____
26) untidy ____
27) unwitty ____
28) tidy ____
29) little ____
30) untasty ____
31) tasty ____
32) cozy ____

2. *Write sentences following the example.* (Напишіть речення за зразком.)

Example: This book is interesting. (that one) *This book is more interesting than that one.*

1) Nora is tall. (Kyra) ____
2) Kate is little. (Mary) ____
3) The Cheapy hotel is bad. (the Moony) ____
4) Starlight is a good shop. (Pennyworth) ____
5) This house is small. (that one) ____
6) The air in the city is dirty. (in the country) ____
7) The life in the country is quiet. (in the city) ____
8) This restaurant is crowded. (that one) ____
9) This suburb is pleasant. (that one) ____

3. Поставте прикметники в дужках у вищий або найвищий ступінь порівняння за значенням. Не забудьте за необхідністю вжити *the*.

Example: Our living room is ___the coldest___ room in the house. (cold)

1) Meryl Streep is one of ______________________ (good) actresses in the world.
2) Our neighbours' house is ______________________________ (little) than ours.
3) This tree is ______________________________________ (big) in our garden.
4) Which river is _____________________________ (long) in the world — the Nile or the Amazon?
5) Everest is much __________________________________ (high) than Goverla.
6) Marta's test is much _____________________________(bad) than mine.
7) You are showing far ________________________ (good) results than last year.
8) Today is _______________________________________ (bad) day in my life!
9) What is ________________________________ (small) animal on our planet?
10) Everest is __________________________________ (high) peak in the world.
11) My handwriting is _______________________________ (bad) than Tom's.
12) Mozart is one of ______________________________ (famous) composers in the world.

▪ Якщо ми хочемо додати посилення або уточнення до порівняння, ми вживаємо перед прикметниками у вищому ступені такі слова:

Значення	Англ. еквівалент	Приклади	Переклад
набагато, значно	*much / a lot / far*	*New York is much bigger than Paris.* *The Amazon is a lot longer than the Dnieper.* *Lake Baikal is far deeper than the Azov Sea.*	Нью-Йорк набагато більший від Парижа. Амазонка значно довша від Дніпра. Озеро Байкал значно глибше від Азовського моря.
трохи	*a bit / a little / slightly*	*Venus is a little smaller than Earth.* *Ukraine is a bit larger than France.*	Венера трохи менша, ніж Земля. Україна трохи більша від Франції.
ще	*still*	*The Black Sea is bigger than the Azov Sea. But the Mediterranean is still bigger.*	Чорне море більше від Азовського. Але Середземне море ще більше.
на 5 м, на 3 км, на 15 років тощо	*5 m, 3 km, 15 years etc.*	*My room is 3 square metres larger than my brother's.* *My sister is 5 years older than me.*	Моя кімната на 3 квадратних метри більша від кімнати мого брата. Моя сестра на п'ять років старша за мене.

4. *Write sentences following the example.*

Example: (Ted / 3 cm / tall / Jane) *Ted is 3 cm taller than Jane.*

1) (this wall / 20 cm / thick / that one) ____________________

2) (this film / 20 minutes / long / that one) ____________________

3) (I / 3 years / old / my brother) ____________________

4) (this book / 10 pages / short / that one) ____________________

5) (this building / 15 metres / high / that one) ____________________

6) (Jane / 10 cm / short / Anna) ____________________

7) (this room / 5 square metres / little / that one) ____________________

8) (July / 1 day / long / June) ____________________

5. *Write in English.*

1) набагато довший ____________________
2) трохи швидший ____________________
3) ще тепліший ____________________
4) набагато важливіший ____________________
5) трішечки яскравіший ____________________
6) ще працьовитіший ____________________
7) набагато ледачіший ____________________
8) ще сміливіший ____________________
9) на 5 км коротший ____________________
10) на 10 хвилин довший ____________________
11) ще цікавіший ____________________
12) на 2 см нижчий ____________________

6. *Translate into English.*

1) Сонце набагато яскравіше від Місяця? ____________________
2) Це дерево на 2 метри вище, ніж те. ____________________
3) Ця книга набагато цікавіша від усіх інших (*all the others*). ____________________
4) Тигр — набагато швидша тварина, ніж лев, а гепард (*cheetah*) — ще швидший. ____________________
5) Канада набагато більша від Італії? ____________________
6) Ця сукня на 20 євро дорожча, ніж та. ____________________
7) Ця вулиця на 1 км коротша від тієї. ____________________

8) Ця поїздка (*trip*) на 100 доларів дешевша, ніж та. ____________________

____

9) Я трохи вищий, ніж мій брат. ______________________________
10) Це найважливіша річ у моєму житті. __________________________

____

11) У цьому районі є набагато гарніші будинки. ______________________

____

12) Це найвідоміша опера Верді.________________________________

____

13) Чорний костюм на 10 доларів дорожчий від червоного. ______________

____

14) Ця дорога на 2 кілометри коротша від тієї. ______________________

____

15) Ця модель набагато новіша, ніж та. __________________________
16) Ліверпуль значно відоміший, ніж Бірмінгем. _____________________

____

17) Ця поїздка найбезпечніша з усіх. ____________________________

____

18) Цього року у моєї жінки відпустка на три дні довша, ніж минулого року._

____

19) Токіо набагато більше, ніж Париж.___________________________

____

20) Німеччина набагато менша від Бразилії. ________________________

____

21) Ця річка усього на 5 метрів ширша, ніж той струмок (*creek*). __________

____

VOCABULARY ENRICHMENT

- **still** — *все ж, все-таки, все одно, ще*

Значення слова *still* залежить від того з якими словами воно вживається. Перед прикметниками у вищому ступені, як ви вже прочитали вище, воно має значення «ще»:

still better — ще кращий
still taller — ще вищий

Перед дієсловом *still* має значення «все ще», «все ж таки», «все одно»:
They still go. — Вони все одно їдуть.
I still want to see it. — Я все ж таки хочу це побачити.
They will still take part in this competition. — Вони все одно візьмуть участь у цьому змаганні.

У виразах з дієсловом *to be* посилення *still* ставиться після цього дієслова:
I am still tired. — Я все ще втомлений.

1. *Say and write in English.*

1) Я все ще голодний. ___

2) Я все ж таки хочу поговорити з твоїм учителем. ___

3) Ми все одно підемо в цей музей. ___

4) Вони все одно хотіли б поїхати на море. ___

5) Я все ще хочу пити. ___

6) Я все ж таки розкажу тобі цю історію. ___

- **too** — *занадто, теж*

Значення слова *too* залежить від його положення в реченні. Перед прикметниками та прислівниками воно має значення «занадто», а якщо ж воно стоїть наприкінці речення, то воно означає «теж», «також»:

too loudly — занадто голосно
too dangerous — занадто небезпечний
I like it, too. — Мені це теж подобається.
He can play the piano, too. — Він теж вміє грати на піаніно.

2. *Say and write in English.*

1) Я теж хочу співати. ___

2) Ти говориш занадто тихо. ___

3) Тут занадто шумно. ___

4) Там занадто багато людей. ___

5) Моя сестра теж висока. ___

6) У моєму чаю занадто багато цукру. ___

- **as for me** — *щодо мене*

У цьому виразі *as for* означає «що стосується», «щодо», «стосовно», а слово *me* можна замінити на будь-яке інше за значенням:

as for your report — щодо твоєї доповіді
as for your behaviour — щодо вашої поведінки

3. *Say and write in English.*

1) щодо твоїх батьків ___

2) щодо цього ресторану ___

3) щодо нашої поїздки ___

4) щодо цього лікаря ___

5) щодо твого здоров'я ___

- **ago** — *тому*

Вживається з часом *Past Simple*:

three months ago — три місяці тому
a minute ago — хвилину тому

4. *Say and write in English.*

1) два роки тому ______________________________
2) чотири тижні тому ______________________________
3) п'ять хвилин тому ______________________________
4) місяць тому ______________________________
5) три години тому ______________________________

▪ **enough** — *досить, достатньо*

З попереднього уроку ви знаєте, що *enough*, як правило, ставиться після прикметників і прислівників. Але якщо *enough* вживається з іменниками, то воно ставиться перед ними:

enough chairs — достатньо стільців
pretty enough — досить гарненька (вродлива)
quickly enough — досить швидко
You have enough time to do this work. — У тебе достатньо часу, щоб виконати цю роботу.

5. *Say and write in English.*

1) У цьому садку достатньо квітів. ______________________________
2) Ви бігаєте недостатньо швидко. ______________________________
____
3) У нас досить грошей, щоб купити цей будинок? ______________________________
____
4) У мене недостатньо часу, щоб обговорювати зараз цю проблему. ________
____
5) Ми жили там досить довго. ______________________________
6) У тебе досить часу, щоб підготуватися до іспиту? ______________________________
____

▪ **as far as I remember** — *наскільки я пам'ятаю*

У цьому виразі *as far as* має значення «наскільки», а замість *I remember* можуть вживатися будь-які інші слова за значенням:

As far as John knows — Наскільки Джон знає
As far as we understand — Наскільки ми розуміємо

6. *Say and write in English.*

1) Наскільки ми бачимо.______________________________
2) Наскільки він пам'ятає. ______________________________
3) Наскільки мої батьки знають. ______________________________
4) Наскільки моя жінка чула. ______________________________
5) Наскільки ми могли бачити. ______________________________
6) Наскільки я можу судити (*judge*). ______________________________
7) Наскільки він міг судити. ______________________________

▪ **That depends** — *Це залежить від обставин*

Сам по собі вираз *That depends* (або *It depends*) еквівалентний українському виразу «Це залежить від обставин». Проте, якщо ви хочете сказати, що це залежить від чогось іншого, ніж обставин, то цей вираз потребує прийменника *on*:

That depends on what he will say. — Це залежить від того, що він скаже.
It depends on his behaviour. — Це залежить від його поведінки.
It depends on you. — Це залежить від тебе.

7. *Say and write in English.*

1) Це залежить від його відповіді. ______________________________
2) Це залежить від того, куди ми йдемо. ______________________________
3) Це залежить від обставин. ______________________________
4) Це залежить від усіх наших колег. ______________________________
5) Це залежить від того, де він живе. ______________________________
6) Це залежить від того, чому він не хоче цього робити. ______________________________
____
7) Це залежить від того, що ти знаєш. ______________________________

8. *Say and write in English using these words:*

half an hour / an hour / an hour and a half — пів години / година / півтори години

! **Увага!** Українські прийменники «через», «за», «по» у відношенні часу в англійській мові передаються прийменником *in*: *in an hour* — за годину.

1) Кевін прийшов на пів години пізніше (*later*). ______________________________
____
2) Фільм почнеться за півтори години. ______________________________

3) Ми зустрічаємося за пів години. ______________________________
4) Годиною пізніше моя тітка повернулася додому. ______________________________
____
5) За пів години я буду на роботі. ______________________________
____
6) Півтори години тому я все ще був на роботі. ______________________________

▪ **I have to do something** — *Мені доводиться щось робити*

Вираз *have to* передає повинність, викликану зовнішніми обставинами. Він відповідає українському «змушений», «доводиться», «потрібно»:

My brother has to get up early. — Моєму брату доводиться вставати рано.
We have to come here tomorrow. — Нам потрібно прийти сюди завтра.

9. *Say and write in English.*

1) Моєму брату доводиться працювати в суботу-неділю (*to work weekends*).

____

2) Мені потрібно відправити звіт за пів години. ______________________

____

3) Нам потрібно взяти таксі (*hire a taxi*), а то ми спізнимося. __________

____

4) Моєму другу потрібно негайно (*immediately*) йти додому.____________

____

5) Мені доводиться пізно лягати спати, тому що у мене дуже багато роботи. _

____

____

6) Він змушений сісти на дієту (*go on a diet*). _____________________

____

10. *Translate into English using the words and phrases from the text.*

1) У сільській місцевості життя занадто нудне.____________________

____

2) Ми переїхали до Манчестера, коли мені було 10 років. ______________

____

3) У цьому місті занадто висока плата за оренду квартири.____________

____

4) Він все ж таки змушений піти додому.__________________________

5) У цьому містечку життя набагато дешевше, ніж у столиці. ___________

____

6) Тут занадто багато шуму, вулиці дуже людні і брудні. ______________

____

7) Мені поталанило. _______________________________________

8) Він все ж таки вважає за краще жити у сільській місцевості. __________

____

9) Що він має на увазі? _____________________________________

10) Мені подобається свіже повітря.___________________________

11) Це залежить від твого рішення (*decision*). ____________________

____

12) Тут майже нічого робити. _________________________________

13) Наскільки я знаю, його брат живе у сільській місцевості. __________

____

14) Наскільки я розумію, тобі доводиться регулярно їздити з дому в передмісті до офісу. ______________________________________

____

15) Ми живемо на милій околиці. ______________________________

УРОК 30

Спілкування. *Проблеми зі здоров'ям. Поради.*

Граматика. *Дієслова should та must.*

30.1

Can you help me?	**Ти можеш мені допомогти?**
Catherine Iris, can you help me?	***Кетрін*** Айріс, ти можеш мені допомогти?
Iris Sure, what's the problem?	***Айріс*** Звичайно, у чому проблема?
Catherine I have to finish my report by tomorrow but I don't have enough information. Can you browse the Internet and find this information for me, please?	***Кетрін*** Мені потрібно закінчити доповідь до завтра, але в мене недостатньо інформації. Можеш пошукати в інтернеті і знайти цю інформацію для мене?
Iris I'll try.	***Айріс*** Спробую.
(Some time later)	(*Деякий час пізніше*)
Iris I'm hungry and thirsty. I think we should go downstairs and have some tea and sandwiches... Oh, Catherine, what's up with you? You look pale!	***Айріс*** Я голодна і хочу пити. Гадаю, нам слід спуститися вниз і випити трохи чаю і з'їсти пару сендвічів. О, Кетрін, що з тобою? Ти виглядаєш блідою!
Catherine I have a bad headache.	***Кетрін*** У мене сильно болить голова.
Iris You should take some aspirin.	***Айріс*** Тобі слід прийняти аспірин.
Catherine I don't like pills. I'm allergic to lots of drugs.	***Кетрін*** Я не люблю пігулок. У мене алергія на багато які ліки.
Iris Then you must lie down and have a rest.	***Айріс*** Тоді тобі просто необхідно прилягти і відпочити.
Catherine That's a good idea, I think, I'll do that.	***Кетрін*** Це гарна ідея. Гадаю, я так і зроблю.

РОБОТА З ТЕКСТОМ

1. *Find the English equivalents of these words and expressions in the text.*

1) У чому проблема?______________
2) до завтра ______________________
3) пошукати («полазити») в інтернеті ______________________
4) я спробую ______________________
5) спуститися вниз ______________
6) страшний головний біль _______
7) Що з тобою? __________________
8) мати алергію на щось___________
9) прийняти аспірин ______________
10) виглядати блідою _____________
11) пігулки ______________________
12) прилягти _____________________
13) відпочити ____________________

14) Це гарна ідея. ________________
____

15) звичайно ____________________

16) Тобі просто необхідно / Ти повинна ______________________________

17) тоді ____________________________

GRAMMAR

Дієслово **should**

- Якщо ви хочете комусь дати пораду щось зробити або чогось не робити, вам знадобиться дієслово *should* або *should not* (для заперечень):

Так само, як і дієслово *can, should* не змінюється за особами, а дієслово, що йде за ним, вживається без частки *to*.

You should walk more. — Тобі слід більше ходити пішки.

He shouldn't watch TV so much. — Йому не слід так багато дивитися телевізор.

It should't be a problem. — Це не повинно бути проблемою.

- Запитання з *should* використовуються, коли ми хочемо запитати, чи слід нам (або комусь іншому) робити щось.

Should we stay here? — Чи слід нам залишитися тут?

Should I do it now or can I do it tomorrow? — Мені слід зробити це зараз, чи я можу це зробити завтра?

- *Should* також може висловлювати припущення:

He should be at home now. — Він зараз має бути вдома.

Дієслово **must**

- Ми вживаємо *must*, щоб висловити необхідность, важливість або моральний обов'зок виконати якусь дію.

Children must help their parents. — Діти повинні допомагати своїм батькам.

He must see the doctor. — Йому обов'язково потрібно (=Він мусить) піти до лікаря.

Зверніть увагу, що, подібно до інших модальних дієслів (*can, should*), дієслово *must* не змінюється за особами, а дієслово, що йде за ним, вживається без частки *to*.

- Заперечна форма утворюється за допомогою частки *not*, яка ставиться після *must*.

Заперечення *must not* (= *mustn't*) висловлює категоричну заборону.

You mustn't be rude to people. — Ти в жодному разі не повинен грубити людям.

We mustn't go there. — Нам категорично заборонено (= Нам не можна) ходити туди.

Запитання з дієсловом *must* використовуються надзвичайно рідко.

Порівняння **must** і **should**

Українською мовою обидва дієслова — *should* і *must* — можуть перекладатися як «повинен», проте дієслово *must* частіше передається українською дієсловом «мусити».

Давайте підсумуємо, коли вживаються ці дієслова:

must	наполеглива рекомендація; правила	*You must talk to your boss!*	Ти мусиш поговорити зі своїм босом. (Це вкрай необхідно і дуже важливо.)
	моральне зобов'язання	*I must help my granny.*	Я мушу допомогти бабусі. (Я відчуваю моральне зобов'язання зробити це.)
mustn't	сувора заборона	*You mustn't cheat at an exam.*	Ти не повинен списувати на іспиті. (Це категорично заборонено.)
should	порада щось зробити	*You should go to bed earlier.*	Тобі потрібно лягати спати раніше. (Це моя порада, я вважаю, так буде краще для тебе.)
	припущення	*Sam should return tomorrow.*	Сем має повернутися завтра. (Це моє припущення.)
shouldn't	порада не робити чогось	*You shouldn't go there.*	Тобі не слід туди ходити. (Я не рекомендую цього робити, хоча це й не заборонено.)
Should I... ?	запитання про те, що робити	*Should I wait?*	Мені (слід) почекати?
Must I ...?	Практично не вживається		

Grammar practice

1. *Fill in the blanks with should or shouldn't.*

Example: You ____*should*____ study hard.

1) You ________________________ go to bed earlier.
2) You ________________________ watch TV so much.
3) You ________________________ work so hard.
4) You ________________________ shout.
5) You ________________________ be more polite.
6) You ________________________ tell lies.
7) You ________________________ tell the truth.

2. *Your friends are telling you about their problems. Give them advice using these expressions.* (Ваші друзі розповідають вам про свої проблеми. Дайте їм пораду, використовуючи ці вирази.)

stay at home | go on a diet | ~~study hard~~ | spend more time outdoors | lie down | take off your sweater | see the dentist | go to bed

Example: I have exams soon. *You should study hard.*

1) I am hot. ______________________
2) I'm sleepy. ______________________
3) I often have headaches. ______________________
4) I am tired. ______________________
5) I have a toothache. ______________________
6) I want to lose weight (*скинути вагу*). ______________________
7) I don't feel very well. ______________________

3. *Give advice what someone should or shouldn't do in these situations.* (Дайте пораду про те, що комусь слід або не слід робити в цих ситуаціях.)

work so hard | eat so much | spend so much time at the computer | visit it | study hard | go to work by bike | ~~carry heavy bags~~ | be friendlier with people

Example: My daughter has a backache. *She shouldn't carry heavy bags.*

1) The traffic (*дорожній рух*) is very hard today. ______________________
____
2) Gina is overweight. ______________________
3) Luke has very few friends. ______________________
4) Jake has an important exam next week. ______________________
5) This museum is very interesting. ______________________
6) My mother feels very tired. ______________________
7) My son has a problem with his vision (*зір*). ______________________
____

4. *Ask questions about what you should do.*

Example: (stay at home) *Should I stay at home?*

1) (keep it a secret) ______________________
2) (talk to your friend) ______________________
3) (see the doctor) ______________________
4) (do it tomorrow) ______________________
5) (play with your sister) ______________________
6) (get up now) ______________________
7) (go there) ______________________
8) (tell him the truth) ______________________

5. *Ask your friend for advice using the verbs given.* (Попросіть у друга поради, використовуючи запропоновані дієслова.)

learn ~~buy~~ see make keep talk participate
invite take accept wear take

Example: *Should I buy* a new phone?

1) ______________________________ to Mary?
2) ______________________________ a new foreign language?
3) ______________________________ Maths lessons?
4) ______________________________ Charlie?
5) ______________________________ this film?
6) ______________________________ a tie?
7) ______________________________ it a secret?
8) ______________________________ this offer?
9) ______________________________ in this contest?
10) ______________________________ a pill?
11) ______________________________ a presentation?

6. *Fill in the blanks with must / mustn't or should / shouldn't.*

Example: I think you *should* go to that party and have fun.

1) You _______________ study hard if you want to pass that exam.
2) I think Gerry _______________ read more.
3) He is a very interesting man. You really _______________ meet him!
4) You _____________ see the Niagara Falls, if not — you will regret it all your life.
5) 'You _____________ stay in bed. You will feel better that way,' the doctor advised Vicky.
6) You _____________ stay in bed. Otherwise (*інакше*) you risk you life.
7) This exhibition (*виставка*) is not very interesting. You _____________ go there.
8) You _____________ swim here. The water is full of dangerous bacteria.
9) When you ride a motorcycle, you _____________ wear a helmet (*шолом*).
10) You _____________ wear short skirts in Muslim (*мусульманський*) countries.
11) You _____________ wear high heels (*взуття на високих підборах*) when you go trekking.

7. *Jack came to a summer camp. A counsellor explains the camp rules to him. Fill in the blanks with can, must or mustn't.* (Джек приїхав до літнього табору. Вожата пояснює йому правила табору. Заповни пропуски дієсловами *can, must* або *mustn't*.)

Example: You *can* play football there.

1) You ____________________ get up at 8 in the morning.
2) You ____________________ brush your teeth every day.

3) You ______________________ leave the camp.
4) You ______________________ play on our sports grounds.
5) You ______________________ go to bed at 9 o'clock.
6) You ______________________ walk at night.
7) You ______________________ fight with other children.
8) You ______________________ buy sweets in our shop.
9) You ______________________ watch TV in the evening.
10) You ______________________ swim in our swimming pool.
11) You ______________________ make your bed every morning.
12) You ______________________ call your parents every evening.

VOCABULARY ENRICHMENT

- **What's up with you?** — *Що (трапилося) з тобою?*

Сам вираз *What's up with* означає «Що трапилося з чимось або кимось», «Що з чимось або кимось не так?». Замість *you* може стояти будь-який іменник (живий чи неживий), що підходить за значенням.

What's up with your computer? — Що трапилося з твоїм комп'ютером?
What up with your girlfriend? — Що трапилося з твоєю подружкою?

1. *Say and write in English.*
1) Що з нею трапилося? ______________________
2) Що трапилося з твоїми черевиками? ______________________
3) Що трапилося з твоїм звітом? ______________________
4) Що з твоїм братом? ______________________
5) Що з твоїм стільцем? ______________________

- **be allergic to something** — *мати алергію на щось*

Are you allergic to chocolate? — У вас алергія на шоколад?
I am not allergic to peanut butter. — У мене немає алергії на арахісове масло.

2. *Say and write in English.*
1) У мене немає алергії на ліки. ______________________
2) У вас є на що-небудь алергія? ______________________
3) У моєї сестри алергія на молоко. ______________________
4) У Сандри алергія на арахісове масло. ______________________
____
5) У Джека алергія на солодке? ______________________
6) У мене алергія на апельсини. ______________________
7) У Доріс немає ні на що алергії. ______________________

3. *Translate into English using the words and phrases from the text.*
1) Моя тітка має повернутися до завтра. ______________________
____

2) Ти знаєш відповідь на це запитання? — Ні, я пошукаю в інтернеті. ______

3) Я постараюся закінчити цю роботу до завтра. ______

4) У чому твоя проблема?______

5) Де знаходиться перукарня? — Вона на першому поверсі (*the ground floor*). Вам потрібно спуститися вниз. ______

6) Мій чоловік не любить пігулок. Коли він погано почувається, він просто лягає і відпочиває.______

7) У Майка страшенно болить голова. — Йому слід прийняти аспірин. ______

8) Вона виглядає страшенно блідою. ______

9) Що з Ліз? Вона виглядає страшенно втомленою. ______

10) Ти можеш мені допомогти? — Звичайно. ______

11) Це дуже цікава виставка. Ти просто мусиш побачити її. ______

12) Це не дуже добра ідея. ______

Revision exercise. Translate into English.

1) Я сумую за нашими вечірками. ______

2) Зараз на вулиці йде дощ і дме сильний вітер. ______

3) Хто за професією ваш дядько? — Він бухгалтер. ______

4) О котрій годині ваш син зазвичай приходить додому?______

5) Він не хоче наводити порядок у своїй кімнаті. ______

6) Ви часто спізнюєтеся на уроки? ______

7) Дочка мого друга не хвора, вона просто втомилася.______

8) Ви не могли б мені це пояснити ще раз? ______

9) Чий це одяг? — Це одяг нашого вчителя. ______

10) Мій чоловік ніколи не п'є каву з молоком. ______

11) Як звати її сусіда? ______

12) Мої друзі ніколи не зупиняються в хостелах, коли подорожують за кордоном. ____
____
13) Ви оглядали визначні пам'ятки, коли були в Лондоні? ____________________
____
14) Взимку ми часто їздимо в гори кататися на лижах, а влітку ми їздимо до моря. Ми катаємося на човні, плаваємо, загоряємо, а іноді ходимо на рибалку.____
____
____
____
15) У кого є цукор? ____
16) У цій кімнаті мало стільців. ___________________________________
17) Я скажу тобі правду в обмін на твоє пояснення. ____________________
____
18) Я не збираюся приєднуватися до них. _____________________________
____
19) Дайте мені, будь ласка, морозиво замість тістечка.____________________
____
20) Моя тітка працює медсестрою в цій лікарні. _______________________
____
21) У цьому містечку 3 кінотеатри, але тут зовсім немає театрів. ____________
____
22) У нас не залишилося в домі цукру. ______________________________
23) Де найближча станція метро? __________________________________
24) Якому чаю ти віддаєш перевагу — чорному чи зеленому? _____________
____
25) Ідіть до світлофора, потім поверніть направо.________________________
____
26) Я терпіти не можу гуляти, коли дуже спекотно. _____________________
____
27) Я не цікавлюся баскетболом.____________________________________
28) Хочеш соку? — Ні, я б краще випила чаю з лимоном. _________________
____
29) Вам слід зайнятися спортом, щоб тримати себе у формі.________________
____
30) Тихий океан набагато більший від Індійського. _____________________
____
31) Він навчається недостатньо старанно. _____________________________
32) Ви виглядаєте блідою. Що з вами трапилося?________________________
____
33) Цікаво, чому він такий сердитий. _________________________________
____
34) Яка вчора була погода?____
35) Ми були занадто налякані._____________________________________
36) Це власний бізнес Джека. _____________________________________

ТАБЛИЦЯ (НАЙВАЖЛИВІШИХ) НЕПРАВИЛЬНИХ ДІЄСЛІВ

Дієслово	2-га форма	3-тя форма	Переклад
be	was/were	been	бути, знаходитися
beat	beat	beaten	перемагати, бити
become	became	become	становитися
begin	began	begun	починати
bet	bet	bet	битися об заклад, укладати парі
bite	bit	bitten	кусати(ся)
blow	blew	blown	дути, віяти
break	broke	broken	ламати(ся)
bring	brought	brought	приносити, приводити
build	built	built	будувати
buy	bought	bought	купувати
catch	caught	caught	ловити, підхопити (хворобу)
choose	chose	chosen	вибирати
come	came	come	приходити, приїжджати
cost	cost	cost	коштувати
cut	cut	cut	різати
deal	dealt	dealt	торгувати (in), мати справу (with)
dig	dug	dug	копати, вирити
do	did	done	робити
draw	drew	drawn	малювати (олівцями), креслити; тягнути
drink	drank	drunk	пити
drive	drove	driven	водити (автівку), їздити
eat	ate	eaten	їсти
fall	fell	fallen	падати
feed	fed	fed	годувати
feel	felt	felt	почувати(ся)
fight	fought	fought	битися, сваритися
find	found	found	знаходити

Дієслово	2-га форма	3-тя форма	Переклад
fly	flew	flown	літати
forget	forgot	forgotten	забувати
freeze	froze	frozen	мерзнути, заморожувати
get	got	got/gotten	отримувати, діставати(ся)
give	gave	given	давати
go	went	gone	іти, поїхати
grow	grew	grown	рости, вирощувати
hang	hung	hung	вішати, висіти
have	had	had	мати
hear	heard	heard	чути
hide	hid	hidden	ховати(ся)
hit	hit	hit	ударяти(ся), врізатися
hold	held	held	тримати (в руках)
hurt	hurt	hurt	поранити, завдати болю
keep	kept	kept	тримати (у себе), зберігати
know	knew	known	знати
leave	left	left	залишати(ся)
lend	lent	lent	позичати (комусь)
let	let	let	дозволяти
lie	lay	lain	лежати
light	lit	lit	запалювати(ся), освітлювати
lose	lost	lost	губити(ся)
make	made	made	робити, виробляти; примушувати
mean	meant	meant	означати, мати намір
meet	met	met	зустрічати(ся)
pay	paid	paid	платити
put	put	put	класти, ставити
read [ri:d]	read [red]	read [red]	читати
ride	rode	ridden	їздити (верхи, на велосипеді)
ring	rang	rung	дзвонити
rise	rose	risen	підніматися
run	ran	run	бігати

Дієслово	2-га форма	3-тя форма	Переклад
say	said	said	казати, говорити
see	saw	seen	бачити
sell	sold	sold	продавати
send	sent	sent	посилати, відправляти
set	set	set	встановлювати, поміщати
shine	shone	shone	світити(ся), сяяти
shoot	shot	shot	стріляти; знімати (кіно)
shut	shut	shut	закривати
sing	sang	sung	співати
sit	sat	sat	сидіти
sleep	slept	slept	спати
speak	spoke	spoken	говорити, розмовляти
spend	spent	spent	витрачати
spread	spread	spread	розповсюджувати(ся), розкидати(ся)
stand	stood	stood	стояти
steal	stole	stolen	красти
sting	stung	stung	жалити, пекти
swear	swore	sworn	клястися; лаяти(ся)
swim	swam	swum	плисти, плавати
take	took	taken	брати, відводити
teach	taught	taught	учити (когось), викладати
tear	tore	torn	рвати, розривати
tell	told	told	говорити, розповідати
think	thought	thought	думати, міркувати, вважати
throw	threw	thrown	кидати
understand	understood	understood	розуміти
wake	woke	woken	будити, пробуджуватися
wear	wore	worn	носити (одяг)
win	won	won	вигравати, перемагати
write	wrote	written	писати

ГРАМАТИЧНИЙ ДОВІДНИК

1. Іменник (*the Noun*)

Обчислювальні та необчислювальні іменники

Обчислювальні (можна порахувати)	**Необчислювальні** (не можна порахувати)
можуть вживатися з неозначеним артиклем *a / an*	не можуть вживатися з неозначеним артиклем *a / an*

- Деякі слова, обчислювальні в українській мові, в англійській необчислювальні:
  news — новина   advice — порада
- Деякі необчислювальні іменники в англійській мові вживаються в однині, а в українській — у множині:
  vacation — канікули   money — гроші

Утворення множини іменників

Закінчення в однині	**Закінчення в множині**	**Правила вимови**	**Приклади (однина — множина)**
усі, крім нижченаведених	додається *s*	[s] після глухих приголосних	a cup — cup**s** a book — book**s**
		[z] після дзвінких приголосних	a toy — toy**s** a doll — doll**s**
s, sh, ch, x	додається *es*	[ɪz]	a match — match**es** a bus — bus**es**
f/fe	*f/fe* змінюється на *ves*	[vz]	a knife — kni**ves** a wolf — wol**ves** ***Але*:** a dwarf — dwarf**s** a roof — roof**s**
приголосний + *y*	*y* змінюється на *ies*	[iz]	a baby — bab**ies**
голосний + *y*	*y* не змінюється	[z]	a day — day**s**
приголосний + *o*	додається *es*	[z]	a potato — potato**es** ***Але*:** a photo — photo**s** a piano — piano**s**
голосний + *o*	додається *s*	[z]	a radio — radio**s**

- *Іменники, що утворюють множину не за правилами.*

a man	[mæn]	чоловік	men	[men]	чоловіки
a woman	[ˈwʊmən]	жінка	women	[ˈwɪmɪn]	жінки
a foot	[fʊt]	нога (ступня)	feet	[fi:t]	ноги
a tooth	[tu:θ]	зуб	teeth	[ti:θ]	зуби
a goose	[gu:s]	гусак	geese	[gi:s]	гуси
a **mouse**	[maʊs]	миша	**mice**	[maɪs]	миші
a **person**	[ˈpɜ:sən]	людина	**people**	[ˈpi:pl]	люди
a child	[ˈʧaɪld]	дитина	child**ren**	[ˈʧɪldrən]	діти
a **sheep**	[ʃi:p]	вівця	**sheep**	[ʃi:p]	вівці
a **fish**	[fɪʃ]	риба (одна рибина)	**fish**	[fɪʃ]	риба (багато риби)
			fishes	[ˈfɪʃɪz]	різні види риби
a **deer**	[dɪə]	олень	**deer**	[dɪə]	олені

- Деякі іменники завжди стоять у множині:
  spectacles, glasses — окуляри
  trousers — штани
  scissors — ножиці
  scales — ваги

- Деякі іменники стоять у множині в англійській мові, але в однині в українській:
  clothes — одяг
  arms — зброя

- Деякі іменники стоять в однині в англійській мові, але у множині в українській:
  knowledge — знання
  furniture — меблі

Присвійний відмінок іменників (Possessive case)

- *Утворення присвійного відмінка іменників*

Для іменників в однині	Для іменників у множині, що закінчуються на *s*	Для іменників у множині, що не закінчуються на *s*
додаємо *'s* the **baby's** bed — ліжко малюка	додаємо *'* my **parents'** house — будинок моїх батьків	додаємо *'s* the **children's** toys — іграшки дітей

Закінчення *'s* читається так само, як і закінчення *s* у множині.

- *Присвійний відмінок може вживатися:*

- зі словами, що позначають живих істот (людей, тварин):
  Kate's dress — Катрусина сукня (сукня Катрусі)
  the dog's tail — собачий хвіст (хвіст собаки)

- зі словами, що позначають групи людей (*company, organisation, group, government* тощо):
  the company's director — директор компанії
- зі словами, що позначають відрізок часу (*week, month, year, day* і т.д.), а також зі словами *today, yesterday, tomorrow*:
  a week's holiday — тижнева відпустка
  today's newspaper — сьогоднішня газета
- зі словами, що позначають місця (*city, country, town, world, ship* тощо), назви країн, частин світу (*Europe, Asia, America* і т.д.), а також зі словами *the Earth, the Moon, the Sun*:
  the city's population — населення цього міста
  Asia's future — майбутнє Азії
  the world's cities — міста світу
  the Earth's centre — центр Землі
  a ship's crew — команда корабля

Передача відмінка іменників за допомогою прийменників

Відмінок	На які запитання відповідає	Англійський прийменник, що передає цей відмінок	Приклади
Родовий	кого? чого?	of	the pages **of** the book — сторінки книги the name **of** my cat — ім'я мого кота
	для кого? для чого?	for	a letter **for** you — лист для тебе **for** the future — для майбутнього
Давальний	кому? чому?	to	Give it **to** me! — Дай це мені!
Знахідний	на кого?	for	I work **for** Apple. — Я працюю на Apple.
Орудний	ким?	by	**by** my friend — моїм другом **by** me — мною
	чим?	with	**with** a knife — ножем
		by (про транспорт)	**by** plane — літаком **by** train — поїздом
	з ким? з чим?	with	**with** my friends — з моїми друзями a jacket **with** a hood — куртка з капюшоном

2. Артикль (*the Article*)

Означений і неозначений артиклі

Неозначений артикль	
a	*an*
З іменниками, що починаються з приголосного звука: **a** car **a** hole **a** year	З іменниками, що починаються з голосного звука: **an** apple **an** hour **an** eye

Означений артикль	
the [ði:]	***the*** [ðə]
З іменниками, що починаються з голосного звука: **the** [ði:] elephant **the** [ði:] orange	З іменниками, що починаються з приголосного звука: **the** [ðə] pen **the** [ðə] hen

- *Вживання*

Тільки з обчислювальними іменниками в однині
Коли про якийсь предмет, людину або тварину йдеться вперше, ми нічого особливого про них не знаємо, тобто неозначений артикль має значення «якийсь один предмет, людина або тварина»: My mother is **a** doctor. — Моя мама — лікар. *(лікарів багато, і моя мама — одна з них)* It's **an** apple. — Це яблуко. *(одне якесь яблуко)* **Але!** These are apples. — Це яблука. *(якщо іменник не визначений і стоїть у множині, артикль не вживається)*

С будь-якими іменниками: обчислювальними, необчислювальними, в однині або множині
Коли йдеться про: • унікальні речі: You can take **the** last candy. — Ти можеш взяти останню цукерку. *(остання цукерка тільки одна)* • речі, тварину або людину, добре знайомі співрозмовнику, або якщо ми конкретизуємо цю річ, тварину або людину: Look at **the** stars! — Подивись на зірки! *(наш співрозмовник знає, на які саме зірки він має дивитися)* at **the** restaurant round **the** corner — у ресторані за рогом *(йдеться про конкретний ресторан)*

Означений артикль з іменами і географічними назвами

Артикль *the* вживається		**Артикль *the* не вживається**	
Назви країн, що стоять у множині або в яких присутні слова: *United, Kingdom, Republic, Federation*	the Netherlands, the Russian Federation, the United Kingdom, the United States, the Republic of Austria	Інші назви країн. **Увага!** Якщо з назв країн зникають слова *Kingdom, Federation, Republic* тощо, то разом з ними зникає і артикль	Russia, Austria, Great Britain, Holland
Назви морів, океанів, річок, озер, каналів	the Pacific (Ocean), the Volga, the Mediterranean (Sea), the English Channel	Якщо з назвами озер вживається слово *lake*	Lake Baikal, Lake Ladoga
Назви пустель	The Sahara desert	Назви міст	London, Chicago
Назви груп островів	The Canaries = the Canary Islands	Назви поодиноких островів	Bali, Greenland, Capri
Назви гірських хребтів	The Alps, the Carpathians	Назви поодиноких гір, вершин	Mont Blanc, Mount Everest
Вирази такого типу	the north of Europe; the south of Brazil	Вирази такого типу	northern Europe, southern Spain
Члени однієї родини	The Johnsons	Імена окремих людей	Mr Brown, Doctor Jekyll
Назви газет	The Times; The Daily Telegraph	Назви більшості журналів	Cosmopolitan, Vogue

Усталені вирази без артикля

from time to time — час від часу	to watch television / TV — дивитися телевізор
for example — наприклад	to go to school — ходити до школи
by bus — автобусом	at work / to work — на роботі / на роботу
by train — поїздом	at home — вдома
by sea — морем, на кораблі	at night — уночі
by air / by plane — літаком	on foot — пішки
by car — на машині	on sale — у продажу
by heart — напам'ять	on purpose — навмисне
to go to bed — іти спати	in time — вчасно

3. Визначальні слова (Determiners)

Визначальні слова **some і any** *та їхні похідні*

- *Загальні правила вживання* **some** *і* **any** *і їхніх похідних*

some і його похідні вживаються в ствердженнях		***any*** і його похідні вживаються в запереченнях і запитаннях	
слово	значення	слово	значення
some (у множині) some (в однині)	декілька якийсь	any (в однині або в множині)	якийсь (у запитаннях) ніякого (в запереченнях)
something	що-небудь, щось	anything	що-небудь (у запитаннях) нічого (в запереченнях)
somebody / someone	хтось, хто-небудь	anybody / anyone	хто-небудь (у запитаннях) ніхто (у запереченнях)
somewhere	десь, де-небудь, кудись, куди-небудь	anywhere	десь, кудись (у запитаннях) ніде, нікуди (в запереченнях)

Are there **any** books on the shelf? — На полиці є (якісь) книги?
There isn't **any** salt in the soup. — У супі немає (ніякої) солі.
I haven't got **any** sisters. — У мене немає (ніяких) сестер.
There are **some** chairs in the room. — У кімнаті є декілька стільців.
I've got **some** friends here. — У мене тут є друзі (декілька друзів).
Somebody wants you on the phone. — Хтось просить тебе до телефону.
Do you know **anything** about it? — Ти знаєш що-небудь про це?
I can't see her **anywhere**. — Я ніде її не бачу.
I am not going **anywhere** today. — Я сьогодні нікуди не йду.

- **Any** *і його похідні можуть вживатися у стверджувальних реченнях, але значення в цьому випадку змінюється.*

any	будь-який, який завгодно
anything	хоч що-небудь, що завгодно
anybody / anyone	хоч хто-небудь, хто завгодно
anywhere	хоч де-небудь, де завгодно

Do **something**! Do **anything**! — Зроби щось!
Ну зроби хоч що-небудь!
We can meet **anywhere**. — Ми можемо зустрітися де завгодно.

- **Some** *і його похідні можуть уживатися в запитаннях:*

- коли ми ставимо риторичне запитання, тобто запитання, що не потребує відповіді:
  Are you looking for **something**? — Ти щось шукаєш?
  (Якщо ми впевнені, що хтось дійсно щось шукає.)
- коли наше запитання за значенням є ввічливою пропозицією:
  Would you like **some** juice? — Ти хочеш соку?

Передавання множини за допомогою слів much, many, a lot of

much	*many*	*a lot of*
Вживається з необчислювальними іменниками в запереченнях і запитаннях: Have you got **much** money? — У тебе багато грошей? No, I haven't got **much**. — Ні, у мене не багато (грошей).	Вживається з обчислювальними іменниками, як правило, в запереченнях і запитаннях: Have you got **many** friends? — У тебе багато друзів? No, I haven't got **many** friends. — Ні, у мене не багато друзів.	Вживається з будь-якими іменниками у ствердженнях: Peter has got **a lot of** food. — У Пітера багато їжі. There are **a lot of** chairs in the room. — У кімнаті багато стільців.

Запам'ятайте! ***very much* = *a lot*** з дієсловами
You work **a lot**. (= You work **very much**.) — Ти дуже багато працюєш.

Запитання How much...? How many...?

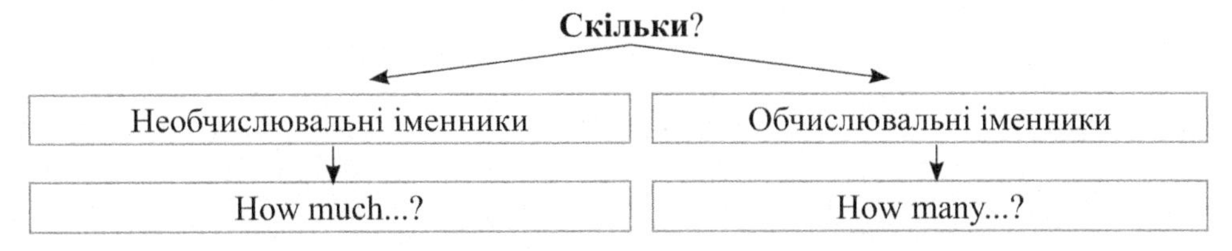

How much milk is there in the fridge? — Скільки молока в холодильнику?
How many people are there in the room? — Скільки людей в кімнаті?
How much work do you have? — Скільки у тебе роботи?
How many pages do you read every day? — Скільки сторінок ти читаєш щоденно?

Little / a little; few / a few

(a) little + необчислювальний іменник		*(a) few* + обчислювальний іменник	
(a) little money (a) little sugar	(a) little time (a) little juice	(a) few people (a) few houses	(a) few books (a) few mistakes
a little = some — деяка кількість, але не багато		***a few = some*** — декілька, але не багато	
little — мало, практично немає (часто вживається зі словом *very*)		***few*** — мало, практично немає (часто вживається зі словом *very*)	
little і ***a little*** • *a little* передає позитивну ідею. I have **a little** water. You can have it. • *little* передає негативну ідею. We have very **little** water. It's not enough for us all.		***few*** і ***a few*** • *a few* передає позитивну ідею. I've got **a few** friends. I am very happy. • *few* передає негативну ідею. I feel so lonely. I've got **few** friends.	

4. Займенник (*the Pronoun*)

Особові займенники

Українські	Англійські
я	I
він	he
вона	she
він, вона, воно (все неживе)	it
ми	we
ти, ви	you
вони	they

Займенник *I* завжди пишеться з великої літери.

Усі неживі предмети в англійській мові не мають роду. Можна сказати, що всі вони середнього роду і замінюються займенником *it*. Займенником *it* також замінюють назви тварин і слово *baby* («малюк»).

Займенник *it* також може мати значення «це».

Вказівні займенники

Предмет або жива істота знаходиться поблизу від того, хто говорить		Предмет або жива істота знаходиться далеко від того, хто говорить	
однина	множина	однина	множина
this (цей, ця, це)	these (ці)	that (той, та, то)	those (ті)

Відмінювання займенників за відмінками

Загальний	I	we	you	he	she	it	they
Об'єктний	me	us	you	him	her	it	them
Присвійний	my	our	your	his	her	its	their

5. Прийменник (*the Preposition*)

Прийменники руху

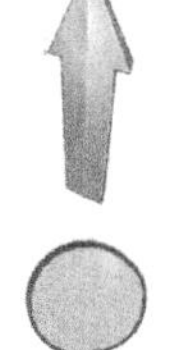
UP
вгору

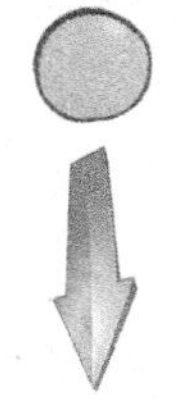
DOWN
вниз

FROM... TO...
від... до...

ONTO
на

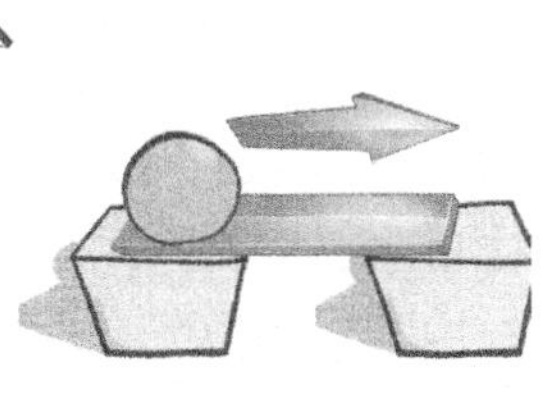
ACROSS
через (упоперек)

AROUND
навкруг

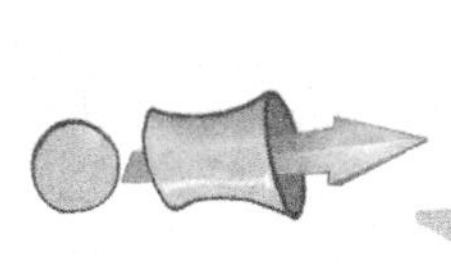
THROUGH
через (крізь)

OUT OF
з
(зсередини
назовні)

INTO
в
(іззовні
всередину)

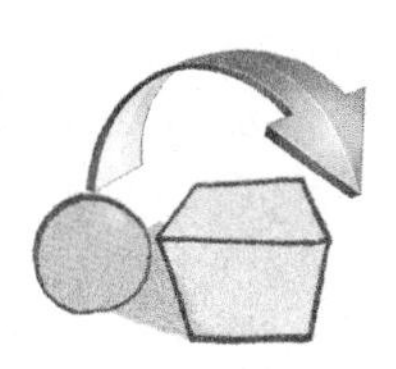
OVER
через (над чимось)

Прийменники місця

IN/ INSIDE
в / у

ON
на

UNDER
під

NEXT TO
поруч з

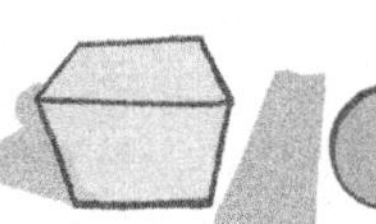
OPPOSITE
навпроти

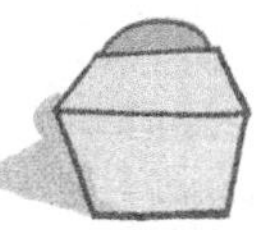
BEHIND
позаду / за

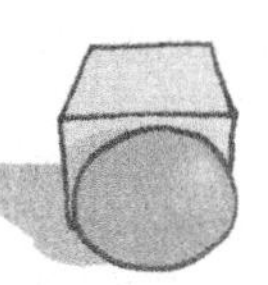
IN FRONT OF
перед

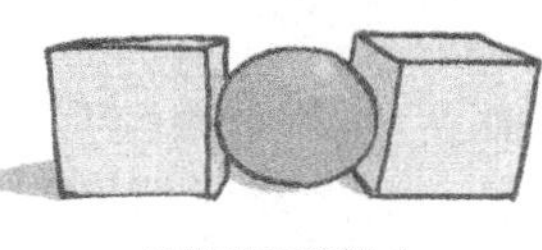
BETWEEN
між

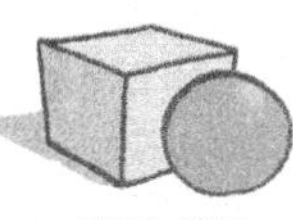
AT/ BY
біля

Ступені порівняння прикметників

Тип прикметника	Вищий ступінь	Найвищий ступінь	Приклади
Більшість односкладових прикметників	Додаємо *-er*	Додаємо *-est*	short (короткий) — short**er** (коротший) — the short**est** (найкоротший)
Односкладові прикметники, що закінчуються на *-e*	Додаємо *-r*	Додаємо *-st*	late (пізній) — late**r** (пізніший) — the late**st** (найпізніший)
Односкладові прикметники, що закінчуються на приголосну з попереднім коротким голосним	Кінцева приголосна подвоюється + *-er*	Кінцева приголосна подвоюється + *-est*	big (великий) — big**ger** — the big**gest** thin (тонкий) — thin**ner** — the thin**nest**
Прикметники з одним або двома складами, що закінчуються на *-y*	*y* змінюється на *i* та додається *-er*	*y* змінюється на *i* та додається *-est*	dry (сухий) — dr**ier** — the dr**iest** healthy (здоровий) — health**ier** — the health**iest**
Інші двоскладові та всі багатоскладові прикметники	*more* + прикметник	*most* + прикметник	interesting (цікавий) — **more** interesting — **the most** interesting

Деякі прикметники утворюють ступені порівняння не за правилами.

Прикметник	Вищий ступінь	Найвищий ступінь	Приклади
good — хороший	better — кращий	the best — найкращий	Jenny's work is **better** than Katie's, and Clair's work is **the best**.
bad — поганий	worse — гірший	the worst — найгірший	This restaurant is **worse** than that one. This is **the worst** place in our city.
little — маленький	smaller — менший	the smallest — найменший	Washington is **smaller** than London. Hum is **the smallest** town in the world.

Після прикметників у найвищому ступені вживаються прийменники *in, of*, а самі прикметники вживаються з артиклем *the*, якщо перед цим прикметником не стоїть інше визначальне слово:

The cheetah is **the** fastest animal **in** the world. — Гепард — найшвидша тварина в світі.

Jenny is **the** tallest **of** us. — Дженні — найвища з нас.

This is **Robert's** best work. — Це найкраща робота Роберта.

(артикль не вживається, оскільки перед прикметником *best* стоїть інше визначальне слово — *Robert's*)

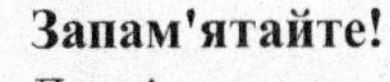

Запам'ятайте!

Деякі прикметники (наприклад., *clever, quiet, narrow*), що мають 2 склади і не закінчуються на *–y*, можуть утворювати ступені порівняння обома способами:

narrow — narrower / more narrow — the narrowest / the most narrow

- При порівнянні обов'язкове вживання сполучника *than* («ніж», «від»):
  The Mediterranean is bigger **than** the Black Sea. — Середземне море більше від Чорного (= більше, ніж Чорне).

Слова для підсилення вищого ступеня

Для підсилення вищого ступеня прикметників вживаються слова:

a bit /a little	у значенні «трохи»
much / a lot / far	у значенні «набагато»
still / even	у значенні «ще»
5 m, 20 km, 5 years і інші величини	для конкретизації порівняння

My sister is **5 years older** than me. — Моя сестра на п'ять років старша за мене.

Lake Baikal is **far deeper** than the Azov Sea. — Озеро Байкал набагато глибше від Азовського моря.

7. Прислівник (*the Adverb*). Утворення

Більшість прислівників способу дії (відповідають на запитання «Як?») утворюються від прикметників за допомогою суфікса *-ly*. Якщо прикметник закінчується на *y*, то ми змінюємо *y* на *i*.

Прикметник	Прислівник	Приклади
warm	warm**ly**	They are welcoming us so *warmly*!
beautiful	beautiful**ly**	Your sister is dressed up so *beautifully*!
happ**y**	happ**ily**	Lily is smiling *happily*.

- *Прислівники, що утворюються не за правилами:*

good — **well**	хороший — добре	early — **early**	ранній — рано
fast — **fast**	швидкий — швидко	late — **late**	пізній — пізно

8. Дієслово (*the Verb*)

Інфінітив

Інфінітив — це неозначена форма дієслова, яка наводиться в словниках. Інфінітив у реченні може вживатися з часткою *to* або без неї.

I want **to sleep**. — Я хочу спати.

I can **draw**. — Я вмію малювати (олівцями).

Спонукальні речення

Коли вживаємо	Як вживаємо	Приклади
Якщо ми даємо розпорядження щось зробити	Вживаємо дієслово без будь-яких закінчень	Read! — Читай! Go out! — Виходь! Come in! — Заходь!
Якщо ми даємо розпорядження чогось не робити	Ставимо *don't* перед дієсловом	Don't cry! — Не плач! Don't come in! — Не заходь!
Якщо ми запрошуємо когось зробити щось разом з нами	Вживаємо *let's...* (*=let us*) (давай/давайте щось зробимо)	Let's go to the cinema! — Давай(те) підемо в кіно!
Якщо ми пропонуємо не робити чогось	Вживаємо *let's not* (давай/давайте не будемо робити чогось)	Let's not watch TV. — Давай(те) не будемо дивитися телевізор.
Якщо ми пропонуємо щось зробити, але не наполягаємо на цьому	Ставимо запитання, що починається з *Shall I / Shall we*	Shall I open the window? — Може, мені відчинити вікно? Shall we go for a walk? — Може, підемо прогуляємося?

Теперішній простий час (the Present Simple Tense)

- *Вживання теперішнього простого часу*

Коли вживається	Приклади	Переклад
Якщо йдеться про речі, що дійсні взагалі	I like apples.	Мені подобаються яблука.
	The Earth goes round the Sun.	Земля обертається навколо Сонця.

Коли вживається	Приклади	Переклад
Для опису регулярних дій, часто зі словами: *every day* — щодня *always* — завжди *usually* — зазвичай *often* — часто *sometimes* — іноді *rarely* — рідко *very seldom* — дуже рідко *never* — ніколи	My brother plays football **every day**. My sister **always** gets up early. I **usually** go to bed at 21.00. We **often** watch TV in the evening. My father **sometimes** plays tennis. I **very seldom** / **rarely** cry. Tom **never** sings.	Мій брат грає в футбол щодня. Моя сестра завжди встає рано. Я зазвичай лягаю спати о 21.00. Ми часто дивимося телевізор увечері. Мій батько іноді грає в теніс. Я (дуже) рідко плачу. Том ніколи не співає.

Слова *always, often, rarely, very seldom, never* завжди ставляться між підметом та присудком. Слова *usually* і *sometimes* можуть вживатися і перед підметом, якщо на них падає логічний наголос.

I **usually** get up early. — Я зазвичай встаю рано.

(дія, яка повторюється регулярно)

But **sometimes** I get up late. — Але іноді я встаю пізно.

(ми ставимо наголос на слові «іноді», щоб протиставити цю дію звичайній, повсякденній)

Стверджувальна форма						
I do	go	play	study	watch	guess	write
He do**es** [dʌz]	go**es**	play**s**	stud**ies**	watch**es**	guess**es**	write**s**
She do**es**	go**es**	play**s**	stud**ies**	watch**es**	guess**es**	write**s**
It do**es**	go**es**	play**s**	stud**ies**	watch**es**	guess**es**	write**s**
We do	go	play	study	watch	guess	write
You do	go	play	study	watch	guess	write
They do	go	play	study	watch	guess	write

Запитання		
Do	I we you they	дієслово (*work, eat, like* тощо)...?
Does	he she it	

Заперечення		
I We You They	do not (don't)	дієслово (*work, eat, like* тощо)...
He She It	does not (doesn't)	

Коротка відповідь		
Yes, No,	I we you they	do. don't.
Yes, No,	he she it	does. doesn't.

Як у питальних реченнях, так і в заперечних закінчення *-s* у третій особі однини переходить до допоміжного дієслова, а смислове дієслово це закінчення втрачає.

He **plays** tennis on Sundays. He **doesn't play** football.

Does he **play** football on Sundays?

Оскільки допоміжне дієслово *do (does)* не перекладається, то якщо *do* також є смисловим дієсловом, в запереченнях і запитаннях воно повторюється двічі.

Do you always **do** your homework? — Ти завжди робиш домашнє завдання?

John **doesn't do** sports. — Джон не займається спортом.

Дієслово to be *в теперішньому простому часі*

Стверджувальна форма	Заперечна форма	Питальна форма
I am = I'm	I am not = I'm not	Am I …?
He is = He's	He is not = He isn't = He's not	Is he …?
She is = She's	She is not = She isn't = She's not	Is she …?
It is = It's	It is not = It isn't = It's not	Is it …?
We are = We're	We are not = We aren't = We're not	Are we …?
You are = You're	You are not = You aren't = You're not	Are you …?
They are = They're	They are not = They aren't = They're not	Are they …?

Дієслово have / have got

Дієслова *have* і *have got* (у мовленні використовується, як правило, скорочена форма *'ve got*) мають однакове значення, але вони відрізняються за способами утворення заперечень, запитань і коротких відповідей.

We **have** a house. = We**'ve got** a house. — У нас є будинок.

He **hasn't got** a car. — У нього немає машини.

Have you **got** a sister? (= **Do** you **have** a sister?) — У тебе є сестра?

No, I **haven't got** a sister. (= **I don't have** a sister.) — Ні, у мене немає сестри.

Has your friend **got** a boat? (= **Does** your friend **have** a boat?) — У твого друга є човен?

No, he **hasn't got** a boat. (= He **doesn't have** a boat.) — Ні, нього немає човна.

Форма дієслова, що закінчується на -ing

- *Дієслово* + **ing**

Де вживається	Приклади
Виступає в ролі іменника	**Reading** is very useful. — Читання дуже корисно.
Виступає в ролі дієприкметника або дієприслівника	**Crossing** the street Tom saw his friend. — Переходячи вулицю, Том побачив свого друга.
Часто пишеться на вивісках	No **smoking**! — Паління заборонено! No **parking**! — Не паркуватися!
Часто вживається після інших дієслів	I like **swimming**. — Мені подобається плавати. I love **reading**. — Я обожнюю читати.

- *Орфографічні зміни при додаванні закінчення* **-ing**

Кінцева буква або буквосполучення дієслова	Зміни при додаванні *-ing*	Приклади
-e	*-e* зникає	give — giv**ing**
приголосна + наголошена голосна +приголосна	кінцева приголосна подвоюється	run — ru**nning** sit — si**tting**
-ie	*-ie* змінюється на *-y*	**lie — lying**
-l	кінцева *-l* подвоюється	travel — trave**lling**
-y	*-y* не змінюється	cry — cr**ying**

Теперішній тривалий час
(the Present Continuous Tense)

Теперішній тривалий час вживається, коли йдеться про дію, що виконується саме зараз (*now, at the moment*).

Ствердження		
I	am ('m)	playing. running. skating.
We / You / They	are ('re)	
He / She / It	is ('s)	

Заперечення		
I	am not	playing. running. skating.
We / You / They	are not (aren't)	
He / She / It	is not (isn't)	

Запитання		
Am	I	playing? running? skating?
Are	we / you / they	
Is	he / she / it	

Коротка відповідь		
Yes, No,	I	am. am not.
Yes, No,	we / you they	are. are not.
Yes, No,	he / she it	is. is not.

Найбільш поширені дієслова, що не вживаються в *Present Continuous*:

hear (чути)
see (бачити)
love (любити)
like (любити)
hate (ненавидіти)
want (хотіти)
wish (бажати)
know (знати)
understand (розуміти)
remember (пам'ятати)
forget (забувати)
mean (мати на увазі)

Деякі дієслова можуть уживатися або ні в *Present Continuous* у залежності від того, що вони позначають.

I **think** he is clever. — Я вважаю, що він розумний. (Це моя загальна думка.)

I **am thinking** now. — Я зараз розмірковую. (Міркування — це дія, яку я виконую зараз.)

Конструкція be going to

Коли вживається	Як перекладається українською мовою	Приклади
якщо ми говоримо про плани на майбутнє	за допомогою слова «збиратися», «піти» або майбутнім часом	I **am going to** eat. — Я піду поїм. = Я збираюся поїсти. I am going to watch TV. — Я подивлюся телевізор. = Я піду подивлюся телевізор.
коли ми знаємо, що щось обов'язково відбудеться	за допомогою слова «збиратися» або майбутнім часом. У деяких випадках — навіть теперішнім часом	Look at the sky! It **is going to** rain. — Подивись на небо! Збирається дощ. It's 9 o'clock already! I **am going to** be late. — Зараз уже 9-та година! Я спізнююся. = Я обов'язково спізнюся.

Ствердження	Заперечення	Запитання
I am going to play. You are going to play. He/She/It is going to play. We are going to play. They are going to play.	I am not going to play. You are not (aren't) going to play. He/She/It is not (isn't) going to play. We are not (aren't) going to play. They are not (aren't) going to play.	Am I going to play? Are you going to play? Is he/she/it going to play? Are we going to play? Are they going to play?

Модальні дієслова

Дієслово	Форма дієслова	Значення	Приклади
must	must	необхідность, важливість	You **must** (*обов'язково потрібно, мусиш*) see the doctor.
		моральне зобов'язання	Children **must** help their parents. — Діти мусять допомагати своїм батькам.
	must not (mustn't)	сувора заборона	You **mustn't** (*заборонено*) go there.
should	should	порада щось зробити	You **should** go out more.
	should not (shouldn't)	порада чогось не робити	Tim **shouldn't** watch TV so much. — Тіму не слід так багато дивитися телевізор.
	Should I...?	прохання дати пораду	**Should I** see this film? — Чи слід (варто) мені подивитись цей фільм?
can	can	уміння	I **can** swim.
		можливість	I **can** help you.
		дозвіл	You **can** take an apple.
	cannot (can't)	невміння	I **can't** drive.
		неможливість	I **can't** come with you.
		заборона	We **can't** go here.
	Can I...?	прохання дати дозвіл	**Can I** borrow (*взяти, позичити*) this book?
could	could	уміння (в минулому)	I **could** (*Я вмів*) play the piano when I was 5.
		дозвіл (у минулому)	We **could** (*Нам було дозволено*) wear jeans to school.
	could not (couldn't)	нездатність, невміння (в минулому)	I **couldn't** swim two years ago. — Два роки тому я не вміла плавати.
		відсутність дозволу (в минулому)	Girls **couldn't** wear trousers to school. — Дівчата не могли (їм не було дозволено) носити брюки в школі.
	Could you...?	ввічливе прохання	**Could you** repeat it, please? — Ви не могли б це повторити, будь ласка?

Майбутній простий час (the Future Simple Tense)

Майбутній простий час (*the Future Simple Tense*) вживається, коли ми констатуємо, що щось відбудеться в майбутньому.

My father is in London now and next week he ***will go*** *to Paris and he* ***will be*** *there for three days.* — Мій тато зараз у Лондоні, а наступного тижня він поїде до Парижа пробуде там три дні.

Ствердження		
усі особи	will ('ll)	be. go.

Заперечення		
усі особи	will not (won't)	be. go.

Запитання		
Will	усі особи	be? go?

Коротка відповідь		
Yes,	усі особи	will.
No,		won't.

▪ *Слова, що часто вживаються з майбутнім простим часом*

soon — незабаром tomorrow — завтра the day after tomorrow — післязавтра	in a day / week / month / year — через день / тиждень / місяць / рік next Monday / week / year — наступного понеділка / наступного тижня / наступного року

▪ *Утворення Past Simple. Ствердження*

Правильні дієслова	**Неправильні дієслова**
Додається закінчення *-ed*: played	правил утворення немає, потрібно користуватися таблицею неправильних дієслів

Закінчення *-ed* вимовляється:

- [t] — після глухих приголосних, крім *t* (watched [wɒtʃt]);
- [d] — після дзвінких приголосних і голосних, крім *d* (smiled [smaɪld]);
- [ɪd] — після *d* і *t* (started [ˈstɑːtɪd]).

▪ *Орфографічні зміни при додаванні закінчення* ***-ed***

На що закінчується дієслово	**Які зміни відбуваються**	**Приклади**
-y з попередньої голосною	*-y* змінюється на *i*	study — stud**ied**
приголосна + голосна + приголосна	кінцева приголосна подвоюється	stop — stop**ped**

Заперечення		
усі особи	did not (didn't)	buy. go.

Запитання		
Did	усі особи	buy? go?

Коротка відповідь		
Yes,	усі особи	did.
No,		didn't.

Дієслово to be *в минулому простому часі*

Ствердження	
I / He / She / It	was...
We / You They	were...

Заперечення	
I / He She / It	was not (wasn't)
We / You They	were not (weren't)

Запитання		
Was	I / he / she / it	...?
Were	we / you they	

Коротка відповідь						
Yes,	I / he / she / it	was.		No,	I / he / she / it	wasn't.
	we / you / they	were.			we / you / they	weren't.

Was he at the cinema on Sunday? — Він був у кіно в неділю?
Yes, he was. — Так, був.
Were you late yesterday? — Ти спізнився вчора?
No, I wasn't. — Ні, не спізнився.

Конструкція there is / there are

Ми використовуємо конструкцію *there is / there are*, коли:

- хочемо сказати, що щось десь знаходиться або існує.
  There is a mole on his cheek. — У нього на щоці родимка.
- хочемо сказати, що щось відбудеться:
  There is an interesting film on TV tonight. —
  Сьогодні ввечері по телевізору (показують) цікавий фільм.
- говоримо про розклад:
  There are two coaches to Glasgow. — Є два автобуси на Глазго.
- хочемо показати щось або звернути увагу на щось:
  Look! **There's** a bird on the roof! — Подивись! На даху (сидить) пташка!
- хочемо розповісти або поставити запитання про кількість:
  How many months are there in a year? — Скільки місяців у році?
  There are 12 months in a year. — У році 12 місяців.

Ствердження	Заперечення	Запитання
There is (=**There's**) a big window in the room. — У кімнаті велике вікно. **There are** people everywhere here. — Тут усюди люди.	**There isn't** any way out. (=**There is no** way out). — Виходу немає. **There aren't** any books on the table. — На столі немає книг.	How many trees **are there** in your garden? — Скільки дерев у твоєму садку? **Is there** a train to London after 8 p.m.? — Після 8-ї вечора є поїзд на Лондон?

ВІДПОВІДІ ДО ЗАВДАНЬ

УРОК 1

С. 6, завд. 1. Закритий склад: bed, Ken, pen, pet, ten;

Відкритий склад: Steve, he, Crete, Pete, legal, me, delete;

Не читається: kite, take

С. 8, завд. 1. 1) Tell me! 2) Ted, meet Ken. 3) Tell Pete. 4) Feed me! 5) Meet me! 6) Feed Ted. 7) Tell Steve.

УРОК 2

С. 13, завд. 1. 1) I live; 2) You live; 3) I send; 4) You send; 5) I need; 6) You need; 7) I sell; 8) You sell; 9) I miss; 10) You miss; 11) I see; 12) You see; 13) I kiss; 14) You kiss; 15) I feed; 16) You feed; 17) I meet; 18) You meet; 19) I sit; 20) You sit

С. 14, завд. 2. 1) my pen; 2) my bike; 3) my life; 4) my style; 5) my bed; 6) my pet; 7) my city; 8) my lip; 9) my type

Завд. 3. 1) my bees; 2) my pets; 3) nine bikes; 4) Send me five pikes. 5) I see nine bells. 6) I see seven bees. 7) I sell pets. 8) Sell me five pens.

Розвиток мовлення. С. 14

1. 1) Let me send … 2) Let me send Ted my test. 3) Let me send Liz my bike. 4) Let me see. 5) Let me find … 6) Let me find Bill. 7) Let me find my test. 8) Let me sit ... 9) Let me meet Ted. 10) Let me sell … 11) Let me sell my pets. 12) Let me sell it.

2. 1) Send Ben seven tests. 2) Send Liz my bees. 3) Find five pens. 4) Send me ten bikes. 5) I see it. 6) I see nine pikes. 7) I see five bikes. 8) I see you. 9) Find me five bells. 10) Find my bike. 11) Find my bees. 12) Sell Steve ten pikes. 13) I sell bikes. 14) Tell me. 15) I live in … 16) I miss you. 17) You miss me. 18) I miss Ted.

УРОК 3

С.22, завд. 1. 1) she; 2) he; 3) it; 4) it; 5) she; 6) it; 7) it; 8) he; 9) he; 10) she

Завд. 2. 1) an; 2) a; 3) a; 4) an; 5) a; 6) a; 7) an; 8) a; 9) a; 10) a; 11) a; 12) a

Завд. 3. 1) It is a table. 2) It is a cat. 3) It is a man. 4) It is a city. 5) It is an elephant. 6) It is an actress. 7) It is a little elephant. 8) It is a bad apple. 9) It is a black desk. 10) It is a green pencil. 11) It is my cat. 12) It is my bike.

Завд. 4. 1) am – Я щасливий. 2) is – Він милий. 3) is – Вона товста. 4) is – Мій олівець знаходиться на моєму столі. 5) am – Я в Парижі. 6) is – Це кіт.

Розвиток мовлення. С. 23

1. 1) I need seven apples. 2) I need a pencil. 3) I need a black pen. 4) I need a green apple. 5) I need a big bag. 6) I need his help. 7) You need my help. 8) You need a big table. 9) You need a green pencil. 10) I need my desk. 11) I need my test.

2. 1) I see a happy man. 2) I see a black cat. 3) I see a big table. 4) I see a little bag. 5) I see a big elephant. 6) I see ten bikes. 7) You see bees. 8) You see me. 9) You see a green bag. 10) You see a fat man. 11) You see a fat cat. 12) You see a little apple.

3. 1) My pen is on his table. 2) My pencil is in my bag. 3) My cat is on his desk. 4) It is on my bike. 5) It is on his face. 6) He is in my city.

4. 1) She is nice. 2) He is fat. 3) She is late. 4) She is late every day. 5) His cat is fat. 6) My cat is sick / ill. 7) My bike is black. 8) His city is big. 9) His face is happy. 10) He is in London. 11) She is in London.

5. 1) I am sick / ill. 2) I am late. 3) I am happy. 4) I am in London.

6. 1) Let me tell you. 2) Let him send you five bags. 3) Let me see. 4) Let him see. 5) Let him help me. 6) Let me sell it. 7) Let him sell his bike. 8) Let me meet him. 9) Let Ben feed my cat. 10) Let me help you.

7. 1) I see it every day. 2) Let him send me his pencils. 3) You see a big green city. 4) I feed his cat every day.

УРОК 4

С. 29, завд. 1. 1) head; 2) teach; 3) speak; 4) steak; 5) breakfast; 6) heavy; 7) ready; 8) please; 9) bread; 10) read; 11) eat; 12) tea; 13) sea; 14) see; 15) go; 16) come; 17) monkey; 18) ice cream; 19) Great! 20) break; 21) do, make; 22) shoe; 23) toy; 24) noisy; 25) glove; 26) some; 27) meat

Завд. 2. [eɪ]: break, make, great, steak, lake, take;
[iː]: please, speak, teach, need, see, sea, read;
[e]: head, dead, ready, breakfast, heavy, bread

С. 32, завд. 1. 1) potatoes; 2) tomatoes; 3) radios; 4) babies; 5) days; 6) candies; 7) photos; 8) boys; 9) toys; 10) copies; 11) shoes; 12) gloves; 13) pianos; 14) ladies

Розвиток мовлення. С. 32

1. 1) It is an elephant. – It is not an elephant. 2) I am sad. – I am not sad. 3) He is happy. – He is not happy. 4) It is a toy. – It is not a toy. 5) It is noisy. – It is not noisy. 6) It is my breakfast. – It is not my breakfast. 7) It is his breakfast. – It is not his breakfast. 8) She is ready. – She is not ready. 9) It is a joke. – It is not a joke. 10) It is not my steak. 11) His steak is not great. 12) She is *ill / sick*. – She is not *ill / sick*. 13) She is an actress. – She is not an actress. 14) It is a boy. – It is not a boy.

2. 1) I like toys. 2) You like apples. 3) I like potato. 4) I like meat. 5) You like his city. 6) I like his gloves. 7) I like his bike. 8) I like his baby. 9) You like candies. 10) I like monkeys. 11) You like honey. 12) I like ice cream. 13) I like my breakfast.

3. 1) I can speak English. I speak English every day. Please speak English. 2) You can read English. You read English every day. Please read it today. 3) I can teach English. I teach English every day. Please teach me. 4) I can send you some apples. I send you apples every day. Please send me some apples today. 5) I can make shoes. I make shoes every day. Please make me some shoes. 6) I can make toys. I make toys every day. Please make me a toy today. 7) I can feed his dog. I feed my dog every day. Please feed my dog today.

4. 1) Give me some pencils, please. 2) Give me some bags, please. 3) Give me some ice cream, please. 4) Give me some candies, please. 5) Give me some honey, please.

УРОК 5

С. 37, завд. 1. 1) busy; 2) rule; 3) study; 4) cook; 5) book; 6) blue; 7) bus; 8) look; 9) fun; 10) good; 11) foot; 12) student

С. 40, завд. 1. 1) I'm sad. 2) I am late. 3) He is at home. 4) She is fat. 5) She's an actress. 6) I am happy. 7) He isn't nice. 8) He is lazy. 9) It's an apple. 10) It is an elephant.

Завд. 2. 1) Is Jack lazy? 2) Is his dog kind? 3) Is his house big? 4) Is my food good? 5) Is his book nice? 6) Is it a table? 7) Is it an elephant? 8) Is it a big apple? 9) Is his apple green? 10) Am I happy?

Завд. 3. 1) he isn't. 2) it is. 3) it isn't. 4) I'm not. 5) she is. 6) he isn't. 7) she isn't. 8) he is. 9) I am.

Завд. 4. 1) isn't – Зараз не сонячно. 2) I'm not – Я не ледачий / ледача. 3) isn't – Вона не спізнилася. 4) isn't – Він не льотчик. 5) isn't – Це не собака. 6) isn't – Це не яблуко.

Розвиток мовлення. С. 41

1. 1) Is she at home? – Yes, she is. 2) Is it late? – Yes, it is. 3) Is she late? – No she isn't. 4) Is she at school? – No, she isn't, she's at home. 5) Is he at home? – No, he isn't, he's at school. 6) Is it a cat? – No. it isn't, it's a dog. 7) Is it an elephant? – No, it isn't. 8) Am I late?

2. 1) It isn't very hot. 2) It isn't very late. 3) He isn't a very good pilot. 4) She isn't a very good actress. 5) He isn't very fat. 6) She isn't very happy. 7) I'm not very sad. 8) I'm not very late. 9) She isn't very lazy. 10) She isn't at home. 11) He isn't at school. 12) It isn't sunny.

3. 1) Pay in cash! 2) Say 'Hi!' 3) I'm not at home. 4) (It's) nice to meet you. 5) Give Jack some money. 6) I study English and French. 7) It's fun. 8) I can say he's a bad pilot. 9) I'm in time. 10) Is he at home? 11) I can say she's a great actress.

УРОК 6

С. 48, завд. 1. 1) I'm; 2) You're; 3) She's not; 4) You are; 5) You're not; 6) You aren't; 7) She's not; 8) I am not; 9) It's not; 10) She's

2. 1) isn't – Зараз не темно. 2) aren't – Ти/Ви не письменник. 3) isn't – Вона не спізнилася. 4) isn't – Він не ледачий. 5) isn't – Пітер не водій. 6) isn't – Це не яблуко.

3. 1) Are you at home? 2) Is he a writer? 3) Is she late? 4) Are you a doctor? 5) Is she a nurse? 6) Is it a cat? 7) Am I in time? 8) Am I late? 9) Is he lazy? 10) Is she nice? 11) Are you bored? 12) Is she bored? 13) Are you at school? 14) Are you at home? 15) It isn't dark. 16) I'm not lazy. 17) You're not (=You aren't) late. 18) My son isn't at home. 19) I'm not sad. 20) Is it dark? 21) Is it fun? 23) It's a lot of fun.

Розвиток мовлення. С. 49

1. 1) She's from Poland. 2) I'm from France. 3) You're from Spain. 4) Marco's from Italy. 5) Jack's from Britain. 6) You're from Russia. 7) Pedro's from Spain. 8) I'm from China. 9) He's from Japan. 10) My friends are from Ukraine.

2. 1) Are you from China? – No, I'm not. I'm from Japan. 2) Are you from Poland? – No, I'm not. I'm from Russia. 3) Are you from France? – No, I'm not. I'm from Britain. 4) Are you from Germany? – No, I'm not. I'm from China. 5) Are you from Russia? – No, I'm not. I'm from Ukraine. 6) Are you from Turkey? – No, I'm not. I'm from Germany. 7) Are you from Ukraine? – No, I'm not. I'm from Poland.

3. 1) Tom's a cleaner. 2) She's a driver. 3) I'm a writer. 4) Ted's a teacher. 5) Lucas's a manager. 6) You're a nurse.

4. 1) Mehmet's Turkish. 2) Alan's French. 3) Tom's American. 4) Taras's Ukrainian. 5) Kurt's German. 6) Pedro's Spanish. 7) Luca's Italian. 8) Roman's Russian. 9) Pawel's Polish.

5. 1) Is he a driver? – No, he isn't. He's a manager. 2) Is she a nurse? – No, she isn't. She's a teacher. 3) Is Lily a writer? – No, she isn't. She's an editor. 4) Is Marta an actress? – No, she isn't. She's a nurse. 5) Are you a cleaner? – No, I'm not. I'm a doctor. 6) Are you a pilot? – No, I'm not. I'm a dentist. 7) Is she a dentist? – No, she isn't. She's a writer.

6. 1) Hi! My name's Marta. I'm from Spain. I speak Spanish. I'm a nurse. I live in Madrid. 2) Hi! My name's Daria. I'm from Ukraine. I speak Ukrainian. I'm an actress. I live in Kharkiv. 3) Hi! My name's Pawel. I'm from Poland. I speak Polish. I'm a dentist. I live in Poznan. 4) Hi! My name's Marco. I'm from Italy. I speak Italian. I'm a teacher. I live in Rome. 5) Hi! My name's Marie. I'm from France. I speak French. I'm a secretary. I live in Paris. 6) Hi! My name's Ahmet. I'm from Turkey. I speak Turkish. I'm an actor. I live in Istanbul. 7) Hi! My name's James. I'm from Britain. I speak English. I'm a spy. I live in London. 8) Hi! My name's Mary. I'm from Canada. I speak English and French. I'm a writer. I live in Toronto. 9) Hi! My name's Ivan. I'm from Russia. I speak Russian. I'm a driver. I live in Moscow. 10) Hi! My name's Stefanie. I'm from Germany. I speak German. I'm a nurse. I live in Hamburg.

7. 1) I'm Italian, but I live in Spain, so I study Spanish. 2) I'm British, but I live in Ukraine, so I study Ukrainian. 3) I'm German, but I live in Russia, so I study Russian. 4) I'm Polish, but I live in Turkey, so I study Turkish. 5) I'm Japanese, but I live in France, so I study French. 6) I'm Chinese, but I live in Britain, so I study English. 7) I'm Spanish, but I live in Germany, so I study German.

УРОК 7

С. 59, завд. 1. 1) bosses; 2) dogs; 3) plays; 4) lorries; 5) roses; 6) potatoes; 7) photos; 8) pianos; 9) foxes; 10) copies; 11) tomatoes; 12) boys; 13) shelves; 14) wolves; 15) knives; 16) wives

Завд. 2. 1) fixes; 2) does; 3) copies; 4) goes; 5) guesses; 6) hurry; 7) catch; 8) teaches; 9) studies; 10) tidies

С. 60. Завд. 3. 1) Who is it? – It's a nurse. 2) What is it? – It's an apple. 3) What is it? – It's a fox. 4) Who is it? – It's a boy. 5) What is it? – It's a table. 6) Who is it? – It's a man. 7) What is it? – It's a bird.

Завд. 4. 1) Who likes bananas? 2) Who runs every day? 3) Who gets up at 6? 4) Who often eats fish? 5) Who fixes cars? 6) Who always stays at home on Sundays? 7) Who is sometimes late for the lessons? 8) Who is in time?

Завд. 5. 1) likes sports; 2) her room; 3) sometimes watch; 4) She gets up; 5) He likes apples.

Завд. 6. 1) always – Ти завжди приходиш пізно. 2) sometimes – Вона іноді зупиняється у нас (=залишається з нами). 3) often – Ми часто встаємо о 6-й ранку. 4) very seldom – Я дуже рідко читаю газети. 5) Usually – Зазвичай я граю в теніс щонеділі. 6) rarely – Він рідко їсть банани.

Розвиток мовлення. С. 61

1. 1) He often plays tennis. 2) She always gets up at six a.m. 3) My sister sometimes comes home at seven p.m. 4) I always come home late. 5) He rarely comes home at nine p.m. 6) He always goes to work at ten a.m. 7) She sometimes comes home at five p.m. 8) He usually comes to school in time. 9) I very seldom come home late. 10) She often comes to work late. 11) I sometimes watch TV. 12) He rarely watches TV. 13) Who often comes home late?

2. 1) Who teaches French? 2) Who often watches TV? 3) Who often comes home late? 4) Who is sometimes late for work? 5) Who likes football? 6) Who feeds his cat? 7) Who needs a pen? 8) Who needs a pencil? 9) Who needs a car?

3. 1) Who wants to come? 2) I want to eat a cake. 3) He wants to eat an apple. 4) I want to play. 5) She wants to watch TV. 6) We want to read a book. 7) He wants to read a newspaper. 8) I want to tidy my room. 9) He wants to tidy his room. 10) She wants to cook. 11) I want to cook. 12) She wants to give you some ice cream. 13) She wants to help me. 14) My sister wants to get up at six a.m. 15) We want to meet you today. 16) Who wants to play tennis?

4. 1) I am late for work. 2) I am often late for classes. 3) He is very seldom late for work. 4) She isn't late for school. 5) She's often late for school. 6) I'm rarely late for work. 7) Are you often late for work? 8) Is she always late for work? 9) Who is late for school today? 10) My friend is always late for school. 11) Is his friend often late for school?

5. 1) Will you sit down, please? 2) Will you stand up, please? 3) Will you say it again, please? 4) Will you come up to me, please? 5) Will you write ten words, please? 6) Will you smile, please? 7) Will you count to seven, please? 8) Will you help me, please? 9) Will you give me some water, please? 10) Will you write your address, please? 11) Will you read my note, please?

УРОК 8

С. 64. Зад. 1. 1) sick; 2) thin; 3) mouth; 4) laser; 5) both; 6) faith; 7) closes; 8) bathe; 9) path; 10) sank; 11) think; 12) say; 13) worse; 14) seem

С. 69, завд. 1. 1) this book; 2) that room; 3) those boys; 4) that house; 5) that window; 6) these boxes; 7) those nurses; 8) that table; 9) those cows; 10) these trees; 11) those towns; 12) these walls.

Завд. 2. 1) What is that? – That's a house. 2) What are those? – Those are pencils. 3) What's this? – This is a desk. 4) What are these? – These are rooms.

Завд. 3. 1) a; The; 2) the; a; 3) the; the; the; 4) a; 5) a; a; 6) the; a; 7) a; 8) the; a; 9) a; 10) the (якщо воно в кімнаті одне); a (якщо вікон у кімнаті багато, і ми просимо відчинити одне будь-яке з них); 11) the; –; 12) the; –

Завд. 4. 1) the end of the street; 2) the capital of Britain; 3) the windows and the roof of the house; 4) the houses of this street; 5) the end of the film; 6) the shops of this town; 7) the houses of this city; 8) the streets of my city

Розвиток мовлення. С. 70

1. 1) Let's do it together. 2) Let's play together. 3) Let's go to the theatre together. 4) Let's go to the cinema together. 5) Let's watch this film together. 6) Let's watch TV together. 7) Let's wait together.

2. 1) These boys are full of energy. 2) This house is full of people. 3) This glass is full of water. 4) This street is full of cars. 5) These boxes are full of pencils.

3. 1) We are tired. 2) I'm not tired, are you tired? 3) Are they tired? 4) They aren't bored. 5) I'm not bored. 6) Are you bored? 7) He isn't bored, but she's bored.

4. 1) We aren't hungry, we're just thirsty. 2) He isn't hungry, he's just thirsty. 3) She isn't sad, she's just tired. 4) I'm not hungry, I'm just thirsty. 5) My sister isn't bored, she's just tired. 6) My friend isn't tired, he's just bored. 7) We aren't bored, we're just tired.

УРОК 9

С. 76, завд. 1. 1) a; 2) a; 3) the; 4) The; the; 5) X; 6) X; 7) a; 8) a; The; 9) the; 10) The; the; 11) X; 12) the (якщо ми вказуємо на конкретний олівець); a (якщо нам все одно, який олівець візьме наш співрозмовник); 13) the або an у залежності від того, вказуємо ми на конкретне яблуко, чи ми хочемо одне будь-яке яблуко; 14) a; 15) The; the

Завд. 2. 1) next to the shop; 2) near my city; 3) between the cat and the dog; 4) between those houses; 5) on the roof of her house; 6) opposite his house; 7) in the houses of her city; 8) behind the sofa; 9) in / at the theatre; 10) at work; 11) in / at school; 12) in / at the cinema; 13) opposite the shop; 14) behind the Zoo; 15) on the wall; 16) at the wall; 17) at the table (якщо мається на увазі «сидіти за столом»); behind the table (якщо ми маємо на увазі «позаду столу»); 18) behind her house; 19) behind the wall; 20) under the table; 21) under the chair; 22) under the tree

Розвиток мовлення. С. 77

1. 1) Where are your books? – They are over there, on the shelf. 2) Where's the cat? – It's over there, under the table. 3) Where's your dress? – It's in the room. 4) Where are her friends? – They are at home. 5) Where's my ball? – It's over there, under the chair. 6) Where's the chair? – It's over there, under that tree. 7) Where's your car? – It's over there, between the tree and the house. 8) Where's your house? – It's between the park and the shop. 9) Where's the supermarket? – It's behind the Zoo. 10) Where's the shop? – It's over there, next to the shop. 11) Where are these houses? – They are near the park.

2. 1) We sometimes go to the cinema together. 2) He often needs my help. 3) Jane very seldom needs her car. 4) My friends often go to bed late. 5) I rarely wake up early. 6) He meets his friends in this café. 7) Those boys often come here together. 8) We usually wake up very early. 9) They often get up late. 10) She needs a bike.

УРОК 10

С. 84. Завд. 1. 1) It's half past two. 2) It's quarter to four. 3) It's midday. 4) It's midnight. 5) It's ten past one. 6) It's twenty-five past two. 7) It's ten past eight. 8) It's five past ten. 9) It's five to one. 10) It's five past midnight. 11) It's five to one. 12) It's twenty to nine. 13) It's ten to four. 14) It's quarter past two. 15) It's quarter past one. 16) It's quarter to two. 17) It's twenty-five to three.

Розвиток мовлення. С. 85

1. 1) I go there by bus. 2) He goes there by bus. 3) I come back home by Underground. 4) He comes back home by Underground. 5) He often travels by sea. 6) But sometimes I travel by train. 7) He often travels by plane / by air. 8) He rarely travels by car. 9) I sometimes travel by car. 10) I usually travel by plane. 11) I very seldom travel by sea. 12) My friends rarely travel by plane. 13) My friend often travels by train. 14) My parents sometimes travel by car.

2. 1) I usually get up early. 2) I rarely wake up late. 3) He often wakes very late. 4) Usually Jack goes to bed very early. 5) Sometimes he goes to bed at midnight. 6) My girlfriend comes back home late. 7) She comes home after work late. 8) He comes home after work by half past six. 9) My parents go to work (at) about quarter past nine. 10) I usually come home (at) about twenty to nine. 11) My son goes to school (at) about 8 a.m. 12) These children usually go to school very early.

3. 1) It's fine with him. 2) It's fine with her. 3) It's fine with us. 4) Is it fine with you? 5) Is it fine with him? 6) Is it fine with them? 7) Is it fine with her? 8) Morning is fine with me. 9) Quarter past two is fine with me. 10) Evening is fine with him. 11) Midday is fine with us. 12) Is half past six fine with you? 13) Is nine a.m. fine with you? 14) Is ten p.m. fine with them?

УРОК 11

С. 92. Завд. 1. 1) our; 2) their; 3) your; 4) his; 5) its; 6) my; 7) her; 8) his; 9) their; 10) our; 11) her; 12) their

Завд. 2. 1) my; 2) His; 3) Her; 4) Its; 5) Our; 6) Her; 7) their

С. 93. Завд. 3. 1) f; 2) h; 3) a; 4) c; 5) g; 6) j; 7) k; 8) m; 9) e; 10) b; 11) d; 12) i; 13) l

Розвиток мовлення. С. 93

1. 1) How are you? 2) How are your parents? 3) How are his friends? 4) How is your brother? 5) How is Mike?

2. 1) I'm fine. 2) They are fine. 3) Peter is fine. 4) My parents are fine. 5) We are fine.

3. 1) What's your name? 2) What's his name? 3) What's her name? 4) What are you (by profession)? / What's your profession? 5) What's his profession? 6) What's her profession? 7) What's your brother (by profession)? 8) What's their job? 9) What's her job? 10) What's your job?

4. 1) Is your brother a doctor? 2) I'm not a nurse. 3) Is he an accountant? 4) She isn't a flight attendant. 5) We aren't builders 6) They aren't drivers. 7) I'm a dentist. 8) My sister is a teacher. 9) Is your dad a teacher? 10) My friend is a builder. 11) My friends are engineers. 12) He isn't an engineer. 13) They are managers. 14) My parents are accountants. 15) His sister isn't a hairdresser. 16) Are you nurses? 17) I'm not a hairdresser. 18) We aren't nurses.

5. 1) Where are you from? – I'm from Germany. 2) Where's he from? – He's from China. 3) Where's she from? – She's from Ukraine. 4) Where's your father from? – He's from Japan. 5) Where's your friend from? – She's from Poland. 6) Where are your neighbours from? – They're from France. 7) Where are your friends from? – They are from Spain. 8) Where's your wife from? – She's from Italy. 9) Where are they from? – They are from

Turkey. 10) Where are her parents from? – They're from Britain.

УРОК 12

С. 97, завд. 1. 1) constitution; 2) diction; 3) version; 4) emotion; 5) revolution; 6) portion

С. 99, завд. 1. 1) literature; 2) pleasure; 3) measure; 4) treasure; 5) nature; 6) feature; 7) pressure; 8) culture; 9) picture; 10) leisure; 11) creature; 12) structure

С. 104, завд. 1. 1) Don't buy it! 2) Don't look here! 3) Don't listen to him! 4) Don't come today! 5) Don't go to the theatre! 6) Don't join them! 7) Don't smile! 8) Don't read aloud! 9) Don't write! 10) Don't stay in that hotel! 11) Don't take this book! 12) Don't sell your car! 13) Don't show it to me!

Завд. 2. 1) Join us! 2) Don't go there! 3) Don't read this letter! 4) Give it to me! 5) Don't give it to him! 6) Don't talk! 7) Don't shout / cry! 8) Don't write these words! 9) Don't tell them this joke! 10) Don't cry! 11) Read it aloud! 12) Don't read it aloud!

Завд. 3. 1) it; 2) it; 3) them; 4) them; 5) him; 6) them; 7) her; 8) him

Завд. 4. 1) them; me; 2) it; her; 3) it; him; 4) it; them; 5) them; us; 6) them; her

Завд. 5. 1) his sister's school; 2) the dog's tail; 3) my brother's trousers; 4) these children's toys; 5) my mother's dress; 6) Jack's book; 7) my parents' company; 8) these boys' bikes; 9) Mary's and Ann's children

Завд. 6. 1) Whose computer is this? 2) Whose children are these? 3) Whose parents are these? 4) Whose house is this? 5) Whose garden is this? 6) Whose cars are these? 7) Whose clothes are these? 8) Whose food is this? 9) Whose money is this?

Завд. 7. 1) this woman's children; 2) Pete's tent; 3) Angela's pen; 4) Ann's and Robert's chairs; 5) Tom's and Eddie's tests; 6) Alex's and Jane's photo cameras; 7) Bob and his wife's hotel; 8) my children's bags; 9) my friends' tables

Завд. 8. 1) These are my sons' shirts. 2) Those are these women's dresses. 3) This is my friend's daughter. 4) These are Jill's parents. 5) This is my brother's car.

Завд. 9. 1) Don't be angry! 2) Don't be sad! 3) Don't be late! 4) Don't be sorry!

Розвиток мовлення. С. 106

1. 1) Don't explain it to me! 2) Explain it to my brother! 3) Explain it to Jack! 4) Don't explain this rule to Jack! 5) Explain this rule to us! 6) Our teacher explains rules to us every day. 7) Don't be silly! 8) Don't be late!

2. 1) Show it to me. 2) Show it to them. 3) Show it to her. 4) Show it to us. 5) Show it to his sister. 6) Show it to Mike's sister. 7) Give it to him. 8) Give it to my dog. 9) Give it to me. 10) Give it to Jane's brother. 11) Buy it for me. 12) Buy it for your parents. 13) Buy it for us. 14) Buy it for Tom's brother.

УРОК 13

Робота з текстом. С. 107

Завд. 1. 1) I don't speak foreign languages. 2) that's why; 3) I never travel alone. 4) stay at good hotels; 5) We never stay at hostels. 6) unfortunately; 7) We never travel by sea. 8) feel seasick; 9) rent an apartment; 10) travel by air; 11) a native language; 12) travel by train; 13) travel by car; 14) I don't like ships. 15) We are never bored. 16) travel together

Grammar practice. С. 110

1. 1) don't watch; 2) don't drink; 3) don't eat; 4) doesn't play; 5) don't like; 6) doesn't do; 7) don't play; 8) don't sing; 9) doesn't travel; 10) doesn't study; 11) don't swim; 12) don't speak; 13) doesn't like

2. 1) watches; 2) plays; 3) sings; 4) reads; 5) helps; 6) jogs; 7) eats; 8) learns; 9) cooks; 10) speaks; 11) likes; 12) stay

3. 1) am not; 2) don't; 3) doesn't; 4) don't; 5) isn't; 6) don't; 7) doesn't; 8) am not; 9) doesn't; 10) aren't; 11) aren't; 12) don't; 13) isn't; 14) doesn't

6. 1) They don't read newspapers. 2) Liz doesn't read books. 3) He doesn't like tea. 4) Lily doesn't play the piano. 5) They don't like apples. 6) They aren't late. 7) Bob doesn't sing. 8) His friends don't sing. 9) I'm not hungry. 10) I don't drink coffee. 11) Tim's cat doesn't drink milk. 12) e doesn't like sweets. 13) Babies don't run. 14) My friend isn't ill / sick. 15) We don't swim in cold water. 16) My brother doesn't study / learn English. 17) My dog doesn't jump. 18) We don't travel by sea.

7. 1) never swims; 2) never counts; 3) is never ill; 4) never eats; 5) are never late; 6) never drinks; 7) never goes; 8) never stay; 9) never do; 10) never watch

8. 1) never travels; 2) never reads; 3) never eat; 4) never goes; 5) never sings; 6) never travel; 7) never help; 8) never travel; 9) never rent

9. 1) doesn't swim; 2) doesn't tell; 3) doesn't climb; 4) don't travel; 5) doesn't shout; 6) doesn't do; 7) don't play

10. 1) She doesn't watch TV. / She never watches TV. 2) She doesn't eat sweets. / She never eats sweets. 3) It doesn't fly. / It never flies. 4) You don't draw. / You never draw. 5) We don't play together. / We never play together. 6) They don't work hard. / They never work hard. 7) It doesn't run fast. / It never runs fast. 8) He doesn't smile. / He never smiles. 9) He doesn't talk loudly. / He never talks loudly.

Розвиток мовлення. С. 113

1. 1) My name's Jack. 2) My sister's name's (=name is) Anna. 3) What's his name? 4) What's your brother's name? 5) My friend's name's (=name is) Nick. 6) His brother's name's Leo. 7) What's your neighbour's name? 8) My neighbour's name's Ted. 9) Her neighbour's name's Karin. 10) What are your neighbours' names? 11) What's her brother's name? 12) Her brother's name's Ted. 13) What are these children's names? 14) What are your friends' names?

2. 1) I'm bored. 2) He's bored. 3) He isn't bored. 4) He's never bored. 5) I'm never bored. 6) Are you bored? 7) Is your friend bored? 8) My friends aren't bored. 9) I'm happy. 10) They aren't happy. 11) We aren't ill / sick. 12) We are never ill in winter. 13) He's often ill in winter. 14) She's sometimes ill in spring. 15) He's sad. 16) They are never sad. 17) We are thirsty. 18) They are thirsty. 19) I'm not thirsty. 20) Are you thirsty? 21) Is he thirsty? 22) Are you hungry? 23) No, we aren't hungry, we are just thirsty. 24) Is he hungry? 25) No, he isn't hungry, he's just thirsty. 26) Mike's children aren't hungry. 27) They aren't sad, they are just tired. 28) Are you tired? 29) He isn't tired, he's just hungry. 30) Is your brother tired? 31) Are your neighbours tired? 32) Is your neighbour ill? 33) No, my neighbour isn't ill.

3. 1) I'm from Great Britain. 2) My native language is Russian, but I also speak English and German. 3) My friend travels a lot. 4) My mom doesn't speak foreign languages, that's why she never travels alone. 5) When we travel, we usually rent a car. 6) My neighbours usually travel by air / by plane, but sometimes they travel by train or by car. 7) We often travel by sea. 8) I never feel seasick. 9) I don't like planes. 10) They are never bored when they are together. 11) Unfortunately Jack's daughter is very tired. 12) How do you usually travel? 13) Where are they from? 14) My neighbour's wife isn't from Germany. 15) He doesn't often feel seasick. 16) Jack's brother usually stays at hotels, but sometimes he rents an apartment. 17) Your friends work a lot. 18) My friend's daughter doesn't like planes. 19) Whose daughter is it? 20) They are never tired. 21) We don't always travel together.

УРОК 14

Робота з текстом. С. 118

1. 1) works as a surgeon; 2) except Sunday; 3) on Friday; 4) performs operations; 5) goes on holiday; 6) twice a year; 7) instead; 8) goes sledding; 9) goes skating; 10) in summer / in winter; 11) goes skiing; 12) in the mountains; 13) go to the seaside; 14) in the swimming pool; 15) in the afternoon; 16) have a rest; 17) their little daughter doesn't care; 18) play tennis; 19) prefers; 20) have dinner; 21) French cuisine; 22) a self–catering apartment; 23) rent; 24) stay in a hotel / stay at a hotel; 25) sunbathe

Grammar practice. С. 121

1. 1) Does he perform operations? 2) Does Dr Baskin work as a surgeon? 3) Does his little daughter ski? 4) Do the Baskins go to the seaside? 5) Do your friends watch TV? 6) Do I speak loudly? 7) Does Dr Baskin's wife speak French? 8) Do the Baskins usually rent an apartment? 9) Do you usually stay at a hotel?

2. 1) Do; 2) Does; 3) Do; 4) Do; 5) Do; 6) Does; 7) Does; 8) Do; 9) Do; 10) Does

3. 1) Yes, she does. / No, she doesn't. 2) they don't. 3) he doesn't. 4) he does. 5) she doesn't. 6) No, they don't. 7, 8, 9) Yes, I do. / No, I don't. 10) No, they don't. 11) Yes, they do. / No they don't. 12) I'm not. 13) he does. 14) Yes, I do. / No, I don't. 15) he doesn't. 16) they aren't. 17) he is. 18) they don't. 19) Yes, I do. / No I don't.

4. 1) Does Dr Baskin's daughter like skating? 2) Is his hat black? 3) Does Dr Baskin work at a hospital? 4) Do they know the way to the park? 5) Does her uncle always buy food here? 6) Do his friends like jogging? 7) Is he sad? 8) Does she feel better today?

5. 1) Do you usually stay in a hotel when you go on holiday? – Yes, I do. / No, I don't. 2) Does the shark swim fast? – Yes, it does. 3) Does your brother/sister draw well? – Yes, he/she does. / No, he/she doesn't. 4) Does the frog jump? – Yes, it does. 5) Do birds fly? – Yes, they usually do. 6) Does the mouse sing? – No, it doesn't. 7) Does the fish swim? – Yes, it does. 8) Do you go on holidays in winter? – Yes, I do. / No, I don't.

6. 1) Do; 2) Is; 3) Are; 4) Does; 5) Do; 6) Are; 7) Are; 8) Do; 9) Are; 10) Does; 11) Do; 12) Do; 13) Are; 14) Does; 15) Are; 16) Do; 17) Does; 18) Does; 19) Is; 20) Do; 21) Does; 22) Do; 23) Is; 24) Is; 25) Do; 26) Are; 27) Do; 28) Is; 29) Does; 30) Is

7. 1) Is this dress beautiful? 2) Are they together there? 3) Do they often watch TV? 4) Does your brother travel a lot? 5) Do you feel well? 6) Does the shop open at 8 a.m.? 7) Do you come here every day? 8) Does your friend know the way? 9) Is he late again?

8. 1) What's Dr Baskin's name? 2) Where does Dr Baskin work? 3) Does he work as a dentist (або будь-яка інша професія, крім хірурга)? 4) How often does he perform operation? 5) Is he happy when he goes on holiday? 6) Where does he ski in winter? / Where does he spend his winter holidays? 7) Does Dr Baskin's little daughter ski? 8) What does she do instead? 9) Where do they go in summer? 10) Where do they stay when they go on holiday in summer? 11) What do they do at the seaside? 12) Where do they swim when the sea is cold? 13) What do they do in the afternoon? 14) What do they do in the evening? / Where do they usually have dinner? 15) Who likes French cuisine? 16) Who prefers Italian cuisine? 17) Do the Baskins like their holidays?

9. 1) I often go to London. 2) My parents are in Britain now. 3) We usually spend our holiday at the seaside / at the sea. 4) We go to the seaside every summer. 5) My brother goes to the mountains every winter. 6) We don't usually spend holidays in the mountains.

Лексико–граматичні завдання. С. 125

1. 1) on; 2) in; 3) in; 4) on; 5) in; 6) on; 7) in; 8) in; 9) in; 10) on

2. 1) on Saturdays; 2) in March; 3) in spring;

4) in autumn; 5) in winter; 6) in summer; 7) on Monday; 8) in January; 9) on Thursdays; 10) on Tuesday. 11) in July; 12) in September.

3. 1) –; 2) the; 3) –; 4) –; 5) the; 6) the; 7) –; 8) –; 9) the; 10) –; 11) –.

4. 1) He plays basketball. 2) I don't play the piano. 3) Do you play tennis? 4) Do your friends play the violin? 5) We don't play cards. 6) Does Nick play volleyball? 7) My neighbours play the guitar. 8) Do your neighbours play the piano? 9) Does your friend play the trumpet? 10) They don't play volleyball. 11) oes your brother play tennis? 12) Our neighbour plays the trumpet.

5. 1) She works as a nurse. 2) He works as a driver. 3) Do you work as a teacher? 4) We don't work as drivers. 5) They work as managers. 6) Does he work as a secretary? 7) Does she work as a surgeon? 8) She doesn't work as a doctor. 9) My friends work as surgeons. 10) Do your parents work as teachers?

6. 1) I don't care. 2) She doesn't care. 3) He doesn't care. 4) We don't care. 5) They don't care. 6) My sister doesn't care. 7) His friends don't care. 8) Mary's brother doesn't care. 9) Our neighbours don't care. 10) Tom's neighbours don't care.

7. 1) I like Italian cuisine. 2) We prefer Oriental cuisine. 3) My sister doesn't like Mexican cuisine. 4) She prefers European cuisine. 5) Do you like French cuisine? 6) Do your parents like Spanish cuisine? 7) Does Jack like Portuguese cuisine? 8) Does he prefer Oriental cuisine? 9) They prefer Japanese cuisine. 10) Do you prefer Chinese cuisine?

8. 1) We go skiing every winter. 2) In winter we often go skating. 3) My daughter often goes sledding with her friends. 4) Let's go fishing. 5) In spring Jack often goes sailing. 6) Every evening Anna goes jogging / running. 8) When I go abroad, I often go sightseeing. 9) Let's go roller–skating. 10) Let's go skating. 11) Let's go jogging together. 12) He doesn't go fishing in January. 13) They never go sightseeing. 14) Sara never goes sailing alone. 15) I never go skiing alone. 16) In winter we usually go skiing in the mountains.

9. 1) We usually stay in / at this hotel when we go on holiday. 2) They never stay at hostels. 3) My friend lives in London. 4) Where does your mom live? 5) Where do you usually stay when you go to the seaside?

Revision exercise. C. 129

1) Does your husband work as a surgeon? 2) My kids do sport / sports every day, except Sunday. 3) His neighbours go on holiday twice a year: in summer they go to the seaside and in winter they spend their holiday in the mountains. 4) When we go on holiday, we rarely stay at hotels. We often rent a self–catering apartment. 5) Her little son never goes skiing. He goes sledding instead. 6) When do you go to the swimming pool? 7) What cuisine does your son prefer? – My son doesn't care. 8) My children don't go sightseeing.

УРОК 15

Робота з текстом. С. 131

1. 1) the Dutch; 2) in the morning; 3) have lunch; 4) at midday; 5) in the evening; 6) finish work; 7) finishes work; 8) the Norwegians; 9) go to work; 10) in the afternoon

Grammar practice. C. 132

1. 1) 11.30 a.m. 2) 15.40/3.40 p.m. 3) 00.35; 4) 7.10 p.m. 5) 5 p.m. 6) 00.30; 7) 00.00; 8) 12.00; 9) 12.15

2. 1) What time do children in Austria go to school? 2) What time do the Dutch start work? 3) What time do people in Germany go to work? 4) What time do people in Holland and the USA finish work? 5) What time do the Spanish have dinner? 6) What time do people in Spain have lunch?

3. 1) Where do people finish work at five in the afternoon? 2) Where do people have lunch at three or four o'clock in the afternoon? 3) Where do people have dinner at five in the afternoon? 4) Where do people have lunch at midday? 5) Where do people start work at eight in the morning and finish work at five in the afternoon? 6) Where do people go to work between seven and nine in the morning?

4. 1) Who goes to work between seven and nine in the morning? 2) Who starts work at eight in the morning and finishes work at five in the afternoon? 3) Who has dinner at five in the afternoon? 4) Who finishes work at five in the afternoon? 5) Who has lunch at midday? 6) Who has lunch at three or four o'clock in the afternoon?

5. 1) the Germans; 2) the Dutch; 3) the French; 4) the British; 5) the Japanese; 6) the Chinese; 7) the Canadians; 8) the Polish; 9) the Ukrainians; 10) the Russians

Revision exercise. C. 134

1) Do the Dutch start work at seven a.m. / in the morning? – No, they don't. 2) What time does your daughter usually get up? – At quarter to eight. 3) Do the Polish work a lot? 4) We have lunch at midday. 5) My father often comes back home after 8 p.m. 6) I don't go to bed late. 7) Her daughter leaves home at half past eight in the morning. 8) My mom always brushes her teeth after breakfast.

УРОК 16

Робота з текстом. . С. 136

1. 1) a primary school teacher; 2) I love little kids. 3) wonderful; 4) aunts and uncles; 5) rent a flat; 6) live alone; 7) divorced; 8) work on the farm; 9) hard work; 10) work hard; 11) a widower; 12) in exchange for food; 13) grown–up; 14) work as a waitress; 15) be single; 16) twins; 17) a family reunion; 18) instead; 19) a vet; 20) live nearby; 21) something delicious; 22) on weekends; 23) granny / grandpa; 24) the same;

25) grandchildren; 26) an only child; 27) older boys; 28) be often away from home; 29) stay at home; 30) (the) old and sick people; 31) twice a day; 32) to get water; 33) in–laws.

Grammar practice. С. 138

1. 1) I've got an exercise book. 2) We've got a book. 3) You've got a good boss. 4) I've got a flat–screen TV. 5) They've got a big house. 6) She's got an eraser. 7) He's got an uncle in Germany. 8) My nephew's got a good job.

2. 1) My father–in–law hasn't got a big car. 2) My daughter–in–law's hasn't got a sister. 3) They haven't got nice suits. 4) My friends haven't got any books in German. 5) We haven't got any money. 6) He hasn't got a brother. 7) You haven't got any time.

3. 1) Has your daughter got a pet? – No, she hasn't. 2) Has she got an aunt? – No, she hasn't. 3) Have we got any sugar? – No, we haven't. 4) Have they got any friends here? – Yes, they have. 5) Have you got any time? – No, I haven't. 6) Has she got any money? – Yes, she has. 7) Have your friends got any flowers? – No, they haven't. 8) Has your baby got a toy? – Yes, it has. 9) Has he got a car? – No, he hasn't.

4. 1) Tom is; 2) She has got; 3) He is; 4) He has got; 5) She is; 6) She has got; 7) He is; 8) He is; 9) It has got; 10) It is

5. 1) Have they got a country house? 2) Do you have a nice dress? 3) Does he have any mistakes in his test? 4) Has he got any problems? 5) Do they have a noisy neighbour? 6) Have you got a brother? 7) Do they have any meat? 8) Does he have any fish?

6. 1) Sam doesn't have long hair. 2) My parents haven't got good jobs. 3) Their children don't have any friends here. 4) We don't have any nice pictures on the wall. 5) They haven't got a wonderful garden. 6) My classmate doesn't have four sisters. 7) Our teacher hasn't got a nice voice. 8) Tara doesn't have any mistakes in her test.

Розширення словникового запасу. С. 141

1. 1) My son–in–law works as a driver. 2) Her daughter–in–law has / has got three brothers. 3) My brother's mother–in–law prefers Oriental cuisine. 4) Where does your uncle live? 5) Does your aunt work in Spain? 6) Does her father–in law have / Has her father–in law got four cars?

2. 1) in exchange for food; 2) in exchange for your silence; 3) in exchange for your work; 4) in exchange for coffee; 5) in exchange for this trip; 6) in exchange for your explanation

3. 1) Are you an only child? 2) He isn't an only child. 3) Clara isn't an only child. 4) Is she an only child? 5) It's bad to be an only child.

4. ***A.*** 1) I don't go jogging, I go swimming instead. 2) I don't eat pears, I eat apples instead. 3) I don't have / I haven't got a dog, I have / I've got a cat instead. 4) He doesn't drink coffee, he drinks tea instead. 5) She doesn't eat sweets, but she eat a lot of chocolate instead. 6) I don't do sport but I walk a lot instead.

B. 1) Will you give me tea instead of coffee, please? 2) Eat fruit instead of sweets. 3) Will you give me fish instead of meat, please? 4) I always do it instead of you. 5) My brother is ill, so / that's why I want to go to the theatre instead of him.

5. 1) My mom is a primary school teacher. 2) Your brother works as a primary school teacher. 3) They love little kids. 4) They've got three wonderful kids. 5) My uncles and aunts live in Germany. 6) We never rent an apartment when we go on holiday. 7) Let's rent a car. 8) Let's rent a boat. 9) My aunt lives alone. 10) My uncle works on the farm. 11) It's hard work. 12) He doesn't like hard work. 13) Does he always work hard? 14) She never works hard. 15) My uncle is a widower. 16) Is she a widow? 17) She isn't a widow, she's divorced. 18) My sister isn't married, but she's got a daughter. 19) My friend works as a waitress in this restaurant. 20) Their children are grown–up already. 21) They are twins. 22) We aren't twins. 23) It's a big family reunion. 24) My grandpa works as a vet. 25) My granny works as a primary school teacher. 26) My parents–in–law live nearby. 27) Do you live nearby? 28) He doesn't live nearby. 29) My granny always cooks something deletions when we come. 30) Does your mom always cook something deletions on Sundays? 31) Her grandchildren live nearby. 32) He has the same mistake. 33) We go to the same place every year. 34) They rent the same car. 35) They live in the same room. 36) It's the same person. 37) They have dinner in the same restaurant. 38) We visit my in laws twice a year. 39) He comes here twice a day. 40) He goes to London twice a month. 41) They walk for three miles to get water. 42) The old and sick people stay at home. 43) My grandparents very seldom stay at home on weekends. 44) On weekends we often stay at home. 45) My son is (far) away from home. 46) Are they away from home now? 47) My brother is often (far) away from home. 48) Her grandchildren live in the same city / town.

УРОК 17

Робота з текстом. С. 144

1. 1) a dishwasher; 2) a kitchen; 3) a private terrace; 4) a luxury apartment; 5) a gym; 6) a swimming pool; 7) a shop; 8) a restaurant; 9) a cooker; 10) a fridge; 11) a microwave; 12) a private bathroom; 13) fully furnished; 14) a garden; 15) a modern flat–screen TV; 16) a living room; 17) a comfortable home; 18) a washing machine; 19) furniture; 20) a traffic jam; 21) a bedroom; 22) city stress

2. 1) No, it's false. There's a private bathroom in every apartment. 2) No, it's false. There isn't a garden and there are three restaurants on the ship.

3) Yes, it's true. There is a large living room in every apartment. 4) No, it's false. Every apartment has a private terrace. 5) No, it's false. There are no cars, but there are a lot of shops on the ship. 6) No, it's false. There's no city stress on the ship. 7) No, it's false. There isn't a gym in every restaurant. There's one gym on the ship. 8) No, it's false. The apartments are fully furnished. 9) No, it's false. There isn't a garden in the apartments.

Grammar practice. C. 148

1. 1) is; 2) is; 3) is; 4) are; 5) are

2. 1) There is a plant in the middle of the room. – Посередині кімнати стоїть (знаходиться) рослина. 2) There is a cat behind the arm–chair. – За кріслом сидить кіт. 3) There are some flowers in the vase. – У вазі стоїть декілька квітів. 4) There are many people in the room. – У кімнаті знаходиться багато людей. 5) There is a car in front of the house. – Перед домом стоїть машина. 6) There is a tree behind the house. – За домом росте дерево. 7) There is an arm–chair to the left of the window. – Зліва від вікна стоїть крісло. 8) There is a table in front of the wardrobe. – Перед шафою стоїть стіл. 9) There are two chairs to the left of the door. – Зліва від дверей стоять два стільці.

3. 1) There's a cat and a dog under the table. 2) It's in the wardrobe. 3) They are on the table. 4) There are some chairs in that room. 5) There are new books in my bag.

4. 1) There's a pen on the table. 2) The book is on the table. 3) There are some children in the room. 4) There are many / a lot of trees in the garden. 5) There's a picture on the wall. 6) The picture is on the wall. 7) In front of the sofa there's an arm–chair.

5. 1) Are there any birds; 2) Are there any toys; 3) Is there a dog; 4) Is there any soup

6. 1) There's no bird; 2) There's no cat; 3) There are no trees; 4) There are no cars

7. 1) Yes, there is. 2) Yes, there are. 3) No, there aren't. 4) Yes, there are. 5) No, there isn't. 6) No, there aren't.

8. 1) There aren't any flowers; 2) There aren't any boys; 3) There isn't any snow; 4) There aren't any clouds; 5) There isn't any pen; 6) There aren't any people; 7) There isn't any money

9. 1) There's a park in his town. 2) There's a hotel in his town. 3) There are three schools in his town. 4) There's a hospital in his town. 5) There is no river in his town. 6) There's a cinema in his town. 7) There are two restaurants in his town. 8) There is no theatre in his town. 9) There are two disco clubs in his town.

10. 1) There's; 2) There's; 3) There's; 4) There are; 5) There isn't; 6) There are; 7) There aren't;

Supplementary reading. C. 151

wonderful beaches; delicious food; cheap hotels; the famous Bondi Beach; wonderful bridge; fast trains; slow buses

Розширення словникового запасу. C. 152

1. 1) behind the microwave; 2) to the right of the garden; 3) to the left of the park; 4) in the middle of the gym; 5) over the table; 6) over the window; 7) over the city; 8) opposite the bank; 9) opposite the swimming pool; 10) in front of the shop; 11) in front of the garden; 12) to the right of the dishwasher; 13) to the left of the terrace; 14) in the middle of the terrace; 15) in the middle of the garden; 16) behind the garden; 17) between the microwave and the cooker; 18) opposite the fridge; 19) in front of the gym; 20) in front of the swimming pool; 21) next to the dishwasher; 22) to the right of the washing machine; 23) behind the washing machine; 24) in front of the washing machine; 25) under the washing machine; 26) between the washing machine and the dishwasher; 27) in the middle of the bathroom; 28) in the middle of the traffic jam; 29) to the left of the gym; 30) to the right of the shop

2. 1) There are two swimming pools in our city / town. 2) In this apartment there are two bedrooms, a private bathroom, a kitchen and a private terrace. 3) Is there a garden in front of the house? 4) To the left of the garden there's a restaurant. 5) The microwave is to the left of the fridge. 6) In this fully furnished luxury apartment there's a private swimming pool and a gym. 7) The shop is behind the garden. 8) In the kitchen there's a cooker, a fridge, a microwave and a small / little flat–screen TV. 9) There's modern furniture in this restaurant. 10) There's a dishwasher in this apartment. 11) In this city there are always traffic jams in the rush hours. 12) There's no city stress in the country. 13) To the left of the bedroom there's a living room. 14) There's a picture over the desk. 15) Opposite the cooker there's a little kitchen table. 16) There's a plate to the left of the microwave. 17) In the middle of the kitchen there's a plant. 18) There's a gym to the right of the bathroom. 19) There's a plant to the left of the window. 20) There's a DVD–player to the right of the window.

Revision exercise. C. 154

1) What time does he usually come back home after work? – At half past six. 2) Do you need this book? – No, I don't. 3) Are Americans hard–working? 4) Do you know the answer to this question? 5) We don't usually spend our summer holiday at the seaside. 6) Which cuisine does your sister prefer? 7) Their little son doesn't go skiing, he goes sledding instead. 8) In the morning my uncle prefers juice instead of coffee.

УРОК 18

Робота з текстом. C. 156

1. 1) meat; 2) fish; 3) Oh, gosh! 4) Are you sure? 5) cheese; 6) enough; 7) an egg; 8) jam; 9) honey; 10) sweets; 11) There's no sugar left in the house. 12) bread; 13) biscuits; 14) sugar; 15) sugar–basin; 16) almost empty

Grammar practice. C. 158

1. 1) any; 2) any; 3) some; 4) some; 5) any; 6) some

2. 1) there aren't any. 2) I've got some. 3) there isn't any. 4) there are some. 5) he's got some.

3. 1) Has she got any pets? – No, she hasn't got any pets. 2) Has he got any books in his bag? – No, he hasn't got any books in his bag. 3) Have they got any beautiful pictures? – No, they haven't got any beautiful pictures. 4) Is there any milk in your tea? – No, there isn't any milk in your tea. 5) Are there any mistakes in her test? – No, there aren't any mistakes in her test. 6) Have you got any meat on your plate? – No, I haven't got any meat on your plate.

4. 1) much; 2) many; 3) a lot of; 4) many; 5) a lot of; 6) a lot of; 7) much

5. 1) How many … are there; 2) How much … is there; 3) How much … is there; 4) How much … is there; 5) How many … are there

6. 1) How much money have you got? 2) How much cheese have you got? 3) How many oranges have you got? 4) How many pears have you got? 5) How much meat have you got? 6) How many candies have you got? 7) How much food have you got? 8) How much salt have you got?

7. 1) a few; 2) a little; 3) a few; 4) a few; 5) a few; 6) a little

8. 1) a little fresh air; 2) a few houses; 3) a little German; 4) a few chairs; 5) a few times

9. 1) I've got a little, but not much. 2) I've got a few, but not many. 3) I've got a few, but not many. 4) I've got a little, but not much. 5) I've got a little, but not much. 6) I've got a little, but not much. 7) I've got a few, but not many. 8) I've got a few, but not many. 9) I've got a little, but not much.

10. 1) a few; 2) few; 3) few; 4) much; 5) a little; 6) a few; 7) little; 8) many; 9) many; a few; 10) few; 11) a few; 12) a little; 13) little; 14) few; 15) a few; many; 16) many; a few

11. 1) little; 2) a little; 3) little; 4) a little; 5) a few; 6) few; 7) Few; 8) few

12. 1) many; 2) many; 3) a few; 4) a few; 5) any; 6) any; 7) many; 8) many; 9) many; 10) any; 11) some; 12) some; 13) some; 14) much; 15) no; 16) a lot of; 17) Some; 18) a little; 19) a lot of

Розширення словникового запасу. С. 162

1. 1) There are no eggs left in the house. 2) There's no sugar left in the sugar–basin. 3) There are no cars left in the street. 4) There are no people left on the beach. 5) There's no meat left in the fridge. 6) There's no food left on the plate. 7) There are no theatres left in the town. 8) There are no leaves left on the tree. 9) There are no good teachers left in this school. 10) I have / have got no money left. 11) He has no friends left. 12) They've got no hope left. 13) He's got no hope left. 14) We've got no water left. 15) Sara has no food left.

2. 1) We've got few biscuits. 2) They've got a lot of sugar. 3) She's got little cheese. 4) We've got a few eggs. 5) We've got a few candies. 6) We've got very much fish. 7) We've got little bread. 8) He's got little honey. 9) He's got a lot of jam. 10) They've got very many biscuits. 11) She's got a little sugar.

3. 1) Our fridge is almost empty. 2) The sugar–basin is almost empty. 3) His bag is almost empty. 4) Her table is almost empty. 5) My plate is almost empty. 6) The streets of the city / town are almost empty. 7) The villages of this region are almost empty.

4. 1) Are you sure? 2) I'm not quite sure. 3) She's absolutely sure. 4) My friends are not quite sure. 5) My brother isn't sure. 6) His sister is not quite sure. 7) We are not quite sure. 8) Are they absolutely sure? 9) My parents are not quite sure.

Revision exercise. С. 164

1) Are you hungry? 2) Is your friend thirsty? 3) What foreign languages does your brother speak? 4) My aunt is from Germany. She speaks German. 5) Will you come up to me, please. 6) He isn't tired, he's just bored. 7) Are these your daughter's friends? 8) There's a big plant opposite the sofa. 9) Where do you usually meet (with) your friends? 10) Do you usually travel by car, by train or by air / plane. 11) Is it fine with you? 12) What is your mother–in–law (by profession)? 13) Don't be lazy! 14) These girls' dolls are absolutely new. 15) Whose houses are these? 16) Don't explain it to us! 17) Don't be late! 18) They are never bored when they are together. 19) What's your brother–in–law's name? 20) They always stay in / at this hotel.

УРОК 19

Робота з текстом. С. 166

1. 1) nearest; 2) I've no idea. 3) Excuse me. 4) near hear; 5) nearer; 6) which one; 7) How can we get there? 8) far; 9) far from here; 10) straight ahead; 11) as far as; 12) crossroads; 13) traffic lights; 14) the second turning; 15) a hairdresser's; 16) pass; 17) a chemist's; 18) again; 19) turn left; 20) the third; 21) on your right; 22) a butcher's; 23) opposite the butcher's; 24) You can't miss it. 25) Thanks a lot. 26) You're welcome. 27) any time

Grammar practice. С. 169

1. 1) This girl can dance well. 2) Tom can sing well. 3) Sam can paint well. 4) My sister can read well. 5) Luke's mother can cook well. 6) Tim and Liz can draw well. 7) Dave can play the piano well.

2. 1) I can swim. 2) Sam's brother can draw well. 3) Birds can fly. 4) Dogs can swim. 5) My mom can cook well. 6) He can play the piano. 7) I can dance. 8) My brother–in–law can sing well. 9) Dora can read well. 10) I can run fast.

3. 1) Some cats can't swim at all. 2) You can't sing at all. 3) Ostriches can't fly at all. 4) They can't play the trumpet well. 5) My neighbour can't swim well. 6) Sara's little brother can't count at all. 7) My sister can't read well. 8) They can't draw at all.

4. 1) haven't; 2) can't; 3) hasn't; 4) can't; 5) haven't; 6) haven't; 7) can't; 8) can't; 9) can't

5. 1) He can't fly. 2) She can't read. 3) We can't swim well. 4) They can't draw well. 5) I can't sing. 6) You can't count. 7) Tom's dog can't jump. 8) Cats can't bark. 9) Kate can't play the guitar. 10) They can't cook at all. 11) I can't play football at all.

6. 1) Can fish fly? 2) Can birds sing? 3) Can Sam play the violin? 4) Can lions swim? 5) Can your sister ski? 6) Can bears climb trees? 7) Can Tina skate?

7. 1) Yes, I can. / No, I can't. 2) No, they can't. 3) Yes, they can. 4) he can't. 5) Yes, I can. / No, I can't. 6) No, they can't. 7) Yes, I can. / No, I can't. 8) we can't. 9) she can. 10) Yes, she can. / No, she can't.

8. 1) Can you climb trees? 2) Can he sing well? 3) Can she play the violin? 4) Can ostriches fly? 5) Can you ski? 6) Can your sister read? 7) Can tigers swim? 8) Can your husband draw? 9) Can you play tennis? 10) Can Tim's mom speak German? 11) Can his wife drive? 12) Can you pass me the salt, please?

9. 1) five minutes' walk; 2) half an hour's film; 3) three hours' discussion; 4) two weeks' trip; 5) a week's holiday; 6) a month's break; 7) three days' leave; 8) four hours' flight; 9) ten hours' marathon; 10) an hour's talk / conversation; 11) half an hour's meeting

10. 1) What; 2) Which; 3) What; 4) Which; 5) Which; 6) What; 7) What; 8) What; 9) Which; 10) Which

11. 1) Which dress does she want to buy? 2) Which song can they sing? 3) Which towns does he visit? 4) Which book does he want to give her? 5) Which students does Mr Smith want to talk to? 6) Which ice cream do you want to buy?

Розширення словникового запасу. С. 172

1. 1) How can I get to the theatre? 2) How can I get to the station? 3) How can we get to Flower Street? 4) How can I get to the swimming pool? 5) How can we get to the bank? 6) How can we get to the Italian restaurant? 7) How can I get to the butcher's (shop)?

2. 1) Is there a bank near here? 2) Is there a supermarket near here? 3) Is there a swimming pool near here? 4) Is there an Oriental restaurant / a restaurant with Oriental cuisine near here? 5) Is there a bus stop near here? 6) Is there a flower shop near here?

3. 1) Walk / Go as far as the crossroads. 2) Walk / Go as far as the traffic lights. 3) Walk / Go as far as the railway station. 4) Walk / Go as far as the cinema. 5) Walk / Go as far as the church. 6) Walk / Go as far as the bus stop.

4. 1) Pass the baker's. 2) Pass the bank. 3) Pass the restaurant. 4) Pass the flower shop. 5) Pass the hairdresser's. 6) Turn left at the restaurant. 7) Turn right at the traffic lights.8) Turn left at the crossroads. 9) Turn right at the cinema. 10) Walk along this street. 11) Walk along Baker's Street. 12) Walk along King's / Queen's Street. 13) Turn into Baker's Street. 14) Turn into Queen's Street. 15) Take the second (turning) left. 16) Take the first (turning) right. 17) Take the third (turning) right.

Revision exercise. С. 174

1) Can tigers swim? – Yes, they can. 2) Walk / Go as far as that grey building. 3) Is there a baker's near here? 4) I can't draw at all. 5) Which cuisine do you prefer – Oriental or European? 6) Turn into Conan Doyle Street. 7) It's a short half an hour's drive. 8) Walk past / Pass a big red building. 9) Which suit do you like most of all? – The white one. But the red one is also not bad. 10) I've no idea where he lives. 11) The hairdresser's is between the butcher's and the chemist's. You can't miss it. 12) Don't be sad! 13) Where's the nearest bus stop? 14) Is it far from here? – Twenty minute's walk. 15) Whose coat is this? 16) Go straight ahead as far as the crossroads. 17) Don't be late for the lesson!

УРОК 20

Робота з текстом. С. 177

1. 1) prefer; 2) a favourite; 3) especially; 4) Me too. 5) an accountant; 6) exciting; 7) come in handy; 8) I'm very interested in History. (Назви наук і шкільних предметів пишуться з великої букви і вживаються без артикля (Physics, Chemistry, Geography). Проте, якщо разом з назвою науки або предмета вживається уточнення, як наприклад, «історія Стародавнього світу». Тоді перед назвою науки ставимо артикль the.) 9) time for (my) hobbies; 10) your favourite composer; 11) a weird hobby; 12) not difficult at all; 13) about five people; 14) I don't think so. 15) alone; 16) ugly; 17) use; 18) broken; 19) rare; 20) really; 21) still; 22) the History of the Ancient World; 23) true love; 24) ghost hunting; 25) a regular job; 26) normally; 27) shake off boredom; 28) collect; 29) more exotic; 30) real passion; 31) special electronic equipment; 32) it consists of a digital camera; 33) Join our Society! 34) unwanted; 35) a bit weird; 36) the last words of my patients; 37) have passion for; 38) pick up something off the floor

Grammar practice. С. 179

1. 1) tying; 2) diving; 3) playing; 4) skating; 5) skiing; 6) drying; 7) smiling; 8) thinking; 9) singing; 10) making; 11) cutting; 12) putting; 13) beginning; 14) travelling (британський варіант) / traveling (американський варіант); 15) dying; 16) developing; 17) swimming; 18) entering; 19) lying

2. 1) die; 2) speak; 3) say; 4) take; 5) do; 6) kill; 7) plan; 8) fill; 9) pack; 10) put; 11) get; 12) sit; 13) ski; 14) rob; 15) come; 16) give; 17) teach; 18) have; 19) hope; 20) hop; 21) begin;

22) tie; 23) lie

3. 1) plan – planning; 2) do – doing / make – making; 3) fly – flying; 4) walk – walking; 5) dive – diving; 6) cook – cooking; 7) thank – thanking; 8) jump – jumping; 9) laugh – laughing; 10) feel – feeling; 11) ride a bike – riding a bike; 12) put – putting; 13) cut – cutting; 14) stop – stopping / stay – staying (якщо в готелі); 15) get – getting; 16) lie – lying; 17) tie – tying; 18) die – dying; 19) begin – beginning / start – starting

4. 1) No sledding on the hill! 2) No climbing trees! 3) No diving! 4) No fish! 5) No littering! 6) No shouting! 7) No feeding the animals! 8) No drawing on the walls!

6. 1) Max hates skiing. 2) Kevin likes playing computer games. 3) My friends love going to the cinema. 4) Susie hates swimming in the sea. 5) My brother likes watching TV. 6) Alice loves reading. 7) I hate sunbathing.

Vocabulary enrichment. C. 181

1. 1) It's an ancient castle. 2) I can't find time for hobbies. 3) I like drinking coffee, especially in the morning. 4) He doesn't like watching TV, especially in the evenings. 5) Jack likes playing with his son, especially on Sundays. 6) Her true love is nature. 7) I like skiing very much. / I love skiing. – Me too. 8) She's got a very weird hobby: she hunts ghosts. 9) He doesn't like hunting tigers. 10) I hate animal hunting. 11) Do you have a regular job? 12) Unfortunately, he doesn't have a regular job. 13) He always spends his holiday alone. 14) My mom isn't a nurse, she's an accountant. 15) Does her uncle work as an accountant? 16) I hate boredom. 17) Let's shake off boredom! 18) Normally there are 4 people in the team. 19) There are about twenty chairs in the room. 20) I need about one hundred dollars. 21) We need special equipment. 22) I love exotic animals. 23) Her friend is a bit weird: he collects unwanted things / stuff and broken equipment. 24) I like collecting ugly toys. 25) Is it an exciting film? 26) I don't remember his last words. 27) She has a rare passion. 28) She has a real passion for books. 29) Don't use this equipment! 30) They always use exotic equipment. 31) He doesn't think so. 32) They don't think so. 33) This is my last word. 34) This patient has a real passion for medicine.

2. 1) We are interested in sports. 2) He isn't interested in detective stories. 3) My friends are not interested in music at all. 4) Mark is not very interested in the History of the Ancient World. 5) She isn't interested in religion at all. 6) Unfortunately my sister isn't interested in literature. 7) They are very interested in political news. 8) Unfortunately he isn't interested in the result.

3. 1) I prefer sunbathing. 2) They prefer going to the sea / seaside. 3) Where do you prefer spending holidays? 4) Which do you prefer – reading or watching TV? 5) Which does your daughter prefer – sledding or skating? 6) Do you prefer having lunch alone? 7) Does she prefer lying?

4. 1) Join our team! 2) Join us. 3) Join them. 4) Let's join this group. 5) Let's join her. 6) Let's join their friends.

5. 1) Who is your favourite writer? 2) Who's her favourite actor? 3) Who is his favourite singer? 4) He's got no / He hasn't got a favourite actress. 5) They haven't got a favourite composer.

6. 1) Our group consists of five people. 2) This set consists of three items. 3) A football team consists of eleven players. 4) This dish consists of rice and vegetables. 5) The breakfast in this hotel consists of toasts, jam and coffee or tea. 6) My lunch usually / normally consists of fruit and tea.

7. 1) He still loves her. 2) My granny still finds time for hobbies. 3) I still want to go there. 4) He still wants to buy this car. 5) Though it's noisy and dirty in the city, people still move to big cities.

8. 1) Let's take up tennis. 2) Take up swimming, it's very healthy. 3) If you want to take up sports, join our club. 4) If he wants to take up ghost hunting, he needs special electronic equipment.

9. 1) Pick up this pen off the floor. 2) I like picking up mushrooms. 3) Do you like picking up mushrooms? 4) I never pick up anything off the floor. 5) He never picks up mushrooms.

10. 1) It isn't difficult at all. 2) I don't like it at all. 3) I don't want to go there at all. 4) I'm not hungry at all. 5) I'm not thirsty at all. 6) I don't need his help at all.

11. 1) His help can / may come in very handy. 2) My brother's old clothes sometimes come in very handy. 3) It can / may come in handy. 4) Sometimes old equipment comes in very handy. 5) His abilities can come in handy.

УРОК 21

Робота з текстом. C. 186

1. 1) Don't be a couch potato! 2) round the corner; 3) serve; 4) beefsteak; 5) order; 6) something else; 7) Keep me company! 8) just two blocks away; 9) Here you are. 10) Are you ready to order? 11) main dish; 12) rare; 13) medium; 14) well–done; 15) undercooked meat; 16) cauliflower; 17) spinach; 18) French fries; 19) caviar; 20) to start with; 21) for dessert; 22) What would you recommend? 23) lemon tea; 24) garlic sauce; 25) shrimps; 26) mashed potato; 27) for the main course; 28) prawns; 29) trout; 30) grilled trout; 31) an apple pie; 32) white coffee; 33) flavour; 34) strawberry; 35) decaf black coffee; 36) delicious; 37) It's awfully fattening. 38) pineapple; 39) vanilla; 40) raspberry.

Grammar practice. C. 190

1. 1) Where would you stay? 2) What would he do? 3) How many books would they buy? 4) Where would she go? 5) Would he accept this offer? 6) Would you stay in this hotel?

2. 1) He'd like to know Japanese. 2) He'd like

to meet a film star. 3) He wouldn't like to go to the space. 4) He'd like to have a dog. 5) He'd like to live in New Zealand. 6) He wouldn't like to be younger. 7) He wouldn't like to become a doctor.

3. 1) I'd drink some hot tea. 2) I'd go on holiday. 3) I'd have a drink. 4) I'd have some ice cream. 5) I'd stay here longer.

4. 1) I wouldn't do that / it. 2) He would never accept this offer. 3) We'd never go with them. 4) I'd eat something delicious now. 5) Would you buy this dress? 6) I'd see this film. 7) Would participate / take part in this competition? 8) I wouldn't walk here alone. 9) How much ice cream would you eat? 10) This would be enough.

5. 1) Would you like to play chess? 2) Do you like apples? 3) Would you like a sandwich? 4) Do you like watching TV? 5) Would you like to see the photos?

6. У будь-якому з цих речень можна вжити як Can, так і Could у залежності від того, до кого ми звертаємося. 1) Can I; 2) Could you; 3) Can you; 4) Can I; 5) Can I; 6) Could you; 7) Could you

7. 1) a black tea; 2) three lemon teas; 3) one / a white coffee; 4) two black coffees; 5) a beer; 6) an orange juice

8. 1) How about going to the cinema? 2) How about playing football? 3) How about going for a walk? 4) How about going to France? 5) How about spending our holiday in Turkey? 6) How about discussing it tomorrow? 7) How about doing it now?

9. 1) I feel like going for a walk. 2) I feel like eating something sweet. 3) I feel like watching TV. 4) I feel like going to the theatre. 5) I feel like swimming. 6) I feel like drinking some coffee.

10. 1) I don't feel like going to the theatre. 2) I don't feel like washing up / washing the dishes. 3) I don't feel like going to the country. 4) I don't feel like reading this article. 5) I don't feel like buying this dress. 6) I don't feel like singing. 7) I don't feel like eating meat. 8) I don't feel like cooking. 9) I don't feel like baking a cake.

11. 1) I'd rather not buy these shoes. 2) I'd rather eat shrimps / prawns. 3) I'd rather not order a dessert. 4) I'd rather have / drink white coffee. 5) I'd rather not sunbathe. 6) I'd rather not drive. 7) I'd rather cook something delicious. 8) I'd rather stay in the hotel. 9) I'd rather not go to this party. 10) I'd rather do my homework.

Vocabulary enrichment. C. 193

1. 1) I'll have a trifle. 2)) I'll have two beers. 3) I'll have (a) lemon tea, 4) I'll have (a) white coffee. 5) I'll have an apple pie for dessert. 6) I'll have a well–done beefsteak for the main course. 7) I'll have a prawn cocktail to start with. 8) I'll have grilled trout with mashed potato, 9) I'll have French fries. 10) I'll have strawberry ice cream for dessert. 11) I'll have rice. 12) We'll have two apple juices. 13) We'll have a bottle of still water. 14) I'll have a / a glass of fizzy water. 15) We'll have two bottles of red wine. 16) I'll have shrimps in cheese sauce.

2. 1) d; 2) c; 3) a; 4) g; 5) b; 6) e; 7) f.

3. 1) Are you hungry? 2) He's a real couch potato. 3) If you want to keep fit, take up some sport and don't be a couch potato. 4) There's a flower shop round the corner. 5) There's no / There isn't any restaurant round the corner. 6) They serve delicious dishes there. 7) There's a Chinese restaurant three blocks away. 8) There's a butcher's just one block away. 9) I'd order caviar. 10) Which would you order – caviar or shrimps? 11) I'd eat something else. 12) Could we have the menu, please? – Here you are. 13) Can I have some tea? – Here you are. 14) I prefer European cuisine. 15) Is your friend ready? 16) Is she ready to talk? 17) Are they ready to order? 18) Which vegetables do you prefer – cauliflower, spinach or potatoes? 19) How would you like your steak – rare, medium or well–done? 20) These vegetables are undercooked. 21) He doesn't like undercooked meat. 22) How would you like your potatoes – mashed or fried / French fries? 23) Which would you recommend – vanilla or chocolate ice cream? 24) Which coffee do you prefer – black or white? 25) I don't like shrimps in garlic. 26) My favourite dessert is an apple pie. 27) I never drink decaf coffee. 28) This grilled trout is delicious. 29) All these desserts are very fattening. 30) I don't eat ice cream, it's very fattening. 31) I prefer raspberry flavour. 32) Which flavour do you prefer – pineapple or vanilla? 33) Which water would you like – fizzy or still?

Revision exercise. C. 196

1) How about spending our holiday at the seaside this summer? 2) I'd rather go for a walk instead of watching TV. 3) I'd have / drink some fizzy water. 4) I wouldn't say it / that. 5) I'll have an / some apple pie. 6) I'd rather not go to the cinema. 7) I'd like to travel (around) the world. 8) I like travelling. 9) I don't feel like sleeping / going to bed.

УРОК 22

Робота з текстом. C. 199

1. 1) to meet the Queen; 2) an appointment; 3) You must be kidding! 4) (the) sights; 5) walk its streets; 6) world–famous; 7) to fly on the London Eye; 8) to do some shopping; 9) to bake a cake; 10) to treat; 11) to treat her guests; 12) a gym; 13) to keep fit; 14) about everything; 15) to know more; 16) a foreign language; 17) to travel around the world; 18) just.

Grammar practice. C. 200

1. 1) to read; 2) to swim; 3) to visit; 4) to rain; 5) to listen; 6) to play.

2. 1) is going to jump. 2) is going to sleep. 3) is going to ski. 4) are going to cook. 5) am going to do my homework. 6) are going to get ready for the exam. 7) are going to fly away.

3. 2) is going to dive. 3) are going to have a sore throat; 4) is going to bump into a tree; 5) are going to get married; 6) are going to kiss; 7) is going to win; 8) is going to have a baby; 9) are going to be late.

4. 1) is going to visit; 2) am going to meet; 3) is going to wear; 4) are going to talk; 5) is going to rain; 6) am going to write; 7) are going to help; 8) is going to dance.

5. 1) I'm going to play this game. 2) She's going to tidy her room. 3) We are going to see this film. 4) They are going to write a letter tomorrow. 5) ack is going to fly to London. 6) I'm going to visit my granny on Saturday. 7) We are going to swim in the sea.

6. 1) isn't going to wear; 2) isn't going to drink; 3) am not going to cook; 4) aren't going to fly; 5) aren't going to bark; 6) aren't going to sing; 7) aren't going to wait

7. 1) We aren't going to fly a kite. 2) Derek is going to play football. 3) Your friends are going to help you. 4) Vicky isn't going to learn this poem. 5) I am not going to eat that. 6) They are going to wash up.

8. 1) He isn't going to eat that. 2) Jim isn't going to talk to you. 3) They are not going to dive. 4) I'm not going to listen to this music.

9. 1) Are you going to join us? 2) Is she going to read this novel? 3) Are they going to wash up? 4) Is Tom going to play chess? 5) Is Liz going to draw your portrait? 6) Are you going to learn German? 7) Are we going to swim in this cold water? 8) Is the bird going to fly?

10. 1) she is. 2) they aren't. 3) it is. 4) it isn't. 5) I am. 6) we are. 7) I'm not. 8) he isn't.

11. 1) I go there to meet my friends. 2) I browse the Internet to know the news. 3) He learns foreign languages to travel (around) the world. 4) Are you learning Japanese to go to Japan? 5) Jack is studying hard to pass the exam. 6) I'm going to the country to celebrate my birthday. 7) We are going to London to meet the Queen. 8) We are going to the park to ride our bikes. 9) My friend reads a lot to know more about everything. 10) My neighbour is going to bake a pie to treat me. 11) My friends go to the gym to keep fit. 12) Does she go to the swimming pool to keep fit? 13) I don't eat junk food to keep fit.

Vocabulary enrichment. C. 204

1. 1) I have an appointment with Mr Johnson. 2) Do you have an appointment with the Director? 3) I don't have an appointment. 4) Does he have an appointment? 5) Steve has an appointment with his dentist. 6) We don't have an appointment with Mrs Alexis.

2. 1) I like *keeping fit (брит.) / to keep fit (амер.)*. 2) She likes keeping fit. 3) Do you like keeping fit? 4) Is it easy for you to keep fit? 5) What do you do to keep fit? 6) They go jogging in the morning to keep fit. 7) I'd rather go to the swimming pool to keep fit. 8) You can go jogging in the morning to keep fit. 9) If you want to keep fit, take up some sport. 10) If she wants to keep fit, she can go to the swimming pool with us. 11) You can't keep fit if you eat so much junk food.

3. 1) Jack rides a horse in summer. 2) In winter we ski and skate / go skiing and skating. 3) Do you ride a horse in summer? 4) I'm going to London to fly on the London eye. 5) Does your friend go skiing in winter? 6) Do you skate well? 7) I'm going to India to ride (on) an elephant. 8) Tom's going to Egypt to ride (on) a camel. 9) Is your sister going to Egypt to ride (on) a camel? 10) Are you going to India to ride (on) an elephant?

4. 1) Let's do some shopping in London! 2) I usually / normally go shopping on Sunday. 3) She never goes shopping on Mondays. 4) I'd like to do some shopping this weekend. 5) Do you go shopping every weekend? 6) When do you go shopping?

5. 1) I want to meet the Queen. 2) I'd like to bake a cake for dessert. 3) Which foreign language are you studying / learning – German or French? 4) He always asks about everything. 5) I'd like to do some shopping in the evening. 6) Would you like to fly on the London eye? 7) I'm going to bake a pie to treat my guests. 8) I'm going to go to the gym to keep fit. 9) I'd like to learn more about the History of the Ancient World. 10) I like walking (along) the streets of my city / town. 11) I'm going to Paris to see its sights. 12) How many foreign languages do you know? 13) I'm going to London to visit the world–famous museums.

Speaking practice. C. 207

I am going to Holland to admire the tulips. I am going to Paris to climb the Eiffel Tower. I am going to Spain to see the bullfight. I am going to London to see the Big Ben. I am going to India to visit Taj Mahal. I am going to Brazil to visit the rainforest. I am going to China to walk along the Great Wall. I am going to Kenya to go on a safari and take pictures of the lions. I am going to Italy to visit the beautiful Venice. I am going to Australia to see the famous Opera house in Sydney. I am going to Nepal to climb Mount Everest. I am going to Alaska to watch whales. I am going to Hawaii to go surfing. I am going to the Great Barrier Reef to go scuba–diving. I am going to the USA to fly over the Grand Canyon.

УРОК 23

Робота з текстом. С. 209

1. 1) nothing special; 2) What's the matter with you? 3) I'm just wondering. 4) it's nothing. 5) I'm not sure. 6) probably; 7) climb trees; 8) by the way; 9) miss somebody; 10) an orchard; 11) perhaps; 12) Are you kidding? 13) go for a walk; 14) These things happen. 15) Cheer up!

16) Thank you for the invitation. 17) breathe; 18) breathe in; 19) fresh air; 20) to breathe in some fresh air; 21) I'd love to. 22) so much; 23) Terrific! 24) Great!

Grammar practice. C. 211

1. 1) It's climbing a tree. 2) We are doing our homework. 3) They are skiing in the mountains. 4) Liam is reading a book. 5) My mom is browsing the Internet. 6) You are talking very loudly. 7) She is washing up. 8) Tony is brushing his teeth.

2. 1) are singing; 2) is building; 3) are playing; 4) is sunbathing. 5) are swimming; 6) is selling; 7) is reading; 8) is shining.

3. 1) We aren't shouting, we are singing. 2) We aren't sleeping, we are sunbathing. 3) I'm not crying, I'm laughing. 4) They aren't drinking, they are eating. 5) You aren't swimming, you're sinking. 6) Tom isn't playing, he's studying. 7) I'm not running, I'm walking.

4. 1) Nick is doing his homework. 2) I'm talking on the phone. 3) He's listening to the radio. 4) We're walking in the park. 5) Sabina is eating a sandwich. 6) Ian is helping his mom. 7) They're skiing. 8) My friends are swimming. 9) His sister is washing up / washing the dishes. 10) He's driving (a car).

5. 1) My friends aren't singing. 2) We aren't sleeping. 3) I'm not painting. 4) His dad isn't working. 5) Her mom isn't cooking. 6) They aren't travelling. 7) You aren't listening. 8) I'm not sunbathing.

6. 1) I'm not laughing. 2) He isn't eating a pizza. 3) We aren't watching TV. 4) You aren't playing the guitar. 5) These birds aren't singing. 6) Those dogs aren't barking.

7. 1) Is he playing the violin? 2) Am I reading too loudly? 3) Are you writing a report? 4) Are they laughing? 5) Is Don cutting bread? 6) Are our friends watching TV? 7) Is she wearing a red dress?

8. 1) Yes, he is. 2) No, he isn't. 3) Yes, they are. 4) No, she isn't. 5) No, they aren't. 6) Yes, I am. 7) No, they aren't.

9. 1) Is she getting ready for her exam? – Yes, she is. 2) Is your friend reading? – No, he isn't. 3) Is his sister crying? – Yes, she is. 4) Am I talking loudly? – No, you aren't. 5) Is Dana riding a bike? – No, she isn't. 6) Are they cooking? – Yes, they are. 7) Are you looking at me? – Yes, I am. 8) Are you drawing? – No, I'm not.

10. 1) We aren't sunbathing. 2) I'm not eating. 3) Are you chatting with your friend? 4) Is your brother scuba–diving? 5) Is Leo talking on the phone? 6) Your friends aren't washing up. 7) Is Mike listening to music?

11. 1) is getting up;. 2) is skating; 3) plays; 4) are playing; 5) travel; 6) is travelling; 7) is reading; 8) reads; 9) speaks; 10) is speaking; 11) helps; 12) am doing; 13) go; 14) get up; 15) am going; 16) works; is working; 17) are watching; 18) watches

12. 1) I'm not playing the piano. 2) Is he washing up / washing the dishes? 3) Is your sister doing her homework? 4) She isn't singing. 5) My mom isn't working. 6) Are you sleeping? 7) I'm not writing, I'm reading.

13. 1) build; are travelling; 2) fixes; watching; 3) works; is swimming; 4) do; are cooking; 5) plays; is walking; 6) go; am skating' 7) drive; are flying

14. 1) doesn't; 2) isn't; 3) am not; 4) isn't; 5) don't; 6) aren't; 7) don't

15. 1) isn't studying; 2) am not walking; 3) aren't drawing; 4) don't; 5) aren't smiling; 6) don't often go; 7) doesn't study

16. 1) are thinking; 2) thinks; 3) are having; 4) has; 5) am having; 6) has; 7) am thinking; 8) thinks

17. 1) I'm not playing tennis at the moment. 2) We are going to the theatre. 3) He doesn't go to school. 4) They don't go to cafés on Sundays. 5) I'm not getting up. 6) He isn't having breakfast. 7) He never has breakfast alone. 8) My mom doesn't cook in the morning.

18. 1) knows; 2) likes; 3) hear; 4) am listening; 5) see; 6) are looking

19. 1) Does; 2) Are; 3) Are; 4) Am; 5) Does; 6) Are; 7) Does; 8) Does; 9) Is; 10) Do; 11) Are; 12) Does; 13) Is; 14) Do; 15) Are; 16) Does

20. 1) He doesn't remember you. 2) I don't know this boy. 3) Do you want to go to the theatre? 4) I am looking at the picture. 5) I don't see any picture. 6) Do you hear me? 7) He's listening to a song. 8) He hates loud music.

21. 1) am not; 2) doesn't; 3) don't; 4) doesn't; 5) isn't; 6) aren't; 7) doesn't

22. 1) I'm having a party. 2) Are you having lunch? 3) They are having / drinking coffee. 4) I think he's right. 5) I'm thinking how to answer your question.

23. 1) Who's running? 2) What picture are you drawing? 3) What book is he reading? 4) Where do they usually spend their holiday? 5) Where are you sitting? 6) Who always helps you? 7) What time do you usually go to bed?

Vocabulary enrichment. C. 218

1. 1) I want it so much. 2) I'm going to the garden to breathe in some fresh air. 3) Terrific! I like it very much. 4) By the way, would you like to join us? 5) Would you like to go for a walk? – I'd love to. 6) I like walking in an orchard. 7) I'd like to walk in the orchard. 8) He's a real man. 9) It's *hard / difficult* to breathe here.

2. 1) I'm not angry with the whole world, I'm only angry with you. 2) Don't be so (much) angry with him. 3) Why do you feel so hurt? 4) Mary is sick and tired of her job. She wants to change it. 5) I'm not angry with you for your words. 6) I feel so sad because I miss my family so much. 7) I'm sick and tired of this awful weather. 8) He doesn't feel hurt. 9) I'm tired of explaining it to you. 10) Aren't you tired of doing nothing?

11) Mark is very pleased with his holidays. 12) The teacher isn't pleased with my work.

3. 1) Thank you for the cake. 2) Thank you for the help. 3) Thank you for this book. 4) Thank you for your kindness. 5) Thank you for the honest answer.

4. 1) Are you sure? 2) I'm absolutely sure. 3) I'm not quite sure. 4) We are not quite sure where he lives. 5) Is she sure (that) she's right? 6) Are you sure it's really so? 7) Is your brother sure he can do it? 8) He isn't quite sure.

5. 1) I miss my parents. 2) Do you miss your hometown? 3) Mike doesn't miss (the) school. 4) I miss my childhood. 5) Does she miss her brother? 6) We don't miss each other.

6. 1) I'm not kidding. 2) Are you kidding? 3) He must be kidding. 4) I'm just kidding. 5) Is she kidding? 6) You must be kidding.

7. 1) What's the matter with you? 2) What's the matter with him? 3) What's the matter with your uncle? 4) What's the matter with your aunt? 5) What's the matter with your teacher?

8. 1) You look so sad. 2) You look good. 3) He looks bad. 4) You look young. 5) You don't look tired. 6) He doesn't look happy. 7) This house doesn't look old. 8) These children look ill / sick.

9. 1) What about your brother? 2) What about your parents? 3) What about your tests? 4) What about our holiday? 5) What about a cup of coffee? 6) What about your job (якщо ми цікавимося місцем роботи) / work (якщо ми цікавимося процесом виконання роботи)? 7) What about a glass of juice?

10. 1) He wonders … 2) He's just wondering … 3) I'm just wondering … 4) My sister wonders; 5) My friends are wondering … 6) Mark wonders

УРОК 24

Робота з текстом. С. 222

1. 1) Where were you? 2) on vacation; 3) Really? 4) in Cyprus; 5) just terrific; 6) That's fantastic! 7) What was it like? 8) What was the weather like? 9) What was the hotel like? 10) friendly; 11) What were the people like? 12) a private beach; 13) grandparents; 14) What about your children? 15) a five–star hotel; 16) helpful

Grammar practice. С. 224

1. 1) was; 2) were; 3) was; 4) were; 5) was; 6) were; 7) was

2. 1) wasn't; 2) wasn't; 3) weren't; 4) wasn't; 5) weren't; 6) weren't; 7) weren't

3. 1) Were you in the camp? 2) Was it a private beach? 3) Were they on vacation in June? 4) Was your boss angry? 5) Were we alone? 6) Was it sunny yesterday? 7) Was your wife cold? 8) Were your friends ill / sick? 9) Were the people friendly? 10) Were you late?

4. 1) Was Sam at school yesterday? 2) Were you at the party? 3) My brother wasn't hungry. 4) Were they on vocation / on holiday in August? 5) I wasn't in the park with him. 6) She wasn't nice. 7) Were Tom's parents surprised? 8) Was your cat black? 9) Her car wasn't new. 10) The sea wasn't dirty. 11) My parents weren't abroad this summer.

Vocabulary enrichment. С. 226

1. 1) What was the sea like? – It was warm and clean. 2) What were the people like? – They were friendly and very helpful. 3) What was the weather like? – It was nasty. 4) What is Lisa's brother like? – He's nice and friendly. 5) What's your new teacher like? – He's kind and explains everything well. 6) What was the discussion like? – It was rather heated. 7) What's the weather like? – It's rainy and cold.

2. 1) What are you (by profession)? 2) What are Italians like? 3) What is weather? 4) What was the weather like yesterday? 5) What's Peter's house like? 6) What's Antarctica like? 7) What is Antarctica? 8) What was your last holiday like? 9) What is a holiday?

3. 1) Where were your friends yesterday? 2) My parents were in Cyprus in summer. That's just terrific! What was it like? What was the weather like? 3) We were in a five–star hotel in Turkey. – What was it like? – It was very clean, close to the sea and the food there was fantastic. 4) I was on vacation / on holiday in August. 5) People in this city are very friendly and helpful. 6) I prefer private beaches. They are always clean. 7) My grandparents were in Spain last winter.

Revision exercise. С. 227

1) He must be kidding. 2) I'd rather stay at home instead of going to the cinema. 3) I don't like coffee. I'll have orange juice instead. 4) Are you sure you can do it? 5) My wife misses her hometown. 6) What time do you have / have you got an appointment with your doctor? 7) Take up sports if you want to keep fit. 8) I'm going to buy this dress to wear it to the party. 9) Why are you asking? – I'm just wondering. 10) I wonder how old he is. 11) Your brother looks very tired. 12) I'm going to London to see the Queen. 13) I'd like to ride a horse. 14) Would you like some ice cream? – No, thank you / thanks, I don't like ice cream. I prefer biscuits. 15) What is the sky like? – (It's) Cloudy. 16) Who is your favourite singer? 17) Join our group! 18) I'm not interested in ancient castles. 19) How can I / we get to the coach station / bus station? 20) Is there an Italian restaurant near here? 21) He prefers Oriental cuisine.

УРОК 25

Робота з текстом. С. 229

1. 1) She was only 16. 2) famous; 3) at that time; 4) shy; 5) a teenager; 6) a fantastic voice; 7) couldn't believe; 8) home-schooled; 9) suddenly; 10) a conversation; 11) It's really surprising; 12) inheritance; 13) Then one day; 14) wonderfully; 15) publishing; company 16) fantasy; 17) science fiction; 18) a novel; 19) work on something; 20) is working on a novel; 21) return to; 22) magic;

23) for the first time; 24) suddenly.

Grammar practice. С. 233

2. 1) Could you open the door, please? 2) Could you close the window, please? 3) Could you fix my bike, please? 4) Could you tell me this story, please? 5) Could you say that again, please?

3. 1) could; 2) could; 3) can; 4) could; 5) can; 6) could; 7) can; 8) can.

4. 1) can't; 2) couldn't; 3) can't; 4) couldn't; 5) can't; 6) couldn't

5. 1) he can't. 2) she can't. 3) I can. 4) they couldn't. 5) I can't. 6) he could.

6. 1) has; 2) have; 3) have; 4) has.

7. 1) What could they bring? 2) Who could she draw? 3) Who could they help? 4) What could she knit? 5) Who could he talk to? 6) How well could she play tennis? 7) Where could she have dinner? 8) What could he paint? 9) What could Sam ride? 10) How fast could you run? 11) What river could they swim across?

8. 1) didn't have; 2) didn't have; 3) didn't have; 4) had; 5) didn't have; 6) had.

9. 1) Does Kyra have; 2) Have they got; 3) Did I have; 4) Did Tom have; 5) Have they got

10. 1) What job did he have? 2) What did you have in your bag? 3) Who had an idea? 4) What problem did they have? 5) How many books did she have? 6) How much money did he have? 7) When did you have a truck?

11. 1) Tom had a cat. 2) Did you have many mistakes in your test? 3) I didn't have a kite. 4) Her parents had two cars. 5) Sara didn't have a new dress. 6) When did he have a car? 7) What idea did she have?

12. 1) the first of July nineteen seventeen; 2) the fifth of September seventeen ninety–six; 3) the twenty–ninth of December eighteen eighty–three; 4) the twelfth of November fifteen thirty–five; 5) the ninth of August of the year two thousand; 6) the eleventh of June of two thousand (and) five.

13. 1) The eleventh of September nineteen seventy–five; 2) the seventh of May fourteen sixty–three; 3) the fourth of January sixteen twenty–nine; 4) the tenth of February thirteen fifty–eight; 5) the second of March two thousand (and) four; 6) the ninth of October two thousand (and) seventeen / twenty seventeen

Vocabulary enrichment. С. 236

1. 1) She was only six when she became famous. 2) It wasn't surprising. 3) It was really surprising. 4) We had a long conversation with him. 5) He's just a shy teenager. 6) He is working on a new novel. 7) I'm not working on science fiction. 8) We are going to return to this conversation tomorrow. 9) Let's return to this topic on Monday. 10) Then one day he could suddenly swim. 11) It was just magic. 12) We couldn't believe it. 13) In my childhood I could dance wonderfully. 14) He had a fantastic / wonderful voice. 15) I'm doing it for the first time. 16) Whose publishing company is it? 17) Whose novel is it? 18) Whose voice is it?

2. 1) Their group consists of six people. 2) This set consists of two books, a magazine and a pen. 3) This residential complex consists of ten houses, a swimming pool, a baker's / bakery, and a day care centre. 4) Our lunch consists of soup, a beefsteak and (a) lemon tea. 5) My brother's report consists of three parts. 6) Our course consists of theoretical lessons and practice.

3. 1) When was your husband born? 2) When were you born? 3) I was born on the twenty–second of April, nineteen seventy–eight. 4) My daughter was born on the sixteenth of March and my son was born on the twenty–ninth of January. 5) We were born on the same day, on the third of December. 6) When were Jack and Sam born? 7) My grandpa / granddad / grandfather was born in nineteen forty–six. 8) When was Ted's sister born? 9) When was your granny / grandmother born? 10) We were born in April. 11) Where was he born? 12) Were you born in Britain? 13) I wasn't born in the USA. 14) I wasn't born yesterday.

УРОК 26

Робота з текстом. С. 240

1. 1) the Pacific Ocean; 2) a heavenly spot; 3) go there for a holiday; 4) Mexican food; 5) o surf; 6) admire; 7) fairy; 8) we toured the country; 9) last year; 10) last spring; 11) as for me; 12) That's great! 13) take photos; 14) a souvenir; 15) as presents; 16) this winter; 17) I can't stand; 18) I can't stand killing animals. 19) even; 20) wild animals; 21) on a safari; 22) I feel envious. 23) go hunting; 24) lie in the sun

Grammar practice. С. 242

1. 1) go – went; 2) visit – visited; 3) swim – swam; 4) eat – ate; 5) learn – learnt; 6) take – took; 7) see – saw; 8) shine – shone; 9) admire – admired; 10) ride – rode; 11) drink – drank; 12) lie – lay; 13) bring – brought; 14) fly – flew; 15) do – did; 16) feel – felt; 17) watch – watched; 18) feed – fed; 19) buy – bought; 20) give – gave; 21) tour – toured

2. 1) liked; 2) hopped; 3) tried; 4) stayed; 5) cried; 6) nodded; 7) cleaned; 8) smiled; 9) spied; 10) kicked; 11) clapped; 12) mixed; 13) rubbed; 14) planned; 15) knitted; 16) tidied; 17) urried; 18) tapped

3. 1) we went; 2) they visited; 3) I learned; 4) you watched; 5) they drank; 6) you ate; 7) my brother rode; 8) my aunt flew; 9) (the) tigers lay; 10) my uncle took photographs / photos; 11) we fed; 12) my friends saw; 13) I felt; 14) my parents bought; 15) my husband gave me; 16) the teacher brought; 17) I lay in the sun; 18) we admired; 19) they swam

4. 1) sang; 2) broke; 3) wrote; 4) ran; 5) fell; hurt; 6) shot; 7) swam; 8) flew; 9) taught; 10) got;

11) went; 12) told; 13) heard

5. 1) visited; 2) saw; 3) spent; 4) went; 5) caught; 6) cooked; 7) played; 8) swam; 9) stayed; 10) drove; 11) enjoyed; 12) took; 13) lasted; 14) saw; 15) camped; 16) had; 17) played; 18) swam; 19) drove; 20) thought

6. 1) decided; 2) wrote; 3) said; 4) went; 5) waited; 6) handed; 7) nodded; 8) took; 9) put; 10) gave; 11) walked; 12) made; 13) felt; 14) was; 15) thought; 16) wasn't; 17) had; 18) hoped; 19) was; 20) arrived; 21) got; 22) found; 23) were

Vocabulary enrichment. C. 245

1. 1) I can't stand horror films. 2) He can't stand using public transport (брит.) / transportation (амер.) 3) I can't stand reading silly novels. 4) My husband can't stand going shopping. 5) My daughter can't stand tidying her room. 6) Her children couldn't stand going to school. 7) In her childhood she couldn't stand swimming. 8) We couldn't stand eating in the school canteen / school diner. 9) I can't stand walking in the rain.

2. 1) Can you lend me your pen? 2) Her parents gave her a wonderful dress for her birthday / as a birthday present. 3) I can lend you some money. 4) Can you lend me your book? 5) I'm not going to give him my things. 6) We are going to give her a mobile phone. 7) I'd like to give my son a bike for the New Year / as a New Year present.

3. 1) She ate lots of sweets at the party. 2) They gave me lots of presents. 3) He ate lots of chocolate and drank lots of juice. 4) In my childhood I read lots of books.

4. 1) Let's go to London by car! 2) We are going to Germany by air / by plane. 3) Let's go there on foot. 4) I don't want to go there by train. 5) I don't like travelling by sea. I feel seasick. 6) Go by Underground! It's fast and convenient. 7) We went to Poland by coach. 8) I prefer travelling by car. 9) Don't go on foot, go by bike.

5. 1) Last year we were in Turkey. 2) Last weekend we went skiing in the mountains. 3) Last Thursday we went to the cinema. 4) We had a meeting last Tuesday.

6. 1) We toured Europe by coach. 2) I took lots of photos in that city / town. 3) I wouldn't like to go hunting because I can't stand killing poor animals. 4) This island is a heavenly spot. 5) Last year we went to the Pacific Ocean and learnt to surf there. 6) We never go there for a holiday. 7) I spent my last holiday on a fairy island in the Pacific (ocean). 8) I can't stand Mexican food. 9) As for me, I even went on a safari there. 10) Last summer we were in Africa and took lots of photos of wild animals. 11) We swam in the sea. 12) I feel envious that you spent your last holiday in India. 13) We bought lots of souvenirs and gave them to our friends. 14) Last spring I ate the real Italian pizza and drank the real Italian wine for the first time. 15) I gave it to him as a birthday present. 16) I spent my last holiday in Italy. 17) Last year we went to Germany. We toured the country by car. 18) We drank coffee, ate local food and took lots of photos.

УРОК 27

Робота з текстом. С. 250

1. 1) miraculous; 2) survival; 3) really; 4) something; 5) a bit frightening; 6) test a plane; 7) rubber; 8) a rubber life–raft; 9) a fishing line; 10) a can; 11) a few cans of food; 12) a few bottles of water; 13) raw; 14) You bet! 15) be frightened; 16) caught / catch; 17) a shark; 18) last days; 19) I was lucky; 20) maybe; 21) one night; 22) pass; 23) foggy; 24) get over; 25) exactly; 26) a fishing boat; 27) All's well that ends well. 28) pick somebody up; 29) pick something up; 30) awful; 31) crash

Grammar practice. C. 253

1. 1) didn't plan; 2) didn't cry; 3) didn't open; 4) didn't fly; 5) didn't ride; 6) didn't try; 7) didn't help; 8) didn't carry; 9) didn't rob; 10) didn't see

2. 1) looked; 2) spent; 3) laughed; 4) stayed; 5) thought; 6) told; 7) lay; 8) caught

3. 1) never talked; 2) never worked; 3) never jogged; 4) never knitted; 5) never played; 6) never asked; 7) never wanted

4. 1) finish; 2) talk; 3) climbed; 4) learn; 5) need; 6) cried; 7) stop; 8) called; 9) like; 10) tidied; 11) argued

5. 1) Did he touch his ear? 2) Did she want to go there alone? 3) Did they see any sharks? 4) Did Herb eat fish? 5) Did any ships pass him? 6) Did they pick up the poor travellers? 7) Did her parents spend their holiday in Germany? 8) Did they travel a lot? 9) Did Denny fail his exam? 10) Did they tell me a lie?

6. 1) What did you tidy? 2) What did they start last week? 3) Why did she cry? 4) Who did he believe? 5) Where did you travel? 6) Who did they agree with? 7) Why did he shout?

7. 1) didn't buy; bought; 2) didn't work; watched; 3) didn't go; went; 4) didn't talk; shouted; 5) didn't ask; ordered; 6) didn't study; studied

8. 1) They didn't play tennis. 2) Did Pat shout loudly? 3) We didn't want to stay there. 4) Did it rain yesterday? 5) He arrived yesterday? 6) We knew the answer.

9. 1) didn't; 2) didn't; 3) don't; 4) doesn't; 5) didn't; 6) didn't; 7) doesn't; 8) don't

10. 1) couldn't; 2) wasn't; 3) didn't; 4) weren't; 5) couldn't; 6) didn't; wasn't; 7) wasn't; didn't; 8) didn't; 9) didn't; weren't; 10) ouldn't

11. 1) don't often have; 2) didn't want; 3) don't run; 4) didn't like; 5) don't usually get up; 6) couldn't see; 7) didn't look; 8) didn't stop; 9) doesn't talk; 10) doesn't read; 11) couldn't dance.

12. 1) Does Don write; 2) Does he draw; 3) Do we argue; 4) Did Dina carry; 5) Does Lenny often ride; 6) Did Jimmy nod; 7) Did they buy; 8) Did she walk

13. 1) I didn't; 2) he does; 3) I didn't; 4) she doesn't; 5) they do; 6) they did; 7) they don't; 8) she couldn't; 9) she does; 10) I did; 11) I was; 12) they didn't; 13) I did; 14) she wasn't; 15) they were; 16) he was; 17) he could; 18) she didn't

14. 1) Was; 2) Did; 3) Was; 4) Were; 5) Did; 6) Could; 7) Did; 8) Did; 9) Was; 10) Did; 11) Did; 12) Could

15. 1) Why was he sad? 2) Why were you angry? 3) What bottle did he open? 4) When did she talk to the teacher? 5) What time did he return home? 6) Why were they home alone? 7) Why did they laugh? 8) Whet did they start working? 9) When could you speak Chinese? 10) What musical instrument could she play? 11) When did her brothers play football?

16. 1) Weren't; 2) Didn't; 3) Wasn't; 4) Couldn't; 5) Isn't / Wasn't; 6) Aren't / Weren't; 7) Didn't you

17. 1) Couldn't they play football? 2) Wasn't she at the theatre? 3) Weren't there any pears? 4) Didn't he open the window?

18. 1) Where did Tiffany go? She went to the cinema. Didn't she go to the theatre? 2) What did Samuel write? He wrote an assay. Didn't he write a letter? 3) What did Sara drink? She drank some water. Didn't she drink any milk? 4) Where did Leila swim? She swam in the river. Didn't she swim in the sea? 5) What did Chris catch? He caught an octopus. Didn't he catch any fish? 6) What did your parents see? They saw a lot of interesting places. Didn't they see the fireworks? 7) What did Albert play? He played the violin. Didn't he play the trumpet? 8) Where did your brother spend his holiday? He spent his holiday in Egypt. Didn't he spend his holiday in Turkey?

19. 1) How well did your students understand the English film? What did your students understand very well? Who understood the English film very well? 2) Where did you stay when you were in London? When did you stay in Hilton Hotel? 3) Where did Kate see you? When did Kate see you in the theatre? Who saw you in the theatre last Wednesday? 4) When did you live in Canada? Who lived in Canada ten years ago? Where did you live ten years ago? 5) What did your colleagues begin at ten sharp? Who began the discussion at ten sharp? When did you begin the discussion? 6) Where did you buy this book? What did you buy in the bookshop in Green Street? 7) When did you last have a meeting? 8) When did your parents go to the country? Who went to the country yesterday? Where did your parents go yesterday? 9) When were you at the party? Where were you yesterday evening? 10) Why didn't you go to the restaurant? 11) Where was Tom last year? When was Tom in Greece? Who was in Greece last year? 12) Where did you meet Jane? Who met Jane at the party? Who did you meet at the party? 13) Why did you stay at home?

20. It was very foggy in London. The fog was so thick that it was impossible to see more than a foot or so. Buses, cars and taxis were not able to run and were standing by the side of the road. People were trying to find their way about on foot but were losing their way in the fog. Mr Smith had a very important meeting at the House of Commons and had to get there but no–one could take him. He tried to walk there but found he was quite lost. Suddenly he bumped into a stranger. The stranger asked if he could help him. Mr. Smith said he wanted to get to the Houses of Parliament. The stranger told him he could take him there. Mr Smith thanked him and they started to walk there. The fog was getting thicker every minute but the stranger had no difficulty in finding the way. He went along one street, turned down another, crossed a square and at last after about half an hour's walk they arrived at the Houses of Parliament. Mr Smith couldn't understand how the stranger found his way. "It's wonderful", he said. "How do you find the way in this fog?"

"It's no trouble for me at all," said the stranger. "I'm blind."

21. 1) Why was it impossible to see more than a foot or so? 2) Where did Mr Smith have a very important meeting? 3) Why did he want to get to the House of Commons? 4) Who did he bump into? 5) Why didn't the stranger have any / did the stranger have no difficulty in finding the way?

Vocabulary enrichment. C. 260

1. 1) It was a story of a miraculous survival. 2) It's a frightening story. 3) It was really a bit frightening. 4) How many rubber life–rafts are there on this ship? 5) We aren't going to take a lot of food with us – just a few cans of food and a few bottles of mineral water. 6) He was lucky. 7) I'm afraid he's not going to help us. 8) There are very many sharks in this sea. 9) He spent his last days in this small house. 10) Is Rick often lucky? – You bet! Last year he caught ten huge pikes in this lake with his fishing line. 11) We had nothing to eat, so we caught fish and ate it raw. 12) Maybe he's going to spend his holiday in Iceland. 13) Three ships passed us. 14) My kid brother didn't get over that shock soon. 15) In (the) summer we picked up mushrooms in this forest. 16) This summer they are going to cross the Pacific Ocean on a rubber life–raft. 17) We picked him up on our way to the station. 18) My brother is a pilot. He tests planes. 19) One night we heard a strange sound. 20) We were very frightened. 21) Don't touch stray animals! 22) I was lucky that those sharks weren't hungry. 23) Was your son frightened / scared? – You bet!

УРОК 28

Робота з текстом. С. 263

1. 1) We got stuck. 2) amusement; 3) at the very top; 4) It's getting dark. 5) I don't know. 6) probably; 7) admire; 8) It's going to rain.

9) I'm too scared. 10) your favourite dish; 11) return from this trip; 12) creative; 13) a fashion shop; 14) another; 15) set up; 16) not quite; 17) my own; 18) It might be difficult. 19) be satisfied with something; 20) well–paid; 21) a job; 22) Let's hope for the best. 23) most of all; 24) enough; 25) not creative enough; 26) The wind is blowing hard. 27) It seems to me; 28) for example; 29) He who seeks, finds.

Grammar practice. C. 265

1. 1) 'll go; 2) 'll visit; 3) 'll swim; 4) 'll go; 5) 'll stay; 6) will show; 7) 'll visit; 8) will buy; 9) 'll be

2. 1) It won't be cold. 2) We won't play this game. 3) My friends won't go to London on business. 4) They won't swim in cold water. 5) My son won't be a surgeon. 6) Lola won't win this competition. 7) I won't break it. 8) You won't understand. 9) I won't be angry. 10) I won't say anything.

3. 1) 'll miss; 2) 'll call; 3) won't be; 4) will pass; 5) won't tell

4. 1) Will your dad fix the bike? 2) Will you buy this dress? 3) Will they take an exam soon. 4) Will she help you? 5) Will Martha make a report? 6) Will your friends have a party?

5. 1) I will. 2) she won't; 3) they won't; 4) he will; 5) he will; 6) she won't; 7) I won't

6. 1) It will be sunny tomorrow. 2) I won't go there. 3) You'll be cold. 4) I'll buy some bread on my way home. 5) We'll visit this museum. 6) We won't do it tomorrow. 7) Tom will agree with us. 8) Your parents will be angry. 9) Will your brother want to join us? 10) You won't forget it. 11) I won't laugh. 12) I won't tell your secret to anybody. 13) We won't look at you. 14) Tomorrow it won't rain. 15) Tomorrow it won't be windy. 16) Tony won't do it alone. 17) I won't break anything. 18) My friends won't come. 19) Will you tell us about your trip? 20) Will anyone answer the phone? 21) Will you fix the car tomorrow? – Yes, I will. 22) When will your sister take her exams? 23) What will you say? 24) Will it be cold tomorrow? – No, it won't.

7. 1) am going to check; 2) will get; 3) will answer; 4) are you going to celebrate; am going to book; will you do; will stay; 5) are going to spend; 6) is going to rain; 7) am going to be; 8) will visit; 9) will hold; 10) will like; 11) will say; 12) Are you going to come; will be / is going to be; will come; 13) will get; 14) will get; 15) will call; 16) am going; 17) will show; 18) is going to fall; 19) will come; 20) will give; 21) am going to give

8. 1) am going to take; 2) am going to bath; 3) am going to take; 4) will come; 5) will go; 6) am going to help; 7) will earn; 8) am going to take; 9) am going to make it up; 10) will do; 11) will be surprised; 12) am also going to do; 13) will do; 14) am going to read; 15) won't believe

9. 1) Shall I pass you the salt? 2) Shall I close the window? 3) Shall I switch on the light? 4) Shall I turn off the TV? 5) Shall I get you some water? 6) Shall I wear this dress?

10. 1) Shall we stay here longer? 2) Shall we meet after school? 3) Shall we discuss it later? 4) Shall we go to the cinema? 5) Shall we order a pizza? 6) Shall we invite your sister?

11. 1) What story shall I tell you? 2) What shall I say? 3) What book shall we choose? 4) Which apples shall we buy? 5) What food shall I bring? 6) Which seats shall we take? 7) Where exactly shall I find Joe?

12. 1) Shall we go to Greece for our holidays? 2) Shall I show the photos to you? / Shall I show you the photos? 3) Where exactly shall we sit? 4) What shall we play? 5) Shall we call Kate? 6) Shall we throw a party on Saturday? 7) Shall we go for a walk? 8) Shall I buy you an ice cream? 9) Shall I bake a cake? 10) What exactly shall I change? 11) What shall we order? 12) What film shall we see? 13) What exactly shall I say?

Vocabulary enrichment. C. 270

1. 1) This room isn't light enough. 2) This bed isn't soft enough. 3) You didn't work hard enough. 4) I said it loudly enough. 5) This dress is beautiful enough. 6) Mike's report wasn't good enough.

2. 1) He had his own business. 2) Sam's parents have their own hotel at the seaside. 3) I'd like to know your own opinion. 4) This is Jack's own shop. 5) Give me your own example.

3. 1) My friends got stuck in a traffic jam. 2) There are lots of amusements in this park. 3) Last summer we went to France. We ate dishes of French cuisine, drank French wine and admired the nature and ancient castles. 4) It's getting dark and it's going to rain. 5) We were at the very top of the mountain. 6) I'm not sure (that) you'll like this film. 7) Is the wind blowing hard? 8) I'm too scared. 9) I know (that) it's your favourite dish. 10) When Leila returned from her last trip, she set up her own fashion shop. 11) I'll probably start my own business. 12) Could you give me another ice cream, please? 13) I'm sure (that) they won't be satisfied with your decision. 14) Do you have / Have you got a well–paid job? – Not quite. 15) What do you like doing most of all? 16) Most of all I like swimming in the warm sea.

УРОК 29

Робота з текстом. C. 273

1. 1) move; 2) As for me; 3) seven years ago; 4) pollution; 5) too dull; 6) rent; 7) still; 8) You were lucky. 9) fresh air; 10) a lot cheaper; 11) too much noise; 12) too many people; 13) What do you mean? 14) crowded and noisy streets; 15) a quiet life; 16) That depends. 17) as far as I remember; 18) There wasn't much to do. 19) so; 20) a detached house; 21) half an hour; 22) in a pleasant suburb; 23) an hour and a half; 24) commute; 25) it takes me; 26) in the country; 27) far more exciting.

Grammar practice. C. 276

1. 1) narrower / more narrow, the narrowest /

the most narrow; 2) tidier, the tidiest; 3) jollier, the jolliest; 4) funnier, the funniest; 5) noisier, the noisiest; 6) more boring, the most boring; 7) more expensive, the most expensive; 8) more exciting, the most exciting; 9) higher, the highest; 10) fatter, the fattest; 11) wiser, the wisest; 12) nicer, the nicest; 13) ruder, the rudest; 14) more uncozy, the most uncozy; 15) more dangerous, the most dangerous; 16) wetter, the wettest; 17) bigger, the biggest; 18) faster, the fastest; 19) worse, the worst; 20) thinner, the thinnest; 21) better, the best; 22) quicker, the quickest; 23) hotter, the hottest; 24) healthier, the healthiest; 25) more unhealthy, the most unhealthy; 26) more untidy, the most untidy, 27) more unwitty, the most unwitty; 28) tidier, the tidiest; 29) smaller, the smallest; 30) more untasty, the most untasty; 31) tastier, the tastiest; 32) cosier, the cosiest

2. 1) Nora is taller than Kyra. 2) Kate is smaller than Mary. 3) The Cheapy hotel is worse than the Moony. 4) Starlight is better than Pennyworth. 5) This house is smaller than that one. 6) The air in the city is dirtier than in the country. 7) The life in the country is quieter / more quiet than in the city. 8) This restaurant is more crowded than that one. 9) This suburb is more pleasant than that one.

3. 1) the best; 2) smaller; 3) the biggest; 4) the longest; 5) higher; 6) worse; 7) better; 8) the worst; 9) the smallest; 10) the highest; 11) worse; 12) the most famous

4. 1) This wall is 20 cm thicker than that one. 2) This film is 20 minutes longer than that one. 3) I am 3 years older than my brother. 4) This book is 10 pages shorter than that one. 5) This building is 15 metres higher than that one. 6) Jane is 10 cm shorter than Anna. 7) This room is 5 square metres smaller than that one. 8) July is 1 day longer than June.

5. 1) much / far / a lot longer; 2) a little / a bit faster; 3) still warmer; 4) much / far / a lot more important; 5) a bit / slightly brighter; 6) still more hard–working; 7) much / far / a lot lazier; 8) still braver; 9) 5 km shorter; 10) 10 minutes longer; 11) still more interesting; 12) 2 cm shorter (якщо йдеться про зріст) / lower (якщо йдеться про висоту)

6. 1) Is the Sun much / far / a lot brighter than the Moon? 2) This tree is 2 metres higher than that one. 3) This book is much / far / a lot more interesting than all the others. 4) The tiger is a much faster animal than the lion, and the cheetah is still faster. 5) Is Canada much bigger than Italy? 6) This dress is 20 Euro more expensive than that one. 7) This street is 1 km shorter than that one. 8) This trip is 100 dollars cheaper than that one. 9) I'm *a little / a bit* taller than my brother. 10) This is the most important thing in my life. 11) There are much more beautiful houses in this area. 12) This is the most famous opera by Verdi. 13) The black suit is 10 dollars more expensive than the red one. 14) This road is 2 km shorter than that one. 15) This model is a lot newer that that one. 16) Liverpool is *much / far / a lot* more famous that Birmingham. 17) This trip is the safest of all. 18) This year my wife has a three days longer holiday than last year. 19) Tokyo is much bigger / larger than Paris. 20) Germany is a lot smaller than Brazil. 21) This river is only 5 metres wider than that creek.

Vocabulary enrichment. C. 279

1. 1) I'm still hungry. 2) I still want to talk to your teacher. 3) We will still go to this museum. 4) They would still like to go to the seaside. 5) I am still thirsty. 6) I will still tell you this story.

2. 1) I want to sing, too. 2) You are talking too quietly. 3) It's too noisy here. 4) There are too many people there. 5) My sister is tall, too. 6) There's too much sugar in my tea.

3. 1) as for your parents; 2) as for this restaurant; 3) as for our trip; 4) as for this doctor; 5) as for your health

4. 1) two years ago; 2) four weeks ago; 3) five minute ago; 4) a month ago; 5) three hours ago

5. 1) There are enough flowers in this garden. 2) You don't run fast enough. 3) *Do we have / Have we got* enough money to buy this house? 4) *I don't have / I haven't got* enough time to discuss this problem now. 5) We lived there long enough. 6) *Do you have / Have you got* enough time *to get ready / to prepare* for the exam?

6. 1) As far as we can see. 2) As far as he remembers. 3) As far as my parents know. 4) As far as my wife heard. 5) As far as we could see. 6) As far as I can judge. 7) As far as he could judge.

7. 1) It depends on his answer. 2) It depends on where we are going. 3) It depends. 4) It depends on all our colleagues. 5) It depends on where he lives. 6) It depends on why he doesn't want to do it. 7) It depends on what you know.

8. 1) Kevin came half an hour later. 2) The film will start in an hour and a half. 3) We are meeting in half an hour. 4) An hour later my aunt returned home. 5) I'll be at work in half an hour. 6) An hour and a half ago I was still at work.

9. 1) My brother has to work weekends. 2) I have to send the report in half an hour. 3) We have to hire a taxi, or we'll be late. 4) My friend has to go home immediately. 5) I have to go to bed late because I have a lot of work to do. 6) He has to go on a diet.

10. 1) Life in the country is too boring / dull. 2) We moved to Manchester when I was ten. 3) In this city the rents are too high. 4) He still has to go home. 5) Life in this town is much cheaper than in the capital. 6) There's too much noise here, the streets are very crowded and dirty. 7) I was lucky. 8) He still prefers living in the country. 9) What does he mean? 10) I like fresh air. 11) It depends on your decision. 12) There isn't much to do. 13) As far as I know his brother lives in the country. 14) As far as I understand you have to commute to the office. 15) We live in a pleasant suburb.

УРОК 30

Робота з текстом. С. 284

1. 1) What's the problem? 2) by tomorrow; 3) browse the Internet; 4) I'll try. 5) go downstairs; 6) a bad headache; 7) What's up with you? 8) be allergic to something; 9) take some aspirin; 10) look pale; 11) pills; 12) lie down; 13) have a rest; 14) That's a good idea. 15) sure; 16) you must; 17) then.

Grammar practice. С. 286

1. 1) should; 2) shouldn't; 3) shouldn't; 4) shouldn't; 5) should; 6) shouldn't; 7) should

2. 1) You should take off your sweater. 2) You should go to bed. 3) You should spend more time outdoors. 4) You should lie down. 5) You should see the dentist. 6) You should go on a diet. 7) You should stay at home.

3. 1) You should go to work by bike. 2) She shouldn't eat so much. 3) He should be friendlier with people. 4) He should study hard. 5) We should visit it. 6) She shouldn't work so hard. 7) He shouldn't spend so much time at the computer.

4. 1) Should I keep it a secret? 2) Should I talk to your friend? 3) Should I see the doctor? 4) Should I do it tomorrow? 5) Should I play with your sister? 6) Should I get up now? 7) Should I go there? 8) Should I tell him the truth?

5. 1) Should I talk; 2) Should I learn; 3) Should I take; 4) Should I invite; 5) Should I see; 6) Should I wear; 7) Should I keep; 8) Should I accept; 9) Should I participate; 10) Should I take; 11) Should I make

6. 1) should; 2) should; 3) must; 4) must; 5) should; 6) must; 7) shouldn't; 8) mustn't; 9) must; 10) mustn't; 11) shouldn't

7. 1) must; 2) must; 3) mustn't; 4) can; 5) must; 6) mustn't; 7) mustn't; 8) can; 9) can; 10) can; 11) must; 12) can

Vocabulary enrichment. С. 289

1. 1) What's up with her? 2) What's up with your shoes? 3) What's up with your report? 4) What's up with your brother? 5) What's up with your chair?

2. 1) I'm not allergic to any drugs. 2) Are you allergic to anything? 3) My sister is allergic to milk. 4) Sandra is allergic to peanut butter. 5) Is Jack allergic to sweets? 6) I'm allergic to oranges. 7) Doris isn't allergic to anything.

3. 1) My aunt should return by tomorrow. 2) Do you know the answer to this question? – No, I'll browse the Internet. 3) I'll try to finish this work by tomorrow. 4) What's your problem? 5) Where's the hairdresser's? – It's on the ground floor. You should go downstairs. 6) My husband doesn't like pills. When he feels bad, he just lies down and has a rest. 7) Mike has a bad headache. – He should take some aspirin. 8) She looks awfully / terribly pale. 9) What's up with Liz? She looks awfully tired. 10) Can you help me? – Sure. 11) It's a very interesting exhibition. You must see it. 12) It's not a very good idea.

Revision exercise. С. 290

1) I miss your parties. 2) It's raining outside and the wind is blowing hard. 3) What's your uncle (by profession)? – He's an accountant. 4) What time does your son usually come home? 5) He doesn't want to tidy his room. 6) Are you often late for your lessons? 7) My friend's daughter isn't ill, she's just tired. 8) Could you explain it to me again / once more? 9) Whose clothes are these? — These are our teacher's clothes. 10) My husband never drinks white coffee. 11) What's her neighbour's name? 12) My friends never stay at hostels when they travel abroad. 13) Did you go sightseeing when you were in London? 14) In winter we often go *to ski / skiing* in the mountains, and in the summer we go to the seaside. We go boating, swim, *sunbathe / lie in the sun* and sometimes we go fishing. 15) Who has sugar? 16) There are few chairs in this room. 17) I'll tell you the truth in exchange for your explanation. 18) I'm not going to join them. 19) Will you give me ice cream instead of a cake, please? 20) My aunt works as a nurse in this hospital. 21) There are three cinemas in this town, but there are no / there aren't theatres any at all. 22) We have no sugar left at home. 23) Where is the nearest Underground station? 24) Which tea do you prefer – black or green? 25) Go / Walk as far as the traffic lights, then turn right. 26) I can't stand walking when it's hot. 27) I'm not interested in basketball. 28) Would you like some juice? – No, I'd rather have some lemon tea. 29) You should take up sports to keep fit. 30) The Pacific Ocean is *much / far / a lot* bigger than the Indian Ocean. 31) He doesn't study hard enough. 32) You look pale. What's up with you? / What's the matter with you? 33) I wonder why he's so angry. 34) What was the weather like yesterday? 35) We were too scared. 36) It's Jack's own business.

УДК 374.72 / 811.111
ББК 81.2Англ – 922
І-21

Іванова Ю. А.

І-21 Англійський репетитор. Простий самовчитель для дорослих. З нуля. / Юлія Іванова. — Харків, 2022. — 335 с. : іл.
ISBN 978-617-7728-34-3.

Перед вами справжня книга-репетитор, за допомогою якої ви навчитеся читати, говорити англійською та опануєте основи англійської граматики до середини рівня А2. Тут немає довгих правил з незрозумілим практичним застосуванням. Усе пояснено простою людською мовою, всі пояснення супроводжуються наочними прикладами і величезною кількістю практичних вправ. Книга також містить масу корисних слів і виразів для щоденного спілкування.

Усього 30 уроків відокремлюють вас від почуття впевненості в собі під час закордонних подорожей і спілкування з іноземцями.

Самовчитель призначений для тих, хто починає вивчати англійську з нуля, а також для тих, хто багато років намагався безуспішно оволодіти цією мовою і має безладні, безсистемні знання та слабкий словниковий запас.

Книга може бути з успіхом використана викладачами в якості підручника для дорослих і підлітків на початкових етапах навчання.

УДК 374.72 / 811.111
ББК 81.2Англ – 922

Навчальне видання для дорослих

Юлія Анатоліївна ІВАНОВА

АНГЛІЙСЬКИЙ РЕПЕТИТОР. ПРОСТИЙ САМОВЧИТЕЛЬ ДЛЯ ДОРОСЛИХ.

З НУЛЯ. РІВЕНЬ А1 - А2

(ELEMENTARY - PRE-INTERMEDIATE)

Комп'ютерне макетування: І. В. Стеценко
Коректор / редактор: Є. В. Геращенко

Формат 70х100 1/16. Обл.-вид. арк. 23,78.
Ум. друк. арк. 27,3.
Видавництво Нью Тайм Букс
Свідоцтво суб'єкта видавничої справи ДК № 6950 від 22.10.2019 р.
ФОП Іванова Ю.А.
Свідоцтво суб'єкта видавничої справи ДК № 5150 від 18.07.2016 р.

Тел. +38 (050) 301-19-73, +38 (098) 828-26-79.
E-mail: salesnewtime@gmail.com
Сайт видавництва й інтернет-магазин: http://ntbooks.pro

Віддруковано у друкарні «Діса+»,
м. Харків, Салтівське шосе, 154

ISBN 978-617-7728-34-3

Printed in Great Britain
by Amazon